19|09|2019

B. Tuchenhagen
Ostfriesland 201?

Schatten kind
Trauma
wunde Cade

Erich Kästner:
Es ist nie zu spät für eine gute Kindheit
ö

kailash

Liebe Kleine Britta,

ich finde dich gut so wie du bist und du hast so viel tolles allein geschafft weil deine Eltern nicht für dich da waren. Deine Mutter hat sich im Alkoholismus ausgelebt und dein Vater in seiner Karriere inklusiv Freundinnen. Da war kein Platz für dich und deine Bedürfnisse nach Liebe und Geborgenheit. Die Vernachlässigung und Missbrauch hast du hinter dir. Glaube an dich und deine neue Familie. Rob liebt dich über alles und deine Kinder tun das auch. Du bist eine volle Mutter und Frau, ehrlich und mach dir keine Sorgen weil du kein Freunde hast oder drus zugenommen hast. Du hast das Beste nun und kannst dein Glück selbst bestimmen. Gesundheit, viel laufen, lesen, Rob, Maya, Heidi, Ab und deine Interessen wie Hunde, Pferde, Klavier spielen. Sei nicht so hart zu dir selbst. Es war nicht deine Schuld.

Alles Liebe und viel Glück

Die große Britta schön

Stefanie ✳ Stahl

Das Kind in dir muss Heimat finden

Der Schlüssel zur Lösung (fast) aller Probleme

kailash

 Dieses Buch ist auch als E-Book erhältlich.

Verlagsgruppe Random House FSC® N001967

25. Auflage
Originalausgabe
© 2015 Kailash Verlag, München
in der Verlagsgruppe Random House GmbH
Neumarkter Str. 28, 81673 München
Lektorat: Carola Kleinschmidt, Mihrican Özdem
Satz und Layout: Satzwerk Huber, Germering
Umschlaggestaltung: ki 36, Editorial Design, München, Daniela Hofner
Umschlagmotiv: 2/Hans Nelemann/Ocean/Corbis
Gestaltung der Innenklappen und Illustrationen: bob-design, Trier
Foto der Autorin: Roswitha Kaster, Riol
Druck und Bindung: CPI books GmbH, Leck
Printed in the Czech Republic
ISBN 978-3-424-63107-4
www.kailash-verlag.de

Besuchen Sie den Kailash Verlag im Netz

Für meine Freundinnen und Freunde

Die meisten Schatten in unserem Leben rühren daher,
dass wir uns selbst in der Sonne stehen.

Ralph Waldo Emerson

Inhalt

Meditationen zum Download

Für eine intensivere Arbeit mit dem inneren Kind
hat Stefanie Stahl zwei Fantasiereisen eingesprochen:
Die Schattenkind-Trance und *Die Sonnenkind-Trance*.
Sie können sie kostenlos herunterladen unter:
www.kailash-verlag.de/daskindindir

Das Kind in dir muss Heimat finden

Jeder Mensch braucht einen Ort, an dem er sich geborgen, sicher und willkommen fühlt. Jeder Mensch sehnt sich nach einem Ort, an dem er sich entspannen kann und wo er ganz er selbst sein darf. Im Idealfall war das eigene Elternhaus ein solcher Platz. Wenn wir uns von unseren Eltern angenommen und geliebt gefühlt haben, dann hatten wir ein warmes Heim. Unser Zuhause war genau das Zuhause, nach dem sich jeder Mensch sehnt: eine herzwärmende Heimat. Und dieses Gefühl aus Kinderzeiten, angenommen und willkommen zu sein, verinnerlichen wir als ein grundlegendes positives Lebensgefühl, das uns auch als Erwachsene begleitet: Wir fühlen uns geborgen in der Welt und in unserem Leben. Wir haben Selbstvertrauen und können auch anderen Menschen Vertrauen schenken. Man spricht auch vom sogenannten Urvertrauen. Dieses Urvertrauen ist wie eine Heimat in uns selbst, denn es gibt uns inneren Halt und Schutz.

Nicht wenige Menschen verbinden jedoch mit ihrer Kindheit vorwiegend unschöne Erinnerungen, manche sogar traumatische. Andere Menschen hatten eine unglückliche Kindheit, aber haben diese Erfahrungen verdrängt. Sie können sich kaum noch erinnern. Wieder andere meinen hingegen, ihre Kindheit wäre »normal« oder sogar »glücklich« gewesen, was sich jedoch bei näherem Hinsehen als Selbstbetrug herausstellt. Doch auch wenn man die Erfahrungen von Unsicherheit oder Ablehnung in der Kindheit verdrängt hat oder als Erwachsener vor sich selbst herunterspielt, so zeigt sich doch im Alltagsleben, dass das Urvertrauen dieser Menschen nicht sehr ausgeprägt ist. Sie haben Probleme mit ihrem Selbstwertgefühl, sie zweifeln immer wieder, ob ihr Gegenüber, ihr Partner, die Chefin oder die neue Bekanntschaft sie wirklich mag und ob sie willkommen sind. Sie mögen sich selbst nicht so richtig, verspüren viele Unsicherheiten und haben oft Beziehungsschwierigkeiten. Sie konnten kein Urvertrauen entwickeln und empfinden deswegen wenig inneren Halt. Stattdessen wünschen sie sich, dass die anderen ihnen ein Gefühl von Sicherheit, Schutz, Geborgenheit und Heimat vermitteln. Sie suchen nach einer Heimat bei ihrem Partner, ihren Kollegen, auf dem Fußballplatz oder im Kaufhaus. Und sie sind stets aufs Neue enttäuscht, wenn die anderen Menschen ihnen bestenfalls sporadisch ein Heimatgefühl vermitteln können. Sie merken nicht, dass sie in der Falle stecken: Wer keine innere Heimat hat, wird sie auch im Außen nicht finden.

Wenn wir von diesen Kindheitsprägungen sprechen, die, neben unseren Erbanlagen, sehr stark unser Wesen und unser Selbstwertgefühl bestimmen, dann sprechen wir von einem Persönlichkeitsanteil, der in der Psychologie als »das innere Kind« bezeichnet wird. Das innere Kind ist sozusagen die Summe unserer kindlichen Prägungen – guter wie schlechter, die wir durch unsere Eltern und andere wichtige Bezugspersonen erfahren haben. An die allermeisten dieser Erfahrungen erinnern wir uns nicht auf der bewussten Ebene. Sie sind jedoch im Unbewussten festgeschrieben. Man kann deshalb sagen: Das innere Kind ist ein wesentlicher Teil unseres Unbewussten. Es sind die Ängste, Sorgen und Nöte, die wir von Kindesbeinen an erlebt haben. Und zugleich sind es auch alle positiven Prägungen aus unserer Kindheit.

Vor allem die negativen Prägungen machen uns als Erwachsene jedoch oft Schwierigkeiten. Denn das Kind in uns tut viel dafür, damit es Kränkungen und Verletzungen, die ihm in seiner Kindheit zugefügt wurden, nicht noch einmal erleben muss. Und zugleich strebt es immer noch danach, seine Wünsche nach Sicherheit und Anerkennung erfüllt zu bekommen, die in seiner Kindheit zu kurz gekommen sind. Die Ängste und Sehnsüchte wirken im Untergrund unseres Bewusstseins. Auf der bewussten Ebene sind wir unabhängige Erwachsene, die ihr Leben gestalten. Doch unser inneres Kind beeinflusst auf der unbewussten Ebene unser Wahrnehmen, Fühlen, Denken und Handeln ganz maßgeblich. Sogar sehr viel stärker als unser Verstand. Es ist wissenschaftlich erwiesen, dass das Unterbewusstsein eine sehr machtvolle psychische Instanz ist, die zu 80 bis 90 Prozent unser Erleben und Handeln steuert.

Ein Beispiel soll dies verdeutlichen: Michael bekommt immer wieder Wutanfälle, wenn seine Lebensgefährtin Sabine etwas vergisst, was ihm wichtig ist. Neulich vergaß sie beim Einkaufen seine Lieblingswurst, und er ist richtiggehend ausgeflippt. Sabine war wie vor den Kopf geschlagen – für sie fehlte einfach nur die Wurst. Für Michael schien jedoch die Welt aus den Fugen geraten zu sein. Was war da passiert?

Michael ist sich nicht darüber bewusst, dass es das innere Kind in ihm ist, das sich von Sabine nicht genügend beachtet und respektiert fühlt, wenn sie seine Lieblingswurst vergisst. Er weiß nicht, dass der Grund für seine enorme Wut nicht Sabine und die vergessene Wurst ist, sondern eine tief liegende Verletzung aus der Vergangenheit: nämlich der Umstand, dass seine Mutter seine Wünsche als Kind nicht ernst genommen hat. Sabine hat mit ihrem Versäumnis lediglich Salz in diese alte Wunde gestreut. Doch weil Michael der Zusammenhang zwischen seiner Reaktion auf Sabine und den Erfahrungen mit seiner Mutter nicht bewusst ist, kann er nur wenig Einfluss auf seine Gefühle und sein Verhalten nehmen. Der Streit um die Wurst ist nicht der einzige Konflikt dieser Art in ihrer Beziehung. Michael und Sabine streiten sich häufig um banale Dinge, weil beiden nicht bewusst ist, worum es ihnen *wirklich* geht. Denn so wie Michael wird auch Sabine von ihrem inneren Kind gesteuert. Ihr inneres Kind reagiert sehr empfindlich auf Kritik, weil sie es früher ihren Eltern selten recht machen konnte. Michaels Wutanfälle lösen also auch in Sabine alte Kindgefühle aus. Sie fühlt sich dann klein und wertlos und reagiert entsprechend gekränkt und beleidigt. Manchmal denken beide sogar, es wäre besser, sich zu trennen, weil sie sich so häufig wegen Kleinigkeiten fetzen und sich dabei gegenseitig so tief verletzen.

Hätten Sie jedoch einen Einblick in die Sehnsüchte und Verletzungen ihres inneren Kindes, könnten sie sich genau darüber austauschen, statt sich an der Oberfläche über eine vergessene Wurst oder ein Tick zu viel Kritik zu streiten. Sie würden sich dann sicherlich viel besser verstehen. Und sie würden sich näherkommen, anstatt sich gegenseitig anzugreifen.

Dabei ist das Unwissen um das innere Kind nicht nur der Grund für Konflikte in Paarbeziehungen. In vielen Konflikten kann man – wenn man die Zusammenhänge kennt – sehen, dass hier nicht Erwachsene mit einem guten Selbstbewusstsein einen Konflikt lösen, sondern innere Kinder miteinander kämpfen. Zum Beispiel wenn der Angestellte auf die Kritik des Chefs reagiert, indem er den Job hinwirft. Oder wenn ein Staatsmann die Grenzverletzung eines anderen Staatsmannes mit dem militärischen Angriff beantwortet. Die Unwissenheit um das innere Kind verursacht, dass viele Menschen mit sich und ihrem Leben unzufrieden sind, Konflikte zwischen Menschen entstehen und nicht selten unkontrolliert eskalieren können.

Dabei gehen auch jene Menschen, deren Kindheit vorwiegend glücklich war und die Urvertrauen erworben haben, in der Regel nicht völlig sorgenfrei und problemlos durchs Leben. Auch ihr inneres Kind hat gewisse Blessuren erfahren. Denn es gibt keine perfekten Eltern und keine perfekten Kindheiten. Auch sie haben neben guten Prägungen von ihren Eltern auch schwierige Anteile übernommen, die ihnen im späteren Leben Probleme bereiten können. Vielleicht sind diese Probleme nicht so augenfällig wie Michaels Wutanfälle. Vielleicht tut man sich schwer, Menschen außerhalb der Familie zu vertrauen. Oder man trifft nicht gern große Entscheidungen. Oder man bleibt lieber unter seinen Möglichkeiten, als sich zu weit aus dem Fenster zu hängen. Doch in jedem Fall ist es so, dass die negativen Prägungen aus der Kindheit uns einschränken, unsere Entwicklung und auch unsere Beziehungen behindern.

Letztlich gilt für fast alle Menschen: Erst wenn wir Bekanntschaft und Freundschaft mit unserem inneren Kind schließen, werden wir erfahren, welche tiefen Sehnsüchte und Verletzungen wir in uns tragen. Und wir können diesen verletzten Teil unserer Seele akzeptieren und bis zu einem gewissen Grad sogar heilen. Unser Selbstwert kann hierdurch wachsen, und das Kind in uns wird endlich eine Heimat finden. Dies ist die Voraussetzung dafür, dass wir unsere Beziehungen zu anderen Menschen friedlicher, freundlicher und glücklicher gestalten. Und es ist auch die Voraussetzung dafür, dass wir uns von Beziehungen, die uns nicht guttun oder sogar krank machen, lösen können.

Dieses Buch will dir helfen, dein inneres Kind kennenzulernen und Freundschaft mit ihm zu schließen. Es wird dich dabei unterstützen, alte Muster, die dich immer wieder in Sackgassen und ins Unglück führen, abzulegen. Es wird dir zeigen, wie du stattdessen zu neuen und hilfreichen Einstellungen und Verhaltensweisen findest, mit denen du dein Leben und deine Beziehungen wesentlich glücklicher gestalten kannst.

Anmerkung zum »Du«: Das Du überbrückt die Distanz, die normalerweise zwischen dem Autor und dem Leser besteht. Und genau das ist meine Absicht, wenn ich in diesem Buch das Du verwende. Denn unser inneres Kind reagiert auf ein Du. Aber nicht auf ein Sie.

Modelle unserer Persönlichkeit

An der Oberfläche unseres Bewusstseins erscheinen uns unsere Probleme oft verworren und schwer lösbar. Auch fällt es uns manchmal schwer, die Handlungen und Gefühle anderer Menschen zu verstehen. Wir haben nicht den richtigen Durchblick – weder bei uns selbst noch bei den anderen. Dabei ist die menschliche Psyche eigentlich gar nicht so kompliziert aufgebaut. Vereinfacht gesagt, kann man sie in verschiedene Persönlichkeitsanteile unterteilen: So gibt es die kindlichen Anteile in uns und die erwachsenen Anteile, und es gibt eine bewusste und eine unbewusste Ebene unserer Psyche. Wenn man diese Struktur der Persönlichkeit kennt, kann man damit bewusst arbeiten und wird viele seiner Probleme lösen, die vorher unlösbar erschienen. Wie das geht, will ich dir in diesem Buch erklären.

Wie ich bereits geschrieben habe, ist das »innere Kind« eine Metapher, die die unbewussten Anteile unserer Persönlichkeit umschreibt, die in unserer Kindheit geprägt wurden. Dem inneren Kind wird unser Gefühlsleben zugeordnet: Angst, Schmerz, Trauer, Wut, aber auch Freude, Glück und Liebe. Es gibt also sowohl positive und glückliche Anteile des inneren Kindes als auch negative und traurige. Beide wollen wir in diesem Buch näher kennenlernen und mit ihnen arbeiten.

Daneben gibt es das Erwachsenen-Ich, das wahlweise auch als der »innere Erwachsene« bezeichnet wird. Diese psychische Instanz umfasst unseren rationalen und vernünftigen Verstand, also unser Denken. Im Modus des Erwachsenen-Ichs können wir Verantwortung übernehmen, planen, vorausschauend handeln, Zusammenhänge erkennen und verstehen, Risiken abwägen, aber auch das Kind-Ich regulieren. Das Erwachsenen-Ich handelt bewusst und absichtlich.

Sigmund Freud war übrigens der Erste, der die Persönlichkeit in verschiedene Instanzen aufteilte. Was in der modernen Psychologie als das innere Kind oder auch Kindheits-Ich bezeichnet wird, hieß bei ihm das Es. Das Erwachsenen-Ich bezeichnete Freud als das Ich. Und dann beschrieb er noch das sogenannte Über-Ich. Dieses ist eine Art moralischer Instanz in uns, die in der modernen Psychologie auch als das Eltern-Ich oder der »innere Kritiker« bezeichnet wird. Wenn wir uns im Modus des inneren Kritikers befinden, dann sprechen wir in etwa wie folgt mit uns: »Stell dich nicht so dumm an! Du bist nix, und du kannst nix! Das packst du sowieso nie!«

Neuere Therapieansätze, wie zum Beispiel die sogenannte Schematherapie, unterteilen diese drei Hauptinstanzen von Kindheits-, Erwachsenen- und Eltern-Ich in weitere Unterinstanzen auf, so zum Beispiel in das »verletzte innere Kind«, das »fröhliche innere Kind«, das »wütende innere Kind«, das »strafende« und das »wohlwollende Eltern-Ich«. Auch der bekannte Hamburger Psychologe Schulz von Thun identifiziert eine ganze Reihe von Unterpersönlichkeiten, die dem Menschen innewohnen, und hat den Begriff vom »inneren Team« geprägt.

Ich möchte jedoch die Dinge möglichst unkompliziert und pragmatisch halten. Wenn man mit vielen inneren Instanzen gleichzeitig arbeitet, dann wird es schnell anstrengend und umständlich. Deswegen beschränke ich mich in diesem Buch auf das fröhliche innere Kind, das verletzte innere Kind und den inneren Erwachsenen. Diese drei Instanzen reichen nach meiner Erfahrung völlig aus, um seine Probleme zu lösen. Die Begriffe »fröhliches inneres

Kind« und »verletztes inneres Kind« ersetze ich jedoch durch »Sonnenkind« und »Schattenkind«. Diese sind viel schöner und griffiger. Sie stammen allerdings nicht von mir, sondern von meiner alten Freundin und Kollegin Julia Tomuschat, deren höchst lesenswertes Buch »Das Sonnenkind-Prinzip« im Herbst 2016 erscheint.

Das Sonnenkind und das Schattenkind sind beides Ausprägungen unseres Persönlichkeitsanteils, der als das »innere Kind« bezeichnet wird und der für unser Unbewusstes steht. Streng genommen gibt es sozusagen nur *ein* Unbewusstes, also *ein* inneres Kind. Außerdem ist das innere Kind auch nicht immer ein unbewusstes Gefühl. Sobald wir mit ihm arbeiten, wird es bewusst. Das Sonnen- und das Schattenkind bezeichnen wiederum unterschiedliche Bewusstseinszustände. Diese Unterscheidung ist vor allem eine pragmatische und keine wissenschaftliche. Ich habe in meiner langjährigen Arbeit als Psychotherapeutin eine Problemlösestruktur entwickelt, die sich der Metaphern des Sonnen- und des Schattenkindes bedient und mit der du fast alle Probleme lösen kannst. Die Einschränkung *fast* gilt für alle Probleme, die *nicht in dein*er Hand liegen. Zu diesen zähle ich vor allem Schicksalsschläge wie Krankheit, Tod eines geliebten Menschen, Krieg, Naturkatastrophen, Gewaltverbrechen, sexueller Missbrauch. Wobei man einschränkend hinzufügen muss, dass auch die Bewältigung solcher Schicksalsschläge mit von der Persönlichkeit der Betroffenen abhängt. Menschen, die schon vor einem Schicksalsschlag stark mit ihrem Schattenkind zu kämpfen hatten, haben es natürlich schwerer als jene, die eher über ein Sonnenkindgemüt verfügen. Insofern können auch Menschen, deren Hauptproblem ein Schicksalsschlag ist, etwas aus diesem Buch ziehen. Am meisten profitieren jedoch Menschen von diesem Buch, deren Probleme »hausgemacht« sind, und das sind alle Probleme, die im weitesten Sinne innerhalb der eigenen Verantwortung liegen. Zu diesen zählen alle Beziehungsprobleme, aber auch depressive Verstimmungen, Stress, Zukunftsangst, mangelnde Lebensfreude, Panikattacken, Zwangshandlungen usw.

Denn diese Probleme gehen letztlich auf die Prägungen unseres Schattenkindes – oder mit anderen Worten ausgedrückt – auf unser Selbstwertempfinden zurück.

Das Schatten- und das Sonnenkind

Wie wir fühlen und welche Gefühle wir überhaupt in uns wahrnehmen können beziehungsweise welche Gefühle in unserem Erleben zu kurz kommen, hängt wesentlich von unserem angeborenen Temperament und unseren Kindheitserfahrungen ab. Einen wichtigen Einfluss nehmen hier unsere unbewussten *Glaubenssätze*. Unter einem Glaubenssatz versteht man in der Psychologie eine tief verankerte Überzeugung, die eine Einstellung zu uns selbst oder zu unseren zwischenmenschlichen Beziehungen ausdrückt. Viele Glaubenssätze entstehen in den ersten Lebensjahren durch die Interaktion zwischen dem Kind und seinen nächsten Bezugspersonen. Ein innerer Glaubenssatz kann beispielsweise lauten »Ich bin okay!« oder auch »Ich bin nicht okay!«. In der Regel verinnerlichen wir im Laufe unserer Kindheit und unseres weiteren Lebens sowohl positive als auch negative Glaubenssätze. Die positiven Glaubenssätze wie »Ich bin okay« entstanden in Situationen, in denen wir uns von unseren wichtigsten Bezugspersonen angenommen und geliebt fühlten. Sie stärken uns. Die negativen Glaubenssätze wie »Ich bin nicht okay« entstanden dagegen in Situationen, in denen wir uns falsch und abgelehnt fühlten. Sie schwächen uns.

Das *Schattenkind* umfasst unsere negativen Glaubenssätze und die daraus resultierenden belastenden Gefühle wie Trauer, Angst, Hilflosigkeit oder Wut. Hieraus wiederum resultieren die sogenannten Selbstschutzstrategien, kurz: Schutzstrategien, die wir entwickelt haben, um mit diesen Gefühlen klarzukommen beziehungsweise um sie am besten gar nicht zu spüren. Typische Schutzstrategien sind zum Beispiel: Rückzug, Harmoniestreben, Perfektionsstreben, Angriff- und Attacke oder auch Macht- und Kontrollstreben. Auf die Glaubenssätze, die Gefühle und die Selbstschutzstrategien werde ich noch ausführlich zu sprechen kommen. Jetzt musst du nur verstehen, dass das Schattenkind für jenen Anteil unseres Selbstwertgefühls steht, der verletzt und entsprechend labil ist.

Das *Sonnenkind* hingegen steht für unsere positiven Prägungen und guten Gefühle. Es steht für alles, was fröhliche Kinder ausmacht: Spontaneität, Abenteuerlust, Neugierde, Selbstvergessenheit, Vitalität, Tatendrang und Lebensfreude. Das Sonnenkind ist eine Metapher für den intakten Anteil unseres Selbstwertgefühls. Auch Menschen, die ein sehr schweres Päckchen aus ihrer Kindheit zu tragen haben, haben durchaus auch gesunde Anteile in ihrer Persönlichkeit. Auch in ihrem Leben gibt es Situationen, in denen sie nicht überreagieren, und sie kennen Momente, in denen sie freudig, neugierig und verspielt sind – in denen also das Sonnenkind zum Zuge kommt. Gleichwohl kommt bei Menschen, die eine sehr bedrückende Kindheit hinter sich haben, das Sonnenkind zumeist viel zu selten zum Vorschein. Deswegen werden wir in diesem Buch das Sonnenkind ganz besonders fördern und das Schattenkind in uns trösten, damit es sich gesehen fühlt, sich beruhigen kann und genügend Raum für das Sonnenkind entsteht.

Es dürfte so weit klar geworden sein, dass es der Schattenkindanteil unserer Psyche ist, der uns immer wieder Probleme macht. Vor allem, wenn er unbewusst und somit unreflektiert bleibt. Dies möchte ich noch einmal am Beispiel von Michael und Sabine verdeutlichen: Wenn Michael sein Verhalten mit dem Blick seines Erwachsenen-Ichs betrachtet, dann ist ihm durchaus bewusst, dass er häufig überreagiert. Er hat sich deswegen auch schon oft vorgenommen, seine Wut zu bezähmen. Manchmal gelingt ihm dies auch, meistens aber nicht. Der Grund für den mäßigen Erfolg seiner guten Vorsätze ist, dass sein innerer Erwachsener, also sein bewusst denkender Verstand, nicht informiert ist über die Verletzungen seines Schattenkindes. Und deswegen kann der innere Erwachsene keinen Einfluss auf das Schattenkind nehmen. Sein bewusst denkender, vernünftiger Verstand bekommt also keine Kontrolle über seine Gefühle und sein Verhalten, die von seinem Schattenkind bestimmt werden.

Wenn Michael seine Wutanfälle erfolgreich regulieren wollte, dann müsste er sich über den Zusammenhang zwischen seiner kindlichen Kränkung durch seine Mutter und Sabines Verhalten bewusst sein. Er müsste reflektieren, dass sein Schattenkind eine Dauerwunde in sich trägt, die immer dann schmerzt, wenn das Schattenkind meint, dass seine Wünsche nicht genügend respektiert würden. Ab diesem Moment könnte sein innerer Erwachsener sein Schattenkind in etwa wie folgt beruhigen: »Pass mal auf, nur weil Sabine deine Lieblingswurst vergessen hat, heißt das nicht, dass sie dich nicht liebt und deine Wünsche nicht ernst nimmt. Sabine ist nicht Mama. Und Sabine ist, genauso wie du, nicht perfekt. Das heißt, sie kann und darf auch mal etwas vergessen, auch wenn es ausgerechnet deine Lieblingswurst ist!« Durch die bewusste Trennung seines Schattenkindes von dem erwachsenen Anteil in ihm hätte Michael die vergessene Wurst nicht als einen Mangel an Respekt und Liebe seitens Sabine interpretiert, sondern als ein menschliches Versehen. Durch diese kleine Korrektur seiner Wahrnehmung wäre erst gar keine Wut in ihm aufgekommen. Wenn Michael also seine Wutanfälle in den Griff bekommen möchte, dann muss er sein Bewusstsein auf sein Schattenkind und dessen Verletzungen lenken. Und er muss lernen, bewusst in den Modus des wohlwollenden und besonnenen Erwachsenen-Ichs zu wechseln, das auf die Impulse des Schattenkindes angemessen und liebevoll reagieren kann, statt Sabine ständig mit den Wutimpulsen seines Schattenkindes zu überfallen.

Wie sich unser inneres Kind entwickelt

Die Persönlichkeitsanteile des Sonnen- und des Schattenkindes werden wesentlich, wenn auch nicht ausschließlich, durch die ersten sechs Lebensjahre geprägt. Die ersten Lebensjahre in der Entwicklung eines Menschen sind deshalb so wichtig, weil sich in dieser Zeit seine Gehirnstruktur mit ihren ganzen neuronalen Netzen und Verschaltungen herausbildet. Die Erfahrungen, die wir in dieser Entwicklungsphase mit unseren nahen Bezugspersonen machen, spuren sich deswegen tief in unser Gehirn ein. Wie Mama und Papa mit uns umgehen, ist wie eine Art Blaupause für alle Beziehungen unseres Lebens. In der Beziehung zu unseren Eltern lernen wir, was wir von uns selbst und von zwischenmenschlichen Beziehungen zu halten haben. Unser Selbstwertgefühl entsteht in diesen ersten Lebensjahren und damit einhergehend auch unser Vertrauen in andere Menschen oder – im weniger günstigen Falle – unser Misstrauen gegenüber anderen Menschen und in zwischenmenschliche Beziehungen.

Allerdings sollte man sich hier davor hüten, zu sehr in Schwarz und Weiß zu denken. Denn keine Eltern-Kind-Beziehung war ausschließlich schlecht oder gut. Auch wenn wir eine gute Kindheit hatten, gibt es in jedem von uns einen Anteil, der Verletzungen davongetragen hat. Dies liegt schon in der kindlichen Situation als solcher begründet: So kommen wir klein, nackt und völlig schutzlos auf die Welt. Für den Säugling ist es überlebenswichtig, dass er eine Bindungsperson findet, die sich seiner annimmt, ansonsten stirbt er. Wir sind also nach der Geburt und auch noch eine lange Zeit danach in einer vollkommen unterlegenen und abhängigen Lebenslage. Deswegen gibt es in jedem von uns auch ein Schattenkind, das sich unterlegen und klein fühlt, das von sich annimmt, es sei nicht okay. Außerdem können auch die liebevollsten Eltern ihrem Kind nicht jeden Wunsch erfüllen. Sie müssen es notwendigerweise auch begrenzen. Vor allem das zweite Lebensjahr, wo das Kleinkind bereits laufen kann, ist durch viele Verbote und Begrenzungen seitens der Eltern bestimmt. Das Kind wird ständig ermahnt, das Spielzeug nicht kaputt zu machen, die Vase nicht anzufassen, nicht mit dem Essen zu spielen, aufs Töpfchen zu gehen, vorsichtig zu sein usw. Das Kind spürt also häufig, dass es etwas falsch macht, also irgendwie »nicht okay« ist.

Neben diesen minderwertigen Gefühlen weisen die allermeisten Menschen jedoch auch innere Zustände auf, in denen sie sich als »okay« und wertvoll empfinden. Wir haben ja in unserer Kindheit nicht nur Schlechtes erfahren, sondern auch Gutes: Zuwendung, Geborgenheit, Spiel, Spaß und Freude. Deswegen weisen wir auch einen Anteil in uns auf, den wir als das Sonnenkind bezeichnen.

Schwierig wird die Situation für das (reale) Kind, wenn seine Eltern grundsätzlich mit der Erziehung und Fürsorge überfordert sind und es anbrüllen, schlagen oder vernachlässigen. Kleine Kinder können nicht beurteilen, ob die Handlungen ihrer Eltern gut oder schlecht sind. Aus der kindlichen Perspektive sind die Eltern groß und unfehlbar. Wenn der Vater das Kind anbrüllt oder gar schlägt, dann denkt das Kind nicht: »Papa kann mit seinen Aggressionen nicht umgehen und benötigt eine Psychotherapie!«, sondern es bezieht die Schläge auf sein eigenes »Schlechtsein«. Bevor das Kind Sprache erworben hat, kann es ja noch nicht einmal denken, dass es schlecht wäre, sondern es fühlt nur, dass es bestraft wird und offensichtlich schlecht oder zumindest falsch ist.

Überhaupt lernen wir durch unser Fühlen in den ersten zwei Lebensjahren, ob wir grundsätzlich willkommen sind oder nicht. Die ganze Versorgung des Säuglings und Kleinkindes läuft körperlich ab: das Füttern, Baden, Wickeln. Und ganz wichtig: das Streicheln. Durch das Streicheln, durch liebevolle Blicke und die Stimmlage der Pflegepersonen erfährt das Kind, ob es willkommen ist auf dieser Welt oder nicht. Und weil wir in den ersten zwei Lebensjahren den Handlungen unserer Eltern völlig ausgeliefert sind, entsteht in dieser Zeit das sogenannte Urvertrauen oder eben auch ein Urmisstrauen, denn die Vorsilbe »Ur« deutet an, dass es sich hierbei um eine ganz tiefe, existenzielle Erfahrung handelt. Diese Erfahrungen spuren sich tief in das Körpergedächtnis ein. Menschen, die Urvertrauen entwickelt haben, fühlen auf einer ganz tiefen Ebene ihres Bewusstseins Vertrauen in sich selbst, was auch die grundlegende Voraussetzung ist, um anderen Menschen vertrauen zu können. Menschen, die hingegen kein Urvertrauen erworben haben, fühlen sich auf einer tiefen Ebene verunsichert und bringen ihren Mitmenschen mehr Misstrauen entgegen. Wenn ein Mensch Urvertrauen entwickelt hat, dann befindet er sich häufig im Modus des Sonnenkindes. Hat er dieses Urvertrauen hingegen nicht erworben, dann nimmt das Schattenkind einen großen Raum in ihm ein.

Man hat auch inzwischen in neurobiologischen Studien nachweisen können, dass Kinder, die in den ersten Lebensjahren viel Stress, zum Beispiel in Form einer lieblosen Behandlung, erfahren haben, ihr Leben lang eine erhöhte Ausschüttung von Stresshormonen aufweisen. Dies macht sie auch als Erwachsene sehr anfällig für Stress: Sie reagieren heftiger und empfindlicher auf Stressoren und sind mithin psychisch weniger belastbar als Menschen, deren Kindheit vorwiegend von viel Sicherheit und Geborgenheit bestimmt war. In unserem Bild bedeutet dies, dass die Betroffenen häufig mit ihrem Schattenkind identifiziert sind.

Aber auch die weiteren Entwicklungsjahre sind natürlich sehr wichtig und prägend. Und natürlich haben auch noch andere Bezugspersonen als unsere Eltern einen Einfluss auf uns, wie beispielsweise die Großeltern, Mitschüler oder Lehrer. Aber ich möchte mich auf den Einfluss der Eltern beziehungsweise der Hauptbezugspersonen begrenzen, weil das Buch ansonsten zu umfangreich wird. Du kannst aber, wenn deine Erfahrungen mit Gleichaltrigen, einer Lehrerin oder deiner Oma besonders wichtig waren, alle Übungen in diesem Buch auch auf diese Personen beziehen.

Mit unserem bewussten Verstand, also dem Erwachsenen-Ich, können wir uns ja ohnehin nicht an die ersten zwei Lebensjahre erinnern, auch wenn sich diese in unserem Unterbewusstsein eingespurt haben. Bei den meisten Menschen setzen die ersten Erinnerungen mit dem Kindergartenalter oder später ein. Ab dieser Zeit können wir uns bewusst daran erinnern, wie Mama und Papa uns behandelt haben und wie unsere Beziehung zu ihnen war.

Exkurs: Ein Plädoyer für die Selbsterkenntnis

Reflexion und reflektieren sind die Lieblingswörter von Psychologen, und das hat seinen guten Grund: Der reflektierte Mensch hat einen guten Zugang zu seinen inneren Motiven, Gefühlen und Gedanken und kann diese in einen psycho-logischen Zusammenhang zu seinen Taten bringen. Weil er hierbei auch seine Schattenseiten im Auge behält, kann er mit diesen bewusster umgehen. So kann er beispielsweise rechtzeitig bemerken, dass der Mangel an Sympathie, den er für eine andere Person empfindet, weniger dem Umstand geschuldet ist, dass diese tatsächlich nicht nett wäre, sondern vielmehr dem Umstand, dass er auf deren Erfolg etwas neidisch ist. Indem er sich dies eingesteht, wird er wahrscheinlich zu dem Ergebnis kommen, dass es nicht ganz fair wäre, der anderen Person zu schaden. Er hat also gute Chancen, sich gegenüber der betreffenden Person friedlich zu verhalten und seinen Neid innerlich zu regulieren. Denn auch gerade deshalb, weil er einen Zugang zu seinen Neid- und Unterlegenheitsgefühlen hat, kann er auf diese positiv einwirken, indem er sich beispielsweise vor Augen hält, dass auch er schon viele Dinge in diesem Leben geleistet hat und Grund hat, dankbar zu sein. Hätte er sich hingegen nicht eingestanden, dass der Erfolg des anderen an seinem eigenen Ego kratzt, dann hätte ihn das dazu verführen können, diesen anzugreifen, und sei es nur, indem er diesen mit kleinen Sticheleien – auch vor Dritten – abwertet.

Dieses kleine Beispiel zeigt, dass es nicht allein darum geht, für seine eigenen Probleme eine Lösung zu finden, sondern auch darum, sich sozialverträglich zu verhalten. Selbsterkenntnis und Reflexion haben nicht nur einen selbstbezogenen, sondern auch einen gesellschaftlichen Wert. Vor allem Gefühle wie Ohnmacht und Unterlegenheit können, wenn sie unreflektiert bleiben, durch ein übersteigertes Machtstreben und Geltungsbedürfnis auf eine sozial unverträgliche Weise kompensiert werden. Insbesondere wenn ein Mensch sich mit seinem Schattenkind identifiziert, kann dies zu starken Wahrnehmungsverzerrungen führen. Aus der Perspektive des Schattenkindes ist das Gegenüber immer größer als man selbst, und dieser Höhenunterschied verleitet dazu, dem scheinbar Starken bösartige Absichten zu unterstellen, wie wir es an dem Beispiel von Michael und Sabine schon gesehen haben. Weil Michael nicht den Zusammenhang zwischen seinen frühkindlichen Verletzungen und seiner Wut erkennt, nimmt er sich als Opfer von Sabines »Ignoranz und Respektlosigkeit« wahr, wodurch sie in seinen Augen zur Täterin mutiert, und schon nimmt das Wortgefecht seinen Lauf. Und hier ist es nur ein Liebespaar, das sich zankt. In anderen, weitaus gravierenderen Fällen sind es Staatsmänner- und -frauen, die aufgrund ihrer mangelnden Selbstreflexion und ihres daraus folgenden Machtstrebens ganze Völker ins Verderben ziehen können.

Deswegen ist es mir ein Anliegen, meinen Lesern und Leserinnen zu vermitteln, dass Selbsterkenntnis nicht nur der Königsweg ist, um sich aus seinen persönlichen Problemen zu befreien, sondern auch der Königsweg, um ein besserer Mensch zu werden.

Was Eltern beachten sollten

Wir haben nun verstanden, dass unser Schatten- und unser Sonnenkind von den Erfahrungen geprägt sind, die wir in den engsten Beziehungen unserer Kindheit gemacht haben. Daraus ergibt sich ganz logisch, dass die Erziehung eine ganz wesentliche Rolle dafür spielt, ob wir uns meistens im Modus des Sonnenkindes befinden, das von einem guten Selbstwertgefühl und Vertrauen in sich und andere geprägt ist, oder ob wir uns häufig im Modus des Schattenkindes befinden, das sich unsicher fühlt und seinen Mitmenschen misstrauisch begegnet.

Natürlich gibt es vielfältige Erziehungsratgeber, die Eltern zeigen, wie sie ihr Kind in allen Phasen der Kindheit gut begleiten. Oftmals geht es hier um die Frage, wie man typische Eltern-Kind-Konflikte löst oder wie man unerwünschtes Verhalten in gute Bahnen lenkt.

Aus Sicht der Psychologie geht es in der Erziehung jedoch um viel grundlegendere Themen: Ein Kind hat verschiedene psychische Grundbedürfnisse. Zum Beispiel das Bedürfnis nach Bindung oder das Bedürfnis nach Anerkennung. Eltern, denen es gelingt, diese psychischen Grundbedürfnisse im richtigen Maß zu befriedigen, sorgen dafür, dass ihr Kind zu einem Menschen heranwächst, der über Urvertrauen verfügt und mithin sich selbst und anderen vertrauen kann.

Der bekannte Psychotherapieforscher Klaus Grawe hat diese psychischen Grundbedürfnisse und ihre Bedeutung für den Menschen untersucht. Auf seine Erkenntnisse beziehe ich mich in diesem Buch. Meines Erachtens ist der Blick auf die psychischen Grundbedürfnisse ein sehr lohnender Ansatz, um sich und sein Schattenkind besser zu verstehen. Denn mit diesem Ansatz kann man gleich zwei Fliegen mit einer Klappe schlagen: Mithilfe der vier psychischen Grundbedürfnisse hat man zum einen eine sinnvolle Systematik, die einem das Verständnis der eigenen Kindheitsprägungen erleichtert. Und man hat eine Systematik, die einem hilft, seine aktuellen Probleme zu verstehen, gerade und auch weil deren Wurzeln ja zumeist in die Kindheit hineinreichen. Unsere psychischen Grundbedürfnisse verändern sich nämlich nicht – genauso wenig wie die körperlichen – über die Lebensspanne hinweg. Das bedeutet: Immer wenn sich in uns ein Unwohlsein einstellt oder auch ein Wohlgefühl, ist eines oder sind mehrere unserer psychischen und körperlichen Grundbedürfnisse tangiert. Im besten Falle spüren wir, dass unsere Grundbedürfnisse befriedigt sind – und fühlen uns wohl. Oder wir merken anhand unseres Unwohlseins, dass uns etwas fehlt. Die vier psychischen Grundbedürfnisse sind:

- das Bedürfnis nach *Bindung,*
- das Bedürfnis nach *Autonomie und Kontrolle,*
- das Bedürfnis nach *Lustbefriedigung* bzw. *Unlustvermeidung,*
- das Bedürfnis nach *Selbstwerterhöhung* bzw. *Anerkennung.*

Mir fällt kein psychisches Problem ein, das man nicht auf die Verletzung eines oder mehrerer dieser Grundbedürfnisse zurückführen kann. Wenn Michael so wütend wird, weil Sabine seine Wurst vergessen hat, geschieht dies, weil er sich in seinem Bedürfnis nach Selbstwerterhöhung und Anerkennung frustriert fühlt. Aber auch sein Bedürfnis nach Lustbefriedigung und Kontrolle ist nicht be-

dient worden. Immer wenn wir Stress, Kummer, Wut oder Angst
verspüren, sind unsere Grundbedürfnisse im Spiel. Meist ist nicht
nur eines, sondern sind gleich mehrere oder sogar alle nicht befriedigt worden. Wenn wir beispielsweise unter Liebeskummer leiden,
ist unser Bindungsbedürfnis frustriert, ebenso unser Bedürfnis
nach Kontrolle (weil wir keinen Einfluss auf den Geliebten oder die
Geliebte nehmen können), unser Bedürfnis nach Lustbefriedigung,
und wir fühlen uns außerdem aufgrund der Zurückweisung tief in
unserem Selbstwert gekränkt. Weil wir also auf ganzer Linie frustriert sind, kann uns Liebeskummer derartig vereinnahmen und
psychisch herunterziehen.

Wenn man seine Probleme vor dem Hintergrund der vier psychischen Grundbedürfnisse betrachtet, dann werden die Ursachen
für die Schwierigkeiten viel klarer und überschaubarer. Scheinbar
sehr komplexe Probleme reduzieren sich auf den wesentlichen
Kern. Und häufig zeigt sich dann auch eine Lösung für die Schwierigkeiten. Wenn Michael zum Beispiel bewusst wäre, dass sein Bedürfnis nach Selbstwerterhöhung und Anerkennung frustriert ist,
weil Sabine seine Lieblingswurst vergessen hat, dann wäre er schon
einen Schritt weiter. Der dunkle Fleck zwischen Reiz (vergessene
Wurst) und Reaktion (Wut) wäre schon etwas erhellt. Er könnte
sehen, dass er so wütend wird, weil sein Bedürfnis nach Anerkennung verletzt ist. Allein diese Erkenntnis könnte schon dazu führen, dass er sich etwas von seinem psychischen Muster distanziert,
weil sie ihn der Frage nahebrächte, ob sein Selbstwert *wirklich*
durch Sabines Vergesslichkeit verletzt ist. Die Antwort wäre vermutlich »Nein«. Angesichts dieser Erkenntnis könnte er beim
nächsten Mal etwas entspannter reagieren. Aber er würde sich vermutlich auch fragen, was die eigentliche Ursache für seine Emp-
findlichkeit ist. Diese Frage würde ihn wiederum zu der Erkenntnis
führen, dass er das Gefühl, dass er nicht gesehen wird und seine
Bedürfnisse nicht anerkannt werden, seit frühester Kindheit kennt.
Ihm würden vermutlich einige Situationen mit seiner Mutter ein-

fallen. Und er könnte sehen, dass es letztlich vielleicht gar nicht um Sabine, sondern um seine Beziehung zu seiner Mutter geht. Somit wäre er sich und der Lösung seines Problems einen großen Schritt näher gekommen.

Die vier psychischen Grundbedürfnisse

Bevor ich dir jedoch erkläre, wie Michael beziehungsweise du alte Muster auflösen kannst, möchte ich auf die vier psychischen Grundbedürfnisse näher eingehen. Versuche beim Weiterlesen ein Gespür dafür zu entwickeln, wie dein Schattenkind und dein Sonnenkind hinsichtlich dieser psychischen Grundbedürfnisse geprägt worden sind.

Das Bedürfnis nach Bindung

Das Bedürfnis nach Bindung begleitet uns von der Geburt bis zum Tod. Wie bereits erwähnt kann der Säugling ohne Bindung nicht überleben. Sehr kleine Kinder sterben, wenn man ihnen Körperkontakt verweigert. Aber auch jenseits der körperlichen Versorgung gehört der Wunsch nach Bindung, Zugehörigkeit und Gemeinschaft zu unseren seelischen Grundbedürfnissen. Das Bedürfnis nach Bindung spielt in unzähligen Situationen eine Rolle, nicht nur in Liebes- und Familienbeziehungen. So kann unser Bedürfnis nach Bindung zum Beispiel erfüllt werden, wenn wir uns mit Freunden treffen, chatten, unsere Pause mit Kollegen verbringen, zum Public Viewing gehen oder einen Brief schreiben.

Das kindliche Bedürfnis nach Bindung kann seitens der Eltern durch *Vernachlässigung*, *Ablehnung* und/oder *Misshandlung* frustriert werden. Die Bandbreite der Vernachlässigung ist natürlich groß. In leichten Fällen fühlt sich ein Kind vernachlässigt, weil die, an sich liebevollen Eltern aufgrund äußerer Umstände gestresst und überfordert sind. Zum Beispiel weil ein Elternpaar vier Kinder und nur sehr wenig Geld hat. In schweren Fällen werden Kinder von ihren psychisch gestörten Eltern oder Pflegepersonen seelisch und/oder körperlich misshandelt.

Wenn ein Kind in seinem Bindungsbedürfnis frustriert wird, kann dies unterschiedliche Auswirkungen auf seine psychische Entwicklung haben. Dabei spielt natürlich eine Rolle, wie schwer die Vernachlässigung in der Kindheit war. Aber auch die seelische Veranlagung des Kindes spielt eine Rolle. Das Zusammenspiel dieser Faktoren entscheidet darüber, ob es zu einer leichten Beeinträchtigung des Selbstwertgefühls kommt oder sich sogar eine schwere psychische Störung entwickelt. In den meisten Fällen ist jedoch die Bindungsfähigkeit des Kindes beeinträchtigt, und zwar entweder indem es als Erwachsener enge Bindungen vermeidet beziehungsweise diese immer wieder zerstört oder indem es ein anklammerndes Bindungsverhalten entwickelt und sich mithin zu abhängig von einem Partner und anderen Menschen macht.

Das Bedürfnis nach Autonomie und Sicherheit

Neben dem Bedürfnis nach Bindung haben Kinder – ebenso wie Erwachsene – aber auch ein Bedürfnis nach *Autonomie*. Für das Kleinkind bedeutet dies, dass es nicht nur gekuschelt und gefüttert werden will, sondern dass es auch seine Umgebung erforschen und entdecken möchte. Es hat einen angeborenen *Erkundungsdrang*. Kinder haben ein großes Bestreben, eigenständig zu handeln, sobald ihre Fähigkeiten dies zulassen. Sie sind sehr stolz darauf, wenn sie etwas ohne die Hilfe ihrer Eltern bewerkstelligen können. Bereits Kleinkinder bestehen deshalb gern auf »selber machen!«, wenn die Eltern ihnen zur Hilfe kommen wollen. Unsere ganze Entwicklung ist darauf ausgelegt, dass wir selbstständig und unabhängig von der Fürsorge unserer Eltern werden.

Autonomie bedeutet Kontrolle, und Kontrolle bedeutet wiederum Sicherheit. Wenn man von einem »Kontrollfreak« spricht, dann bezeichnet dies das Verhalten eines Menschen, der sehr auf seine Sicherheit bedacht ist, weil er sich im tiefsten Inneren (aufgrund der Prägung des Schattenkindes) unsicher fühlt. Zum Autonomiebedürfnis zählt neben dem Wunsch nach Sicherheit auch der Wunsch nach *Macht*. Wir sind von Geburt an bestrebt, einen gewissen Einfluss auf unsere Umgebung auszuüben und Hilflosigkeit und Ohnmacht zu vermeiden. Die Mittel, mit denen wir Einfluss nehmen können, verändern sich im Verlauf unserer Entwicklung. Am Anfang können wir nur durch Schreien auf uns aufmerksam machen. Später durch komplexe Sprache und durch Taten.

Das Bedürfnis von Kindern, sich autonom zu entfalten, kann von Eltern behindert und frustriert werden. Überbehütende, stark kontrollierende Eltern, die dem Kind zu viele Vorschriften machen und ihm zu enge Grenzen setzen, beeinträchtigen es in seiner Autonomieentwicklung. Das Kind wird in seiner Entwicklung diese Ängstlichkeit und überzogene Kontrolle der Eltern verinnerlichen. Vielleicht beschränkt sich dieser Mensch in seinem weiteren Leben immer wieder, weil er so sehr an seinen Fähigkeiten zweifelt.

Ebenso beeinflussen Eltern, die in wohlmeinender Absicht dem Kind zu viele Hindernisse aus dem Weg räumen, die Entwicklung ihres Sprösslings eher ungünstig. Diese Kinder erleben sich auch noch als Erwachsene als unselbstständig und abhängig von einer Person, die Verantwortung für sie übernimmt. Oder sie grenzen sich radikal gegen die elterliche Erziehung ab und entwickeln ein geradezu überwertiges Motiv, unabhängig und frei zu bleiben und in übersteigerter Form möglichst viel Macht auszuüben.

Exkurs: Der Autonomie-Abhängigkeit-Konflikt

Die innere Balance zu finden zwischen unseren Bedürfnissen nach Bindung auf der einen Seite und Autonomie und Selbstständigkeit auf der anderen Seite, ist eine Herausforderung, die jeder Mensch für sich lösen muss. Es handelt sich sozusagen um einen menschlichen Grundkonflikt, der in der Fachliteratur als der *Autonomie-Abhängigkeit-Konflikt* bezeichnet wird. Das Wort Abhängigkeit kann man hier als ein Synonym für Bindung verstehen. Gemeint ist die Abhängigkeit des Kindes von elterlicher Zuwendung und Versorgung. Diese Versorgung kann jedoch, wie gesagt, nur erfolgen, wenn mindestens eine Person eine Bindung zu dem Kind herstellt. In den meisten Fällen ist dies ein Elternteil oder sind dies beide Elternteile. Erfüllen die Eltern feinfühlig und liebevoll die körperlichen und seelischen Bedürfnisse des Kindes, dann werden in dessen Gehirn Verschaltungen gebildet, die mit »Abhängigkeit« nicht allein etwas Negatives, sondern auch einen Zustand der Geborgenheit assoziieren. Bindung wird also im Gehirn dieses Kindes als etwas »Sicheres und Vertrauenswürdiges« abgespeichert. In der Fachsprache sagt man deswegen auch, dass das Kind eine *sichere Bindung* an seine Pflegeperson entwickelt hat. Das Gegenteil ist eine *unsichere Bindung*, die entsteht, wenn das Kind die Pflegepersonen als nicht zuverlässig erlebt hat. Das Schattenkind von Menschen mit einer unsicheren Bindung weist einen tiefen Vertrauensschaden auf, während es dem Sonnenkind von sicher gebundenen Menschen viel leichterfällt, sich selbst und anderen Menschen zu vertrauen.

Im Idealfall erfüllen die Eltern sowohl die kindlichen Bedürfnisse nach Bindung und Abhängigkeit als auch nach freier Entfaltung und Selbstständigkeit. Kinder, die so aufwachsen, erwerben Urvertrauen, also ein tiefes Gefühl der Sicherheit, das sich sowohl auf die eigene Person als auch auf die Verlässlichkeit zwischenmenschlicher Bindungen bezieht. Das Urvertrauen kann allerdings in späteren Entwicklungsjahren noch durch traumatische Erlebnisse wie

Gewalt und Missbrauch stark erschüttert werden. In den meisten Fällen bleibt es jedoch erhalten und dient als lebenslange Kraftquelle. Menschen mit Urvertrauen haben es im Leben erheblich leichter als Menschen, die dieses Urvertrauen nicht erwerben konnten. Sie halten sich oft im Sonnenkindmodus auf. Allerdings kann man das Sonnenkind auch in späteren Lebensjahren noch sehr fördern. Wie das geht, werde ich dir im Verlauf des Buches zeigen.

Wird ein Kind entweder in seinem Bindungsbedürfnis frustriert und/oder in seiner Entwicklung zur Selbstständigkeit, dann wird es Probleme haben, sich selbst und anderen zu vertrauen. Um diese Unsicherheit zu kompensieren, sucht es unbewusst nach einer Lösung beziehungsweise einer Schutzstrategie. Dieser Selbstschutz entsteht, indem es sich (unbewusst) entweder auf die Seite der Autonomie oder auf die Seite der Abhängigkeit schlägt. Ist die innere Balance zugunsten der Autonomie gestört, dann hat dieser Mensch ein überhöhtes Bedürfnis, frei und unabhängig zu sein. Als Folge vermeidet er – beziehungsweise das Schattenkind in ihm – (zu) nahe menschliche Bindungen. Sein Schattenkind ist überzeugt, dass es anderen Menschen nicht (wirklich) vertrauen kann. Sicherheit bedeutet für diesen Menschen also, sich seine Unabhängigkeit und persönliche Autonomie zu bewahren. Psycho-logischerweise haben diese Menschen Probleme damit, sich eng an jemanden zu binden, also einer Liebesbeziehung zu vertrauen. Sie leiden also unter Bindungsangst, das heißt, sie gehen entweder keine Partnerschaft ein, oder sie lassen den Partner nicht wirklich nah an sich heran beziehungsweise stellen sie nach Momenten der Nähe immer wieder Distanz zu ihm her.

Ist die innere Balance eines Menschen hingegen zugunsten der Abhängigkeit gestört, dann hat er ein übersteigertes Bedürfnis nach menschlicher Bindung. Er klammert sich an seinen Partner beziehungsweise hat er, also das Schattenkind in ihm, das Gefühl, nicht ohne einen Partner leben zu können. Diese Menschen haben diffuse Ängste, dass sie nicht wirklich auf eigenen Füßen stehen können.

Das Bedürfnis nach Lustbefriedigung

Ein weiteres Grundbedürfnis von Kindern – ebenso wie von Erwachsenen – ist jenes nach Lustbefriedigung. Dabei kann Lust auf sehr unterschiedlichen Wahrnehmungskanälen empfunden werden, so beispielsweise beim Essen, beim Sport oder bei einem schönen Kinofilm. Lust und Unlust stehen in ganz engem Zusammenhang mit unseren Emotionen und sind ein wesentlicher Bestandteil unseres Motivationssystems. Einfach ausgedrückt, streben wir ständig danach, Lust zu gewinnen und Unlust zu vermeiden, also in irgendeiner Form unsere Bedürfnisse zu befriedigen.

Überlebenswichtig ist, dass der Mensch lernt, sein Lust- und Unlustempfinden zu regulieren. Das heißt, er muss die Fähigkeiten zur *Frustrationstoleranz* zum *Belohnungsaufschub* und zum *Triebverzicht* erwerben. Erziehung besteht zu einem wesentlichen Teil darin, dem Kind einen angemessenen Umgang mit Lust- und Unlustgefühlen beizubringen.

Manche Eltern begrenzen das Kind zu rigide in seinem Lustempfinden, andere verwöhnen es zu sehr. Im Säuglings- und Kleinkindalter besteht ein enger Zusammenhang zwischen der Befriedigung der kindlichen Lust und dem kindlichen Bindungsbedürfnis. So unterteilen sich die Empfindungen des Säuglings ausschließlich in Lust- oder Unlustgefühle: Hunger, Durst, Hitze, Kälte, Schmerz. Die Aufgabe der Pflegeperson ist es, ihm Unlustgefühle zu nehmen, indem es seine Bedürfnisse stillt, wodurch gleichsam Lustgefühle erzeugt werden. Tut die Pflegeperson dies nur unzureichend, dann wird hierdurch auch das Bindungsbedürfnis des Kindes frustriert.

Ebenso besteht in der weiteren Entwicklung ein enger Zusammenhang zwischen den autonomen Bedürfnissen und dem Lustempfinden eines Kindes. Wenn die Mutter ihm verbietet, den Lolli vor dem Essen zu lutschen, dann ist es für diesen Moment nicht nur in seinem Lustempfinden, sondern auch in seinem Autonomiebedürfnis frustriert.

Wird das Kind in seinem Lustbedürfnis und damit gleichsam auch in seinem Autonomiebedürfnis zu stark reglementiert, so kann dies dazu führen, dass der Erwachsene beziehungsweise sein Schattenkind – angepasst an den elterlichen Erziehungsstil – genussfeindliche Normen und zwanghaftes Verhalten entwickelt. Oder – in Abgrenzung zu den Eltern – undiszipliniert und maßlos seinem Lustempfinden nachgibt. Wird ein Kind hingegen zu sehr verwöhnt, dann wird diese Person auch als Erwachsener Schwierigkeiten haben, seine Gelüste zu bremsen.

Eine gute Balance zwischen Lusterfüllung und Triebverzicht zu finden, ist jedoch für die meisten Menschen eine tägliche Herausforderung – unabhängig von den Prägungen des inneren Kindes. Unsere Willenskraft wird enorm durch zahlreiche Versuchungen beansprucht, die überall lauern. Schon der Gang durch einen Supermarkt verlangt von uns ausgeprägte Fähigkeiten zur Triebunterdrückung. Zudem wird unsere Willenskraft nicht nur durch Lustverzicht beansprucht, sondern auch durch die Überwindung von Unlust. So müssen wir täglich zahlreiche Dinge tun, zu denen wir eigentlich keine Lust haben. Das fängt bei den meisten Menschen schon mit dem Aufstehen an und endet beim abendlichen Zähneputzen. Ständig müssen wir irgendwelche Impulse unterdrücken, die uns zum Kühlschrank, ins Internet oder in die Kneipe leiten wollen. Disziplin ist eine der wichtigsten Voraussetzungen für ein erfolgreiches Leben und wird in unseren Zeiten der schier unendlichen Wahlmöglichkeiten und des Überflusses extrem strapaziert.

Zum Thema Willenskraft und Disziplin beziehungsweise Genuss- und Sinnenfreude werde ich noch unter den Abschnitten »Schatzstrategien gegen die Sucht« auf Seite 252 und »Überwinde deine Trägheit« auf Seite 259 ausführlich berichten.

Das Bedürfnis nach Selbstwerterhöhung und Anerkennung

Wir haben ein angeborenes Bedürfnis nach Anerkennung. Auch dieses Bedürfnis ist eng mit unserem Bindungsbedürfnis verwoben, denn ohne dass jemand uns anerkennt, kann auch keine Bindung entstehen. Das Bindungsgefühl zu einem Menschen ist eine Form der Liebe und Anerkennung, und deswegen sind diese Bedürfnisse auch existenziell. Dass wir nach Anerkennung streben, hängt aber noch mit einem weiteren Umstand zusammen: Im Säuglingsalter lernen wir durch das Verhalten unserer Eltern, ob wir geliebt und willkommen sind oder nicht. David Schnarch, ein bekannter US-amerikanischer Sexualforscher, bezeichnet diesen Prozess als das *gespiegelte Selbstwertempfinden*. Damit ist gemeint, dass dem Kind durch seine Pflegepersonen gespiegelt wird, ob es »okay« ist oder nicht. Wenn die Mutter das Kind zum Beispiel anlächelt, ist dies für das Kind, als halte man ihm einen Spiegel vor, der ihm zeigt, dass sich seine Mutter über sein Dasein freut. Durch die Handlungen seiner Pflegepersonen entwickelt das Kind sein Selbstwertempfinden. Wir haben auch noch als Erwachsene das Bedürfnis nach Anerkennung von anderen Menschen, weil wir darauf konditioniert sind, unseren Selbstwert durch den Spiegel der anderen zu erfahren. Dies gilt also auch für Menschen, die in ihrer Kindheit viel Bestätigung erhalten haben und nicht nur für jene, die diesbezüglich ein Defizit aufweisen.

Trotzdem hat unser Selbstwertgefühl einen Einfluss darauf, in welchem Ausmaß wir den Zuspruch unserer Mitmenschen benötigen. Menschen mit einem labilen Selbstwertgefühl, die also häufig mit ihrem Schattenkind identifiziert sind, sind zumeist stärker abhängig von äußerer Anerkennung als Selbstsichere, deren Sonnenkind gut entwickelt ist.

Das Selbstwertgefühl ist das Epizentrum unserer Psyche; aus ihm speisen sich psychische Ressourcen, aber auch diverse Probleme, wenn es lädiert ist. Wie wir gelernt haben, ordnen wir die Anteile unseres labilen Selbstwertgefühls dem Schattenkind zu und die stabilen dem Sonnenkind. Wie man das Sonnenkind stärken und das Schattenkind trösten kann, ist das Kernstück dieses Buches.

Auf allen vier Bedürfnisebenen kann es also zu negativen und positiven Prägungen des heranwachsenden Kindes und somit: des Schatten- beziehungsweise Sonnenkindes kommen. Wahrscheinlich hast du beim Lesen mitgedacht, wo die Stärken und Schwächen deiner Eltern lagen. Ich werde dir noch genau zeigen, wie du deine ganz individuellen Prägungen herausfinden kannst. Zunächst möchte ich jedoch deinem Erwachsenen-Ich noch ein paar Informationen an die Hand geben, wie unsere kindlichen Prägungen zu Glaubenssätzen und Schutzstrategien führen.

Wie unsere Kindheit
unser Verhalten prägt

Wenn ein Kind von seinen Eltern in seinen Grundbedürfnissen zu wenig Beachtung und Verständnis erfährt, dann wird es viel dafür tun, um Beachtung und Verständnis zu erhalten. Kinder tun fast alles, um ihren Eltern zu gefallen. Wenn die Eltern also nur begrenzt liebesfähig sind und/oder Schwierigkeiten haben, sich in die Gefühle und Wünsche ihres Kindes einzufühlen, dann übernimmt das Kind die Verantwortung dafür, dass seine Beziehung zu seinen Eltern gelingt.

Sind die Eltern zum Beispiel sehr streng und erwarten, dass das Kind gehorsam und artig ist, dann wird das Kind beflissen sein, die Vorgaben seiner Eltern zu erfüllen, damit seine Eltern zufrieden mit ihm sind oder um zumindest nicht bestraft zu werden. Damit ihm die Anpassung besser gelingt, muss es all jene Wünsche und Gefühle in sich unterdrücken, die den elterlichen Vorstellungen zuwiderlaufen. So wird es zum Beispiel keinen angemessenen Umgang mit dem Gefühl der Wut lernen. Wut hat den lebensgeschichtlichen Sinn, dass wir uns selbst behaupten und unsere Grenzen verteidigen können. Wenn die Selbstbehauptung des Kindes jedoch ständig an der Übermacht seiner Eltern scheitert, dann lernt das Kind irgendwann, dass es sinnvoller ist, seine Wut zu unterdrücken. Und hierdurch lernt es keinen angemessenen Umgang mit dieser Emotion, und es lernt auch nicht, sich auf eine angemessene

Weise selbst zu behaupten. Es wird innere Glaubenssätze entwickeln wie »Ich darf mich nicht wehren!«, »Ich darf nicht wütend sein!«, »Ich muss mich anpassen«, »Ich darf keinen eigenen Willen haben«. Aber auch wenn es später, üblicherweise in der Pubertät, ein Antiprogramm entwickelt und gegen den Anpassungsdruck und die Erwartungen seiner Eltern rebelliert, bleibt es in der elterlichen Programmierung gefangen, denn in der Antihaltung ist es genauso unfrei wie in der Anpassung. Das Schattenkind dieses Jugendlichen und späteren Erwachsenen ist geprägt durch die Erfahrung, von den Eltern dominiert zu werden. Durch die Brille dieser Prägung wird diese Person andere Menschen schnell als dominant und übermächtig erleben. Und hierauf entweder mit Anpassung oder mit Rebellion reagieren. Erst wenn dieser Mensch sein Schattenkind kennenlernt und die tiefen Prägungen und Glaubenssätze auflöst, wird er sich innerlich mit seinen Mitmenschen auf Augenhöhe fühlen.

Mama versteht mich!
Elterliches Einfühlungsvermögen

Eltern, die wenig Einfühlungsvermögen für die Bedürfnisse ihrer Kinder haben, haben Schwierigkeiten, deren Gefühle und Bedürfnisse richtig wahrzunehmen. Hierdurch machen die Kinder häufig die Erfahrung »Es ist falsch, was ich fühle und denke«, und dies, obwohl sie eigentlich richtig fühlen. Eltern, die sich schlecht in ihre Kinder einfühlen können, haben einen schlechten Zugang zu ihren eigenen Gefühlen, denn der Kontakt zu den eigenen Gefühlen ist die Voraussetzung für Mitgefühl. Wenn das Kind zum Beispiel traurig ist, weil ein Freund nicht mit ihm spielen will, dann muss die Mutter einen Kontakt zu ihren eigenen Gefühlen von Trauer haben, ansonsten kann sie sich nicht in die Situation ihres Kindes einfühlen. Wenn sie mit ihren eigenen Gefühlen von Trauer so umgeht, dass sie diese beiseiteschiebt und ignoriert, dann wird sie dies auch mit der Trauer ihres Kindes tun. Aus Hilflosigkeit macht sie vielleicht einen harschen Kommentar, sagt dem Kind, es soll sich nicht so anstellen, und der Freund sei sowieso doof. Hierdurch lernt das Kind, dass es nicht okay ist, wenn es diese Trauer verspürt, und dass es sich falsche Freunde aussucht. Hätte die Mutter (oder eine andere Bezugsperson) hingegen einen guten Umgang mit ihren eigenen Gefühlen von Trauer, dann könnte sie die Trauer des Kindes in sich zulassen und hierauf eingehen. Dann würde sie diesem beispielsweise sagen: »Oje, ich kann gut verstehen, dass du traurig bist, weil der Jonas heute nicht mit dir spielen wollte.« Und sie würde mit ihm klären, welche Gründe es für Jonas' Weigerung geben mag, und auch mit ihm bereden, ob es vielleicht einen eigenen Beitrag zu der Situation geliefert hat. Hierdurch lernt das Kind, wie die Gefühle heißen, die es fühlt, hier also Trauer; es lernt, dass es nicht alleingelassen wird, wenn es Verständnis benötigt. Und es lernt, dass man für das Problem auch eine Lösung finden kann.

Durch das einfühlsame Handeln seiner Eltern lernt das Kind, seine Gefühle zu unterscheiden und zu benennen. Und weil seine Eltern ihm signalisieren, dass seine Gefühle grundsätzlich okay sind, lernt es auch, mit ihnen umzugehen und sie auf eine angemessene Weise zu regulieren.

Das elterliche Einfühlungsvermögen gilt deswegen als das wichtigste Kriterium für Erziehungskompetenz. Es ist sozusagen das Medium, durch das wir unsere guten oder eben unsere schlechten Prägungen erhalten.

Genetik bis Charakter: Weitere Faktoren, die das innere Kind beeinflussen

In den 1960er-Jahren wurde in der psychologischen und pädagogischen Wissenschaft die Auffassung vertreten, dass das Kind quasi als »Tabula rasa«, also als »leeres Blatt«, auf die Welt komme. Man war überzeugt, dass der Charakter und der Entwicklungsverlauf eines Menschen ausschließlich auf Umwelt- und Erziehungseinflüsse zurückzuführen seien. Diese Lehrmeinung hat sich aufgrund der neurobiologischen und genetischen Forschung der letzten Jahrzehnte jedoch gründlich verändert. Heute weiß man, dass die Gene ganz wesentlich über die Charaktereigenschaften und auch die Intelligenz eines Menschen bestimmen. Um dies zu veranschaulichen, möchte ich auf die genetisch festgelegte Veranlagung des Persönlichkeitsmerkmals der Intro- beziehungsweise Extraversion näher eingehen.

Diese Persönlichkeitsmerkmale korrelieren mit einer Vielzahl von Eigenschaften: So laden Introvertierte ihre Batterien im Alleinsein auf, sie sind im zwischenmenschlichen Kontakt schneller erschöpft als Extravertierte und benötigen ihn auch nicht so sehr. Wenn sie eine Frage gestellt bekommen, gehen sie erst kurz in sich, um nach der Antwort zu suchen, und reden dann. Extravertierte hingegen können während des Sprechens nachdenken und sind deswegen manchmal – im Guten wie im Schlechten – selbst überrascht, was sie hervorbringen. Sie laden ihre Batterien in netter Gesellschaft auf und sind eher ungern allein. Sie brauchen insgesamt einen höheren Input an äußeren Reizen als Intros, damit sie sich stimuliert fühlen und ihr Interesse erregt wird. Intros hingegen reagieren empfindlicher auf Reize von außen und fühlen sich deswegen auch schneller als Extras reizüberflutet.

Aufgrund ihrer unterschiedlichen Kontaktbedürfnisse unterscheiden sich Intros- und Extras auch in ihrem Arbeitsstil, was wiederum auch Auswirkungen auf die Berufswahl haben kann. Generell kann man sagen, dass Introvertierte ruhige Arbeitsplätze mit wenig Ablenkung bevorzugen, wo sie sich in ihre Arbeit (stunden- und tagelang) versenken können. Extravertierte lieben den Kontakt zur Außenwelt. Entweder wählen sie Berufe, die dieses Kontaktbedürfnis per se erfüllen, oder sie benötigen nach einer Phase der Konzentration, entweder online oder real, einen kurzen zwischenmenschlichen Kontakt, um ihre Batterien nachzuladen.

Ein Mensch, der extravertiert veranlagt ist, fühlt sich mithin schneller einsam und langweilt sich auch schneller, wenn er allein ist, als ein Introvertierter, und dies unabhängig davon, wie er erzogen wurde und welche Prägungen sein Schatten- beziehungsweise Sonnenkind aufweisen.

Aber auch unsere Sensibilität und unsere Angstbereitschaft sind schon in unseren Genen angelegt und bestimmen mit darüber, wie sich unser Selbstwertgefühl entwickelt. Manche Kinder kommen mit einem robusteren Gemüt auf die Welt als andere. Laut Forschung gibt es sogar 10 Prozent sogenannter »unverletzbarer Kinder« – diese gehen auch aus einer schwierigen Kindheit mehr oder minder unbeschadet und mit einem recht intakten Selbstwertgefühl hervor.

Welche Prägungen ein Kind aus seiner Kindheit mitnimmt, hängt auch von der Dynamik ab, die sich aus den Eigenschaften des Kindes und jenen seiner Eltern ergibt. Psychologen sprechen hier von der sogenannten *Eltern-Kind-Passung*. Wenn zum Beispiel ein Kind mit einer angeborenen hohen Sensibilität auf eine Mutter stößt, die wenig Einfühlungsvermögen hat, dann kann diese Mutter in diesem Kind mehr Schaden anrichten als in einem Kind, das mit einer dickeren Haut geboren wurde. Ebenso haben es Eltern von Schreikindern und/oder Kindern, die hyperaktiv sind, schwerer, emotional und pädagogisch angemessen zu reagieren als Eltern, deren Kinder eher »pflegeleicht« sind.

Kinder mit einer Veranlagung zur Hyperaktivität haben große Schwierigkeiten, ihre überschießende Energie zu regulieren, was dazu führt, dass sie bei ihren Mitmenschen oft anecken. Hierdurch bekommen sie von anderen Kindern und Lehrern häufig die Botschaft vermittelt: Du bist nicht okay! Somit entwickeln die allermeisten von ihnen ein niedriges Selbstwertgefühl, selbst wenn sie liebevolle Eltern haben. Selbstverständlich sind es nicht allein die Eltern, die die Entwicklung eines Kindes beeinflussen können, sondern auch weitere Bezugspersonen, wie beispielsweise Mitschüler, Lehrer oder Großeltern.

Die Prägungen, die wir aus unserer Kindheit mitnehmen, hängen also nicht allein von dem Erziehungsstil unserer Eltern ab, sondern es handelt sich immer um eine Interaktion vieler Faktoren. Allerdings legen die Eltern einen ganz wesentlichen Grundstein. Denn je labiler ein Kind aufgrund seiner häuslichen Verhältnisse ist, desto anfälliger ist es auch für Verletzungen durch weitere Bezugspersonen. Beziehungsweise wird ein Kind, das fürsorgliche und einfühlsame Eltern hat, von diesen anders aufgefangen, wenn es zum Beispiel von seinen Mitschülern gehänselt wird, als ein Kind, dessen Eltern wenig Verständnis für seine Gefühle aufbringen.

Das Schattenkind und seine Glaubenssätze

Wenn wir unsere Probleme in unserem heutigen Leben lösen möchten, dann müssen wir auf einer tieferen Ebene verstehen, worin unser *eigentliches* Problem besteht. Hierfür ist es wichtig, dass das Schattenkind in uns zu Wort kommen darf, damit wir erkennen, wo unsere Schwachpunkte, unsere sogenannten *Trigger* sind. Viele Menschen wollen mit diesem Teil ihrer Persönlichkeit nicht in Kontakt kommen. Sie wollen ihre inneren Verletzungen und Ängste nicht spüren. Das ist ein ganz natürlicher Schutzmechanismus und ein sehr verständlicher Wunsch. Wer mag es schon, sich traurig, ängstlich, minderwertig oder gar verzweifelt zu fühlen?

Wir alle haben ein großes Interesse daran, diese Gefühle möglichst zu vermeiden und nur die guten mitzunehmen wie Glück, Freude und Liebe. Deswegen verdrängen viele Menschen ihre inneren Verletzungen. Oder mit anderen Worten ausgedrückt: Sie schieben ihr Schattenkind beiseite, wenn es sich zu Wort melden will. Das Problem dabei ist, dass es sich mit den Schattenkindern so verhält, wie mit den Kindern im wirklichen Leben: Sie betteln umso mehr um Aufmerksamkeit, desto weniger Beachtung man ihnen schenkt. Wenn ein Kind hingegen Beachtung für sein Anliegen erhält, dann kann es sich auch wieder zufrieden zurückziehen und eine Zeit lang wieder für sich allein spielen.

Ganz ähnlich verhält es sich auch mit unserem Schattenkind: Wenn seine Angst, Scham oder Wut nie wirklich zu Wort kommen dürfen, wirken sie im Untergrund unseres Bewusstseins weiter. Dort stiften sie Unheil, ohne dass das Erwachsenen-Ich dies zur Kenntnis nimmt. Und dann passiert genau das, was Michael so oft erlebt: Das unliebsame, verdrängte Schattenkind bricht sich von Zeit zu Zeit mit aller Macht Bahn und entlädt seine Wut auf einem Nebenschauplatz.

In der Fach- und Ratgeberliteratur werden dem Persönlichkeitsanteil des »inneren Kindes« zumeist nur die Gefühle zugeordnet. Ich meine jedoch, dass das innere Kind (mit den Anteilen vom Schatten- und Sonnenkind) auch durch innere Glaubenssätze geprägt wird, die häufig überhaupt erst die Wegbereiter für die Gefühle sind. Wie ich bereits ausgeführt habe, versteht man unter einem Glaubenssatz eine tief verankerte Überzeugung, die etwas über unseren Selbstwert und unsere Beziehungen zu anderen Menschen aussagt. Wenn ein Kind sich zum Beispiel von seinen Eltern geliebt und angenommen fühlt, dann entwickelt es Glaubenssätze wie »Ich bin willkommen«, »Ich werde geliebt«, »Ich bin wichtig«, die das Sonnenkind in ihm stärken. Sind die Eltern hingegen eher kühl und zurückweisend, dann können in einem Kind Glaubenssätze reifen wie »Ich bin nicht willkommen«, »Ich falle zur Last«, »Ich komme zu kurz«, die sein Schattenkind prägen. Glaubenssätze entstehen zwar in der Kindheit, aber sie verankern sich tief in unserem Unbewussten. Und so werden sie unbewusst ins Erwachsenenalter als psychisches Programm übernommen. Sie haben einen erheblichen Einfluss darauf, wie wir wahrnehmen, fühlen, denken und handeln.

Die Wirkungsweise von Glaubenssätzen möchte ich wieder anhand von Michael und Sabine verdeutlichen: Wie bereits erwähnt, hatte Michael eine Mutter, die seinen Wünschen und seiner Person wenig Beachtung schenkte. Michael hat noch zwei jüngere Geschwister, und seine Eltern betrieben gemeinsam eine Bäckerei. Seine Mutter war schlichtweg zu gestresst und überfordert, um jedem Kind die Aufmerksamkeit und Beachtung zu schenken, die es benötigt hätte. Sein Vater konnte dieses mütterliche Defizit auch nicht ausgleichen, er arbeitete ständig. Durch die mangelnde emotionale und physische Präsenz seiner Eltern wurde Michael häufig sowohl in seinem Bindungsbedürfnis als auch in seinem Bedürfnis nach Selbstwerterhöhung frustriert. Hierdurch hat er unter anderem Glaubensätze entwickelt, die wie folgt lauten: »Ich komme zu kurz« und »Ich bin nicht wichtig«. Diese Glaubenssätze prägen auch heute noch unbewusst seine Wahrnehmung. Wann immer er sich nicht gesehen fühlt, schreit sein Schattenkind gleich los: »Da ist es wieder. Ich komme zu kurz!« Diese Glaubenssätze sind die eigentliche Ursache, warum Michael so schnell in Rage gerät, wenn Sabine ihn und seine Wünsche – vermeintlich – zu wenig beachtet.

Sabine ihrerseits hatte Eltern, die sich zwar viel um sie gekümmert haben, die jedoch sehr hohe Leistungsideale verfolgten. Ihre Eltern setzten ihr sehr enge Grenzen in Bezug darauf, was richtig und was falsch ist. Sabine hatte oft das Gefühl, es ihren Eltern nicht recht machen zu können. Diese kritisierten sie nämlich weitaus häufiger, als dass sie sie lobten. Ihr Bedürfnis nach Anerkennung und Selbstwerterhöhung ist also von ihren Eltern häufig verletzt worden, ebenso ihr Bedürfnis nach Autonomie und freier Entfaltung. Deswegen weist Sabines Schattenkind Glaubenssätze auf wie

»Ich genüge nicht« und »Ich muss mich dir anpassen«. Nun kann man sich leicht vorstellen, wie Sabines und Michaels Schattenkinder miteinander interagieren. Michaels Reizbarkeit – beziehungsweise die seines Schattenkindes – und seine unmäßige Kritik an kleinen Versäumnissen Sabines treffen ihr Schattenkind tief, das sich dann klein und wertlos und bevormundet fühlt. Sabines Schattenkind reagiert auf diese Gefühle mit Wut, Weinen und Gegenvorwürfen, und somit eskalieren die Streitereien zwischen beiden schnell.

Unsere Glaubenssätze sind quasi unser *psychisches Betriebssystem*. So einfach und simpel sie auch lauten mögen, üben sie eine ungeheure Macht auf uns aus – im Guten wie im Schlechten, also im Sonnen- wie im Schattenkind. *Glaubenssätze sind die Brille, durch die wir die Wirklichkeit sehen.* Deswegen ist es sehr wichtig, dass wir uns mit ihnen befassen.

Das verwöhnte Schattenkind

Negative Glaubenssätze entstehen jedoch nicht nur durch Entbehrung, Vernachlässigung oder Überbehütung. Eltern, die ihr Kind zu viel gewähren lassen und es zu sehr verwöhnen, können in ihren Kindern die Überzeugung hinterlassen, dass alles nach ihrem Willen gehen muss und sie sich hierfür kaum anzustrengen brauchen. Sie können also Glaubenssätze entwickeln, die nicht eine Unterschätzung der eigenen Bedeutung und Wichtigkeit beinhalten, sondern eher eine Überschätzung. Sie gehen also mit einer großen Selbstverständlichkeit davon aus, dass sie bekommen, was sie wollen, und reagieren ausgesprochen gekränkt und wütend, wenn das einmal nicht der Fall ist. Kinder, die zu sehr verwöhnt wurden, entwickeln eine geringe Frustrationstoleranz. Sie halten also auch kleinere Frustrationen ihrer Bedürfnisse schlecht aus. Während die Anpassungsbereitschaft von Kindern, die eher mit gewissen Entbehrungen aufgewachsen sind, oft recht hoch ist, ist jene von verwöhnten Kindern eher zu niedrig ausgeprägt. Sie haben zu wenig gelernt, sich in eine Gemeinschaft einzuordnen und anzupassen – waren sie doch der Chef oder die Prinzessin bei Mama und Papa. Ihre Glaubenssätze können zum Beispiel lauten: »Ich bin sehr wichtig!«, »Ich bin immer willkommen!«, »Ich bekomme alles, was ich will!«, »Mir steht alles zu!«, »Ich bin stärker als die anderen!«. Ich bin der Größte!« Dies kann dazu führen, dass sie im Kindergarten, in der Schule oder später im Erwachsenenleben Anpassungsschwierigkeiten haben und öfter bei ihren Mitmenschen anecken. Zudem müssen sie erst einmal lernen, dass es im Leben nicht alles umsonst gibt und sie sich auch anstrengen müssen. Dies führt bei einigen zu Talfahrten während der Ausbildung beziehungsweise zu Ausbildungsabbrüchen. In weniger ausgeprägten Fällen können sie sich zwar ganz gut in eine Gemeinschaft einfügen und sind auch leistungsfähig, aber sie können es ganz schlecht ertragen, wenn sie einmal verlieren. Eine Zurückweisung in Liebesdingen kann sie beispielsweise in eine ganz große Verzweiflung führen, einfach, weil sie es nicht gewohnt sind, auch einmal etwas nicht zu bekommen, was sie unbedingt haben wollen.

Kritik an den eigenen Eltern? Gar nicht so einfach!

Wenn wir uns mit unserer Kindheit und unseren Eltern auseinandersetzen, tritt bei einigen Menschen ein Widerstand auf, seine Eltern für die eigenen Probleme verantwortlich zu machen. Ich erlebe immer wieder, dass Klienten in einen Loyalitätskonflikt geraten, wenn sie ihre Eltern kritisch betrachten sollen. Sie lieben ihre Eltern und sind ihnen für vieles dankbar. Sie fühlen sich schuldig, wenn sie mir erzählen sollen, welches Verhalten der Eltern vielleicht nicht so günstig gewesen ist. Sie haben dann das Gefühl, ihre

Eltern irgendwie zu verraten. Ich möchte deswegen an dieser Stelle hervorheben, dass es nicht darum geht, die Bemühungen der Eltern in Abrede zu stellen und diese für unsere Probleme im Erwachsenenleben verantwortlich zu machen, sondern einfach nur darum, ein tieferes Verständnis dafür zu erwerben, welche Prägungen wir von Daheim mitgenommen haben. Hierbei wird es ja auch nicht nur um die kritischen Anteile, sondern auch um die positiven Prägungen gehen, die wir unseren Eltern zu verdanken haben. Außerdem wollen wir auch immer im Auge behalten, dass unsere Eltern ja wiederum durch ihre Eltern geprägt worden sind, sie somit letztlich auch Opfer ihrer Erziehung sind. Meine Eltern waren zum Beispiel sehr liebevoll. Ich war ein absolutes Wunschkind und habe vorwiegend sehr glückliche Erinnerungen an meine Kindheit. Aber meine Mutter konnte ganz schlecht schwache Gefühle bei sich zulassen. Sie war die Älteste von neun Geschwistern, und als sie elf Jahre alt war, brach der Zweite Weltkrieg aus, da war nicht viel Raum für Schwäche. Sie musste funktionieren. Und weil sie selbst nicht gut darin war, mit schwachen Gefühlen wie beispielsweise Trauer umzugehen, war sie manchmal etwas hilflos, wenn ich einmal traurig war. Hierdurch sind unter anderem Glaubenssätze in mir entstanden, die lauten: »Ich muss stark sein!« Und: »Weinen ist peinlich!« Also auch liebevolle Eltern machen nicht alles richtig.

Wichtig ist auch die Frage, welches Vorbild die eigenen Eltern einem gegeben haben. Wenn ein Mädchen beispielsweise eine ganz liebe, aber etwas schwache Mutter hat, die sich ständig dem dominanten Vater anpasst, so kann es durch die Identifikation mit seiner Mutter Glaubenssätze entwickeln wie »Frauen sind schwach«, »Ich muss mich anpassen«, »Ich darf nicht widersprechen«. Oder es entwickelt in Abgrenzung von der Mutter Glaubenssätze wie »Ich muss mich wehren«, »Ich darf mich niemals unterordnen«, »Männer sind gefährlich«.

Auch die Normen und Werte, die im Elternhaus vertreten wurden, spielen eine wichtige Rolle. So kann in einem durchaus liebevollen Elternhaus, das jedoch sehr verklemmte Sexualnormen aufweist, ein Kind entsprechend geprägt werden, sodass es später große Probleme hat, ein natürliches Verhältnis zu seinem Körper und zur Sexualität zu entwickeln. Also auch Menschen, die ihren Eltern viel zu verdanken haben, werden trotzdem den einen oder anderen Glaubenssatz entwickelt haben, der ihnen heutzutage Schwierigkeiten bereitet.

Manchen Menschen fällt es jedoch sehr schwer, ein realistisches Bild von ihren Eltern zu entwickeln. Dies kann beispielsweise der Fall sein, wenn ihr Blick auf einen Elternteil durch die Manipulation des anderen Elternteils sehr stark eingefärbt ist. Wenn sich eine Mutter bei ihrem Kind häufig über den »bösen Vater« ausheult, so wird dieses Kind seinen Vater durch die Brille der Mutter wahrnehmen. Aus meiner langjährigen Tätigkeit als Gutachterin für das Familiengericht weiß ich, dass solche Prägungen so nachhaltig wirken können, dass diese Kinder zeitlebens ein schlechtes oder gar kein Verhältnis zum Vater aufweisen. Das Gleiche gilt natürlich auch für Väter, die gegen die Mütter hetzen.

Es gibt aber noch einen weiteren Grund, weshalb es manchen Menschen schwerfällt, sich ein realistisches Bild von den eigenen Eltern zu machen, und dieser hängt mit der Neigung von Kindern zusammen, ihre Eltern zu idealisieren. Kinder sind existenziell darauf angewiesen, ihren Eltern zu vertrauen und diese als gut und richtig wahrzunehmen. Kinder müssen ihre Eltern idealisieren, ansonsten würde sich eine überwältigende Angst einstellen, den fehlerhaften oder vielleicht sogar bösartigen Eltern ausgeliefert zu sein. Und diese Idealisierung wird von einigen Menschen mit in das Erwachsenenalter hineingenommen. Dies kann es manchmal schwierig machen, ein realistisches Bild der eigenen Eltern zu gewinnen, das deren Stärken und Schwächen beinhaltet. Wenn ich jedoch als Erwachsener meine Eltern durch die Brille der Idealisierung wahrnehme, dann kann ich mich nicht in gesunder Weise von ihnen lösen. Und wenn ich das nicht kann, dann wird es schwierig sein, meinen eigenen Weg in diesem Leben zu finden. Wenn ich mich selbst erkennen möchte – als Voraussetzung für meine persönliche Weiterentwicklung –, dann ist es wichtig, dass ich mir ein möglichst realistisches Bild von mir und meinen Eltern mache. Ein realistisches Bild steht auch nicht einer tiefen Zuneigung entgegen. Ich kann meine Eltern durchaus lieben und wertschätzen für das, was sie sind und waren. Hierfür müssen sie nicht perfekt und unfehlbar sein. Es verhält sich so wie immer mit der Liebe im Leben: Wenn ich nur das lieben kann, was perfekt ist, dann ist es auch keine richtige Liebe.

Exkurs: Genetisch bedingt schlecht gelaunt

Was unsere negativen Prägungen anbelangt, können auch wenige negative Ereignisse ausreichen, um tiefe Spuren in unserem Gedächtnis zu hinterlassen. Mit den positiven Erlebnissen ist das leider nicht so, denn wir sind genetisch darauf ausgelegt, eher auf schlechte als auf gute Nachrichten zu achten und uns diese auch viel nachhaltiger zu merken. Der Grund ist, dass es für das Überleben wichtiger ist, auf Gefahren zu achten als auf das, was gut läuft. Wenn die Steinzeitfamilie sich zum Beispiel gerade bei einem lustigen Spiel amüsierte, während plötzlich der Säbelzahntiger auftauchte, dann war es hirntechnisch überlebenswichtig, dass die angenehmen Emotionen, die mit dem Spiel verbunden waren, sofort zugunsten der Angst wichen. Das Gehirn musste also sofort von seinem Glücksschaltkreislauf in den Angstschaltkreislauf wechseln, damit die Familie aus Angst vor dem Tiger weglief und somit eine Überlebenschance hatte. Für das Überleben der ersten Menschen war es entsprechend auch wichtiger, dass sie sich die giftigen Pflanzen merkten als die nicht giftigen. Fehler konnten und können tödlich sein. Deswegen ist unser Gehirn darauf ausgelegt, auf Fehler und Defizite zu achten. Und dies bewirkt leider allzu oft, dass wir in unserer Fehlerwahrnehmung regelrecht versacken können, insbesondere dann, wenn wir uns im Modus des Schattenkindes befinden. Dies ist auch der Grund, warum wir schmerzvolle Ereignisse leichter als freudige erinnern. So können wir uns noch Jahre später für eine peinliche Situation so schämen, als wenn sie erst gestern stattgefunden hätte, während die Freude über ein schönes Ereignis relativ schnell verblassen kann. Eine ganz miese Nebenwirkung dieser Gene ist auch jene, dass *eine* negative Erfahrung mit einem Menschen hunderte von positiven aufheben kann. Wenn du dich also das nächste Mal über einen Freund oder einen anderen Menschen ärgerst, dann überlege dir einmal ganz bewusst, wie viel Schönes du auch schon mit diesem Menschen erlebt hast, bevor du dich in deinen Verdruss weiter hineinsteigerst.

Wie die Glaubenssätze unsere Wahrnehmung bestimmen

Bevor ich dir zeige, wie du deine persönlichen Glaubenssätze ermitteln kannst, möchte ich dir jedoch erklären, wie weitreichend sie unser Leben beeinflussen.

Unsere tiefen und unbewussten Glaubenssätze sind ein Filter für unsere *Wahrnehmung*, wie wir es am obigen Beispiel von Michael und Sabine gesehen haben. Dabei beeinflusst die Wahrnehmung einer Situation unser Fühlen, Denken und Handeln. Umgekehrt beeinflussen aber auch unsere Gedanken und Gefühle unsere Wahrnehmung. So kann es sein, dass ein Mensch, den ich als überlegen wahrnehme, in mir Gefühle von Minderwertigkeit auslöst. Wenn ich jedoch einen guten Tag habe, an dem ich mich stark und erfolgreich fühle, kann es gut sein, dass ich denselben Menschen als gleichwertig oder sogar unterlegen wahrnehme.

Je bewusster wir uns dieser ganzen Vorgänge und Zusammenhänge werden, desto leichter können wir unsere Sicht auf die Dinge, unsere Gefühle und schließlich unser Verhalten verändern. Hierfür ist es jedoch notwendig, einen inneren Abstand zu unserem Problem herzustellen. Solange wir uns nämlich mit unserem Problem – also mit den negativen Glaubenssätzen, Gefühlen und Gedanken, die unser Problem ausmachen – voll identifizieren, so lange bleibt dieses Problem unsere tief empfundene Realität, und wir können uns nicht von ihm befreien. Dies möchte ich diesmal am Beispiel von Sabine erklären: Wenn Michael sie anschreit, rutscht sie unbewusst in die Wahrnehmung ihres Schattenkindes. Aus den Augen des Schattenkindes ist Michael groß und hat die Macht, sie zu bewerten und über sie zu bestimmen. Das Schattenkind in Sabine projiziert – für Sabine unbewusst – in Michael eine überlegene und autoritäre Vaterfigur. Seine Glaubenssätze »Ich bin nicht gut genug« und »Ich muss mich anpassen« bewirken, dass das Schattenkind in Sabine sich klein und wertlos fühlt. Weil Sabine in dieser Situation jedoch voll mit ihrem Schattenkind identifiziert ist, hat sie dabei das ganzheitliche Empfinden, dass *sie* klein und wertlos *ist*. Michaels Kritik streut eine Handvoll Salz in die offene Wunde ihres labilen Selbstwertgefühls.

Bliebe Sabine hingegen in ihrem Erwachsenen-Ich oder in ihrem Sonnenkindmodus, dann bliebe sie mit Michael auf Augenhöhe. Dann könnte sie erkennen, dass Michael sich gerade im Modus seines Schattenkindes befindet und seine Wut im Grunde genommen gar nichts mit ihr zu tun hat. In diesem Fall würde Michaels Wutanfall in ihr keine Gefühle von Wertlosigkeit auslösen, sondern sie bliebe gelassen. Vielleicht würde sie Michaels unreifes Verhalten auch verärgern. Sofern Sabine jedoch nicht auf den Streit einsteigen würde, sondern ruhig bliebe, würde sich Michael nach kurzer Zeit beruhigen. Sobald Michael sich nämlich beruhigt und auf seinen Erwachsenen-Ich-Modus wechselt, erkennt er selbst sehr schnell, dass er maßlos übertrieben hat, und ist dann auch bereit, sich bei Sabine zu entschuldigen. Bliebe Sabine also gelassen, wäre Michaels Ärger spätestens nach fünf Minuten verraucht.

Nun denken sicherlich einige Leser und Leserinnen: Aber es ist doch tatsächlich Michael, der sich total danebenbenimmt, warum soll denn jetzt allein Sabine an ihrem Verhalten arbeiten? Dies ist die klassische »Schuldfrage«, der ich oft in meinen Psychotherapiegesprächen begegne, vor allem, wenn ich mit Paaren arbeite. Ein Partner erwartet vom anderen, dass er sich ändern möge, weil es »ganz klar« in seiner Verantwortung liegt, dass das Problem XY immer wieder auftritt. Genau auf diesen Standpunkt könnte Sabine sich auch stellen. Aber: Sie hat keinerlei direkten Einfluss darauf, ob Michael sein Verhalten verändert. Sie kann ihn höchstens darum bitten, ihn vielleicht auch unter Druck setzen. Aber ob das zum gewünschten Ergebnis führt, liegt letztlich nicht ihrer Hand. *Der einzige Mensch, auf den wir Einfluss nehmen können, sind wir selbst.* Wenn Sabine also *aktiv* an der Situation etwas verändern möchte, dann muss sie an ihrem eigenen Anteil arbeiten.

Wir glauben fast unerschütterlich an unsere Kindheitserfahrungen

Man kann gar nicht überschätzen, wie tief diese Programmierungen sitzen – und wie selten wir erkennen, wenn wir aus den verletzten Anteilen unseres Schattenkindes heraus agieren. Ich erlebe täglich, dass Menschen, die ihre Prägungen in ihrem Erwachsenen-Ich sehr genau reflektieren können, trotzdem in ihren alten Programmen stecken bleiben. Die *Erfahrung*, die sie als Kind mit ihren Eltern gemacht haben, fühlt sich einfach wahrer an als jede vernünftige Überlegung. Wie weit dies gehen kann, habe ich einmal sehr eindrücklich bei einer meiner Klientinnen erlebt: Frau B. (58 Jahre) war als Kind von einem Nachbarn sexuell missbraucht worden. Dies erzählte sie damals ihrer Mutter, die dies aber nicht wahrhaben wollte und stattdessen ihrer Tochter erklärte, sie solle »trotzdem höflich« zu dem Mann sein. Frau B. wurde durch die Kombination von sexuellem Missbrauch und der Ignoranz ihrer Familie traumatisiert. Ihre Glaubenssätze lauteten unter anderem: »Ich bin ausgeliefert«, »Keiner beschützt mich« und »Männer sind gefährlich«. Als Erwachsene hatte sie eine geradezu panische Angst vor Männern, die ihr Privat- und ihr Berufsleben sehr belasteten. Frau B. hatte, als sie zu mir kam, schon zehn Jahre Psychotherapie, darunter auch Traumatherapie hinter sich und hierdurch schon viele ihrer Probleme in den Griff bekommen. Ihre tief sitzende Angst vor Männern hatte sich aber trotz der langjährigen therapeutischen Arbeit nicht aufgelöst. Auch bei mir kam sie diesbezüglich nicht richtig von der Stelle. Dann geschah jedoch plötzlich etwas, was mich zutiefst erstaunte: In einer Sitzung wurde ihrem Schattenkind plötzlich klar, dass die Situation *vorbei* ist, der Täter lange tot, sie heute erwachsen und nicht alle Männer Vergewaltiger sind. Ich war total verblüfft. Ich war fest davon ausgegangen, dass ihr das schon lange klar war. Es handelte sich bei all diesen Erkenntnissen schließlich um handfeste Tatsachen, über die wir schon häufig gesprochen hatten und die sie in unzähligen Therapiesitzungen bereits bearbeitet hatte! Aber tatsächlich war diese fundamentale Botschaft immer nur in ihrem inneren Erwachsenen verankert gewesen, während das Schattenkind immer noch in der Realität von vor über 50 Jahren lebte. Erst an diesem Tag begriff auch das Schattenkind, dass der Missbrauch vorbei ist und sie sich nicht mehr fürchten muss. Nach dieser Sitzung war Frau B. so gut wie geheilt.

Und genauso wie das Schattenkind von Frau B. in der Wirklichkeit seiner Kindheit lebte, tun dies die inneren Kinder in jedem von uns. Dies gilt auch für jene, die in ihrer Kindheit Urvertrauen und viele positive Prägungen erworben haben, die also über ein sehr gut entwickeltes Sonnenkind verfügen. Diese projizieren eben ihre positiven Erfahrungen auf andere Menschen und die Welt, und das macht das Leben für sie in den meisten Fällen einfacher. Manchmal können sie jedoch aufgrund ihrer extrem positiv gefärbten Kindheitsprojektion zu naiv und gutgläubig sein. Menschen, deren Kindheit sehr glücklich war, müssen als Erwachsene manchmal schmerzhaft lernen, dass die Welt da draußen nicht immer so gut ist wie Mama und Papa. Da sie jedoch in der Regel über ein gutes Selbstwertgefühl verfügen, sprich sich häufig im Modus ihres Sonnenkindes befinden, bewältigen sie diesen Realitätsschock jedoch meistens recht gut. Weitaus mehr Probleme bereitet uns das Schattenkind, das sehr viel Negatives auf sich selbst und die Welt da draußen projiziert. Deswegen wollen wir uns zunächst ihm zuwenden.

Das Schattenkind und seine Glaubenssätze: Blitzschnell ungute Gefühle

Wir haben jetzt verstanden, dass die Glaubenssätze unseres Schattenkindes uns eine Menge Probleme bereiten können, weil sie einen großen Einfluss auf unsere Wahrnehmung haben und die Wahrnehmung wiederum unsere Gefühle sehr stark beeinflusst und umgekehrt.

Wenn Michael und Sabine sich jeweils mit ihrem Schattenkind identifizieren und sich in die Wolle kriegen, dann werden sie vor allem von ihren Gefühlen geleitet. Diese Gefühle entstehen in Millisekunden im Zusammenspiel mit ihren Glaubenssätzen, die ihre Wahrnehmung, also ihre Interpretation der Wirklichkeit, beeinflussen. Wenn Sabine also vergisst, die Wurst für Michael zu kaufen, dann interpretiert das Schattenkind in Michael aufgrund seiner Glaubenssätze »Ich komme zu kurz« und »Ich bin nicht wichtig« die Situation wie folgt: »Sabine liebt mich nicht genug und nimmt meine Wünsche nicht ernst.« Das ist seine Wahrnehmung des Geschehens, und diese führt ihn blitzschnell und unmittelbar in ein Gefühl der Kränkung, und auf die Kränkung folgt in einem Schwung die Wut, und der Streit nimmt seinen Lauf. Diese Verkettung von *Glaubenssatz* ✳ *Interpretation der Wirklichkeit* ✳ *Gefühl* ✳ *Verhalten* ist Michael jedoch nicht bewusst. Sein Bewusstsein setzt erst bei der Wut ein, der tiefer liegende Auslöser bleibt für ihn unerkannt. Er weiß nichts von seinen Glaubenssätzen, und ihm ist auch nicht bewusst, dass seiner Wut ein Gefühl der Kränkung vorausgeht. Und genau hierin liegt das Problem: Situationen und Begegnungen können in uns blitzschnell Gefühle auslösen, die uns quasi »kapern« und unser Denken und Handeln steuern. Sei es Wut, Trauer, Einsamkeit, Angst, Neid, aber auch Freude, Glück und Liebe. Auch die Abwesenheit von Gefühlen, so ein vorherrschendes Gefühl der inneren Leere, das in bestimmten Situationen eintritt, kann die Folge dieses Mechanismus sein. Vor allem negative Gefühle wie Wut, Angst, Trauer oder Neid können uns selbst und unsere Beziehungen enorm belasten.

Nun wirst du vielleicht einwenden, dass es ja auch eine berechtigte Wut oder eine berechtigte Trauer gibt, die nicht auf die Verletzungen des Schattenkindes, sondern auf die äußeren Umstände zurückzuführen ist. Wie beispielsweise die Trauer, die der Tod eines geliebten Menschen auslöst, oder die Wut, die wir angesichts einer erfahrenen Ungerechtigkeit empfinden. Das ist natürlich völlig richtig. Nicht jedes Gefühl, das wir haben, hat mit unserem Schatten- oder Sonnenkind zu tun. Doch diese Gefühle machen uns dann meist auch keine großen Probleme. Wir sind einfach traurig, wenn ein Freund stirbt. Es entsteht keine Verwicklung mit anderen Menschen, und wir sind nicht selbst erstaunt über unsere Reaktionen. Das Gleiche gilt für die vielen positiven Gefühle, die wir empfinden. Wir freuen uns und sind glücklich. Diese Emotionen gehören zu jedem Menschen. Diese Gefühle machen uns normalerweise keine Probleme.

Jedoch die Gefühle, die wie bei Michael und Sabine aus dem Schattenkind entstehen und die nicht reflektiert, sondern einfach ausagiert werden, sind es, die uns die Probleme mit uns selbst und in unseren Beziehungen bescheren. Und wenn wir unsere Probleme lösen wollen, dann müssen wir genau hier einsetzen.

Das Schattenkind, der Erwachsene und der Selbstwert

Das innere Kind und seine Glaubenssätze stellen sozusagen die Gefühlszentrale unseres Selbstwertes dar. Glaubenssätze wie »Ich bin wertvoll« oder auch »Ich bin nix wert« lassen uns auf einer tiefen Ebene spüren, ob wir in dieser Welt willkommen sind oder nicht. Letztlich geht es also immer um Gefühlszustände, die uns hoch- oder hinunterziehen können. Das Urvertrauen oder eben auch das Urmisstrauen sind tiefe Gefühle, die in unserem Körpergedächtnis gespeichert sind. Diese Gefühle spüren wir meistens nicht bewusst, aber sie sind leicht abrufbar. Vor allem Menschen, die kein Urvertrauen erworben haben, fühlen sich schnell verunsichert und minderwertig. Sie befinden sich also meistens im Modus ihres Schattenkindes. Menschen hingegen, die überwiegend positive Glaubenssätze haben, die also über Urvertrauen und ein einigermaßen intaktes Selbstwertgefühl verfügen, spüren auch auf einer tiefen Ebene, dass sie okay sind, so wie sie sind. Sie befinden sich also meistens im Sonnenkindmodus, was nicht bedeutet, dass sie keine Momente oder gar Lebensphasen haben, in denen sie stark an sich zweifeln und verunsichert sind, sprich: in denen ihr Schattenkind aktiv ist. Aber sie überwinden diese Phasen schneller, weil letztlich ihr Sonnenkind mit seinen guten Gefühlen und Glaubenssätzen stärker als das Schattenkind ist. Oder mit anderen Worten ausgedrückt: Ihre Wunden verheilen zumeist nach einer Weile wieder, während stark verunsicherte Menschen eine Art Dauerwunde in sich tragen, die auch schon brennen kann, wenn nur ein Körnchen Salz hineingerät.

Der »gedachte« Anteil unseres Selbstwertgefühls ist unser Verstand, der innere Erwachsene. So wissen wir beispielsweise mit unserem Verstand, dass wir schon viel im Leben erreicht haben, stolz auf uns sein könnten und dass wir eigentlich okay sind, auch wenn das Schattenkind sich klein fühlt. Wenn ich mit meinen Klienten an ihrem Selbstwert arbeite, erklären diese oft sinngemäß: »Ich weiß ja, dass ich eigentlich mit mir zufrieden sein könnte, aber im tiefsten Inneren fühle ich das einfach nicht so!« Andere hingegen sind voll identifiziert mit ihrem Schattenkind – sie fühlen *und* denken, dass sie nicht genügen. Sie können sich also auch mithilfe ihres erwachsenen Verstandes kaum von den Gefühlen des Schattenkindes lösen. Wieder andere meinen, sie hätten kein Problem mit ihrem Selbstwert. Sie sind sehr im rationalen Denken verhaftet und haben das Schattenkind in sich verdrängt. Zu Letzteren gehört übrigens auch Michael. Wenn man ihn nach seinem Selbstwert befragt, antwortet er, dass er damit keine Probleme habe. Seine Verletzlichkeit hat er verdrängt. Sabine hingegen beschäftigt sich viel mit ihren tatsächlichen und vermeintlichen Defiziten, sie ist sich darüber bewusst, dass ihr Selbstwertgefühl labil ist.

Die Erfahrung, dass das Denken und Fühlen widersprüchlich sein können, kennt jeder, und wir machen sie ständig. Wie oft sagen wir uns: »Es ist mir klar, dass …, aber ich schaffe es trotzdem nicht, es zu ändern.« So weiß der kluge innere Erwachsene beispielsweise ganz genau, dass es besser wäre, wenn er sich gesünder ernähren würde, aber wenn das innere Kind vom Heißhunger nach Süßigkeiten überfallen wird, steht er oft auf verlorenem Posten. Gerade bei Lebensmitteln oder auch bei stoffgebundenen Süchten ist es oft sehr schwer, das Gefühl der Gier zu regulieren und der Vernunft und Willenskraft, also dem Erwachsenen-Ich, den Vortritt zu lassen.

Das Schattenkind und der innere Erwachsene müssen also nicht unbedingt einer Meinung sein – weder was den eigenen Selbstwert noch was andere Themen betrifft. Viele Menschen erleben, dass ihr Schattenkind mit seinen starken Gefühlen sich häufig durchsetzt und die Führung über ihr Denken, Fühlen und Handeln übernimmt. Aber je bewusster wir uns des Schattenkindes und seiner Prägungen werden, desto besser stehen die Chancen für den inneren Erwachsenen, das Kind zu regulieren und die Führung zu übernehmen beziehungsweise ganz bewusst in den Modus des Sonnenkindes zu wechseln.

Entdecke dein Schattenkind

In den folgenden Abschnitten möchte ich mit dir dein Schattenkind erarbeiten. Es dürfte inzwischen klar geworden sein, dass dies wichtig ist, damit du jene Verhaltensweisen und Einstellungen ändern kannst, die dir immer wieder Probleme bereiten. Es geht also darum, deine negativen Prägungen zu erkennen. Danach kommen wir zu deinen positiven Prägungen und deinem Sonnenkind. Es ist mir durchaus bewusst, dass ich dir etwas abverlange, wenn ich dich bereits im ersten Viertel dieses Buches ermuntere, dich mit deinem Schattenkind und seinen belastenden Gefühlen auseinanderzusetzen. So könnten wir ja auch zunächst Übungen für das Sonnenkind machen, um dich erst einmal an deine Ressourcen und starken Seiten heranzuführen, bevor du dich deinen Problemen stellst. Aber es liegt in der Psycho-Logik des Gesamtkonzepts, dass wir vom Schattenkind zum Sonnenkind schreiten und nicht umgekehrt. Indem wir zunächst das Schattenkind kennen- und verstehen lernen, können wir – darauf aufbauend – unser Sonnenkind entwickeln mit dem Ziel, dass es das Schattenkind auf eine liebevolle Art regulieren und lenken kann.

Übung: Finde deine Glaubenssätze

Für die folgende Übung benötigst du ein Blatt Papier von mindestens Din-A4-Größe. Um dich bei der Übung zu unterstützen, ist auf der vorderen Innenklappe des Buches ein Beispiel abgebildet. An diesem kannst du dich im Folgenden orientieren.

Bitte male nun auf dein Blatt die Silhouette eines Mädchens oder eines Jungen – je nachdem, welches Geschlecht du hast. Diese Silhouette steht für dein Schattenkind. Rechts und links neben den Kopf dieser Kindersilhouette schreibst du jeweils einmal Mama und einmal Papa oder Mutti und Vati oder wie auch immer du deine Eltern als Kind angesprochen hast. Wenn du nicht bei deinen Eltern aufgewachsen bist, dann schreibst du deine Pflegepersonen dorthin. Setze einfach jene Menschen ein, die in deinen ersten sechs Lebensjahren deine Hauptbezugspersonen waren. Ich würde dir jedoch empfehlen, es einfach zu halten und wirklich nur die nächsten Bezugspersonen zu ermitteln, und nicht die ganze Großfamilie zu notieren.

1. Stelle dir mindestens eine Situation vor, die du mit deiner Mutter als Kind erlebt hast und richtig blöd fandst. Vielleicht weil du dich übersehen gefühlt hast, gekränkt oder gedemütigt. Weil sie nicht für dich da war oder du in anderer Weise das Gefühl hattest, deine Bedürfnisse oder Nöte werden gar nicht wahrgenommen bzw. ernst genommen.
2. Sammle nun aufgrund dieser konkreten Situation Stichworte. Wie war deine Mutter? Das Gleiche kannst du nun mit deinem Vater machen oder einer anderen zweiten engsten Bezugsperson (zu den guten Eigenschaften kommen wir noch beim Sonnenkind).

Beispiele für negative Eigenschaften sind: zickig, kalt, überfordert, anklammernd, überbehütend, desinteressiert, schwach, total verwöhnend, sehr nachgiebig, inkonsequent, unselbstständig, selbstbezogen, unausgeglichen, launisch, unberechenbar, herrschsüchtig, ängstlich, angeberisch, arrogant, sehr streng, verständnislos, wenig empathisch, abwesend, laut, aggressiv, sadistisch, ungebildet.

3. Dann überlege dir einmal, ob du eine bestimmte Rolle in der Familie hattest? Diese Rolle könnte auch wie eine Art unausgesprochener Auftrag sein. Manche Kinder spüren zum Beispiel den elterlichen Auftrag, sich immer so zu verhalten, dass ihre Eltern ganz stolz auf sie sein können. Oder sie verspüren den Auftrag, zwischen Mama und Papa zu vermitteln. Manche haben auch den Auftrag, der Mutter eine gute Freundin zu sein. Oder Mama und Papa glücklich zu machen und so weiter. Denke noch einmal an bestimmte Situationen in deiner Kindheit zurück, in denen du dich nicht so gut gefühlt hast, und überlege, welche Rolle, welchen Auftrag du von deinen Eltern hattest.

4. Zudem kannst du auch typische Sprüche von deinen Eltern dazuschreiben, wie beispielsweise: »Du bist genau wie Tante Elli ...«, »Große Klappe, nix dahinter ...«, »Du bist schuld, dass ich so unglücklich bin.«, »Warte bis der Papa nach Hause kommt ...«, »Guck mal, wie fleißig XY ist im Vergleich zu dir ...«, »Aus dir wird nie was.« All dies notierst du in Stichworten zu deinen jeweiligen Pflegepersonen.

Und dann malst du über den Kopf deiner Kindersilhouette noch eine Verbindungslinie zwischen die Personen und schreibst dorthin, was die eher schwierigen Aspekte ihrer Beziehung waren. Also zum Beispiel: »Haben viel gestritten.«, »Haben nebeneinanderher gelebt.«, »Mama hat bestimmt, und Papa war schwach.«, »Mama und Papa haben sich getrennt.«

5. Wenn du das alles notiert hast, dann spürst du in dich und nimmst Kontakt zu dem Schattenkind in dir auf, indem du in dich hineinfühlst, was das Verhalten deiner Eltern in dir hervorgerufen hat. Nun geht es darum, deine tiefen, unbewussten Überzeugungen in Form von negativen Glaubenssätzen zu ermitteln. Was

also hat das Verhalten deiner Eltern, als du noch Kind warst, in dir für innere negative Überzeugungen hervorgerufen? Hierbei geht es nicht darum, ob deine Eltern dir diese Überzeugung vermitteln *wollten*, sondern zu welcher Überzeugung du selbst als Kind gekommen bist. Wie ich bereits an anderer Stelle geschrieben habe, können sich Kinder kaum vom Verhalten ihrer Eltern kritisch distanzieren und beziehen deren Verhaltensweisen, seien sie gut oder schlecht, auf sich: Ist die Mama meistens lieb und gut gelaunt, dann vermittelt dies dem Kind das Gefühl, dass sie zufrieden mit ihm ist und es lieb hat. Ist die Mama häufig gestresst und gereizt, so vermittelt dies dem Kind das Gefühl, dass es der Mama zur Last fällt. In den allermeisten Fällen fühlt sich das Kind irgendwie verantwortlich für die Laune der Mutter beziehungsweise der Eltern und entwickelt daraus seine inneren Glaubenssätze.

Um dir dabei zu helfen, deine persönlichen Glaubenssätze zu finden, gebe ich dir eine Auflistung möglicher Glaubenssätze an die Hand. Diese Liste ist natürlich nicht vollständig, sondern sie soll dich lediglich inspirieren, deine Glaubenssätze zu finden. Wie gesagt, konzentrieren wir uns im ersten Schritt auf die negativen Glaubenssätze, die guten kommen danach dran.

Wichtig ist, dass Glaubenssätze eine bestimmte Formulierung aufweisen, wie »Ich bin …« oder »Ich bin nicht …« , »Ich kann …« oder »Ich kann nicht …«, »Ich darf …« oder »Ich darf nicht …«. Sie können aber auch allgemeine Annahmen über das Leben ausdrücken, wie beispielsweise »Männer sind schwach«, »Beziehungen sind gefährlich«, »Streit führt zur Trennung«.

Kein Glaubenssatz ist hingegen: »Ich bin traurig …« Traurig ist ein Gefühl, das aus einem Glaubenssatz wie beispielsweise »Ich bin wertlos!« resultieren kann. Gefühle wie Trauer, Angst, Freude drücken keine Glaubenssätze aus. Ebenso wenig Intentionen wie zum Beispiel »Ich will perfekt sein«. Solche Intentionen sind zumeist das Gegenprogramm zu einem dahinterliegenden Glaubenssatz wie zum Beispiel »Ich genüge nicht«.

. Ich gebe dir im Folgenden einige Beispiele für Glaubenssätze an die Hand, wobei die Aufzählung keinesfalls vollständig ist. Sie soll dir als Anregung dienen, deine negativen Glaubenssätze zu finden. Meistens sind jene die richtigen, die sehr spontan in einem auftauchen. Wenn du die folgende Liste durchgehst, achte auf deine Gefühle: Welche Glaubenssätze lösen etwas in dir aus? Manche Auswirkungen der Glaubenssätze hat man ja durchaus auch schon von außen gehört, zum Beispiel »Du gibst immer so schnell nach!« oder »Du willst es allen recht machen!«

Negative Glaubenssätze, die unmittelbar den Selbstwert betreffen

Ich bin nix wert!
Ich bin nicht gewollt!
Ich bin nicht willkommen!
Ich bin nicht liebenswert!
Ich bin schlecht!
Ich bin zu dick!
Ich genüge nicht!
Ich bin schuld!
Ich bin klein!
Ich bin dumm!
Ich bin nicht wichtig!
Ich kann nix!
Ich darf nicht fühlen!
Ich komme zu kurz!
Ich bin die Kleine!
Ich bin ein Versager!
Ich bin falsch!
Usw.

Negative Glaubenssätze über meine Beziehung zu meinen Pflegepersonen

Ich falle zur Last!

Ich bin für deine Laune verantwortlich!

Ich kann dir nicht vertrauen!

Ich muss immer auf der Hut sein!

Ich muss auf deine Gefühle Rücksicht nehmen!

Ich bin unterlegen!

Ich muss auf dich aufpassen!

Ich bin stärker als du!

Ich bin ohnmächtig!

Ich bin hilflos!

Ich bin dir ausgeliefert!

Du liebst mich nicht!

Du hasst mich!

Ich enttäusche dich!

Ich bin unerwünscht!

Usw.

Negative Glaubenssätze, die die Lösung (Schutzstrategie) für das Problem mit meinen Pflegepersonen bereitstellen

- Ich muss lieb und artig sein!
- Ich darf mich nicht wehren!
- Ich muss alles richtig machen!
- Ich darf keinen eigenen Willen haben!
- Ich muss mich anpassen!
- Ich muss es allein schaffen!
- Ich muss stark sein!
- Ich darf keine Schwäche zeigen!
- Ich muss der/die Beste sein!
- Ich muss gute Noten nach Hause bringen!
- Ich muss immer bei dir bleiben!
- Ich muss deine Erwartungen erfüllen!
- Ich darf mich nicht lösen!
- Usw.

Negative Glaubenssätze im Allgemeinen

Frauen sind schwach!
Männer sind böse!
Die Welt ist schlecht/gefährlich!
Einem wird nichts geschenkt im Leben!
Das geht sowieso schief!
Reden bringt nix!
Vertrauen ist gut, Kontrolle ist besser!
Usw.

Die Glaubenssätze notierst du in den Bauch deiner Kinderschablone (siehe auch Abbildung vorderer Buchinnendeckel).

Deine negativen Glaubenssätze sind die Ursache für die Probleme, die du im Leben hast, sofern es sich um Probleme handelt, zu denen du einen eigenen Anteil mit beiträgst, und das sind alle Probleme, außer reine Schicksalsschläge. Also, ob du Probleme in der Arbeit, in deiner Beziehung oder mit deiner Lebensgestaltung hast – oder ob du unter Ängsten, Depressionen oder Zwängen leidest, egal was dein Problem ist, es hängt in jedem Fall ursächlich mit deinen negativen Glaubenssätzen zusammen. Sie sind dein Störprogramm. So scheinbar unterschiedlich und kompliziert deine Probleme dir auch bei oberflächlicher Betrachtung vorkommen mögen, bei genauerem Hinsehen wirst du feststellen, dass sie sich auf eine einfache Grundstruktur reduzieren lassen. Diese zu erkennen und zu verändern ist das Thema und Anliegen dieses Buches.

Wenn du nun deine wichtigen Glaubenssätze notiert hast, wobei die Anzahl beliebig ist, gehen wir zum nächsten Schritt über.

Übung: Spüre dein Schattenkind

In der folgenden Übung wollen wir versuchen, die Empfindungen, die deine negativen Glaubenssätze in dir auslösen, einmal ganz bewusst zu spüren. Es sind nämlich die Gefühle, die uns sowohl blitzschnell als auch hartnäckig in emotionale Sackgassen führen können. Wenn du dich also im Modus deines Schattenkindes befindest und ein Glaubenssatz gerade in dir aktiviert ist, der zum Bespiel lautet »Ich schaffe das nie!«, dann gehört ein bestimmtes Gefühl dazu, das dich herunterzieht. Je schneller und besser wir die Gefühle erkennen können, desto besser können wir sie regulieren beziehungsweise dafür sorgen, dass sie erheblich seltener auftreten.

Alle unsere Gefühle, seien es Freude, Liebe, Scham, Angst oder Trauer, haben eine körperliche Empfindungsebene. Vor allem was Angstgefühle betrifft ist das vermutlich auf Anhieb für dich nachvollziehbar: Wahrscheinlich hast du schon einmal erlebt, dass dein Herz wie wild raste, deine Knie weich wurden oder deine Hände gezittert haben, wenn du Angst hattest. Aber auch weniger intensive Gefühle als Angst machen sich durch körperliche Empfindungen bemerkbar, ansonsten könntest du sie gar nicht wahrnehmen. So ruft Trauer bei vielen Menschen ein Engegefühl im Hals hervor und/oder eine Schwere auf der Brust. Freude empfinden viele als etwas »Kribbeliges«. Und so drückt sich jedes Gefühl auf einer körperlichen Ebene aus, auch wenn wir dies häufig nicht so bewusst wahrnehmen, weil wir es nicht gewohnt sind, diesen Empfindungen Beachtung zu schenken. Du kannst dir die körperliche Ebene von Gefühlen einmal bewusst machen, indem du dir eine ganz schöne Erinnerung hervorholst. Eine Situation, in der du sehr glücklich warst. Und dann tauche in Gedanken ganz tief in diese Erinnerung ein, indem du die Augen schließt und sie dir mit all deinen Sinnen (Sehen, Hören, Riechen, Schmecken, Fühlen) vorstellst. Und dann spüre, welche Empfindungen diese Erinnerung in deinem Brust-Bauch-Raum auslöst. Gemeint ist eine Empfindungsebene wie zum Beispiel: Es wird warm in der Brustgegend, es zieht im Bauch, das Herz klopft …

Finde deinen Kernglaubenssatz

Nun möchte ich dich darum bitten, dir noch einmal die Liste mit deinen Glaubenssätzen vorzunehmen. Gehe bitte Satz für Satz durch – am besten, indem du jeden Satz laut liest. Identifiziere bitte ein bis drei negative Sätze, die dich am meisten berühren und herunterziehen. Dies sind deine sogenannten *Kernglaubenssätze*. Du kannst deine Kernglaubenssätze auch ermitteln, indem du dich fragst, in welchen Situationen du schnell ausflippst, gekränkt bist oder wofür du dich sehr schämst. Wenn man Michael aus unserem Anfangsbeispiel gefragt hätte: »Wo flippst du aus, und es ist dir selbst peinlich?« Und: »Was ist da der tiefere Gedanke, der dich ausrasten lässt?« Dann würde er ganz schnell wissen: »Die nimmt mich gar nicht ernst!« Und das ist dann der Kernglaubenssatz.

Die Kernglaubenssätze sind deine wichtigsten Glaubenssätze beziehungsweise dein wichtigster Glaubenssatz, falls du nur einen gefunden hast. Oft sind die anderen Glaubenssätze Variationen des Kernglaubenssatzes.

Wenn du diese Glaubenssätze oder diesen Kernglaubenssatz gefunden hast, schließe bitte die Augen, und lenke deine Aufmerksamkeit nach innen, auf den Brust-Bauch-Raum. Spüre, welches Gefühl oder welche Gefühle diese Sätze in dir auslösen. Wir suchen jetzt nach Empfindungen, die sich sehr körpernah durch Druck, Ziehen, Kribbeln, Herzklopfen und so weiter bemerkbar machen.

Wahrscheinlich kommen jetzt Gefühle in dir hoch, die du schon sehr lange kennst. Und vielleicht spürst du, dass du ähnlich wie Michael und Sabine immer wieder in diesen Gefühlszustand gerätst, der dich blockiert, ausrasten, verzagen, davonlaufen oder was auch immer tun lässt. Es kann gut sein, dass du dich bei dieser Übung ziemlich schlecht und traurig fühlst, weil du dir deiner negativen Prägungen so richtig bewusst wirst. Lass diese Gefühle für einen Moment zu, sie sind wichtig für den Heilungsprozess. Es reicht auch, wenn du das Gefühl nur kurz wahrnimmst, danach kannst du sofort wieder aussteigen. Die Auffassung, man müsse seine Gefühle voll ausleben, um sie zu verarbeiten, hat sich als falsch erwiesen. Im Gegenteil, es ist nicht gut, sich negativen Gefühlszuständen zu lange hinzugeben.

Der Grund, warum ich dich bitte, überhaupt in dieses Gefühl einzusteigen, ist, dass du dir seiner bewusst wirst, um möglichst früh zu bemerken, wenn du in diesen inneren Zustand hineinrutschst. Je früher wir uns nämlich dabei ertappen, dass negative Gefühle in uns hochkommen, desto besser können wir diese noch regulieren. Ist die Wut hingegen schon am Kochen oder die Verzweiflung ganz arg, dann sind diese starken Gefühle kaum noch steuerbar. »Früherkennung« ist also nicht nur in der Medizin, son-

dern auch in der Psychologie die Mutter sämtlicher Präventions-
maßnahmen.

Bitte notiere deine Gefühle, die du bei dieser Übung empfunden
hast, in den Bauch deiner Kinderschablone (siehe Abbildung Innendeckel).

Wie man aus negativen Gefühlen aussteigen kann

Falls du ein Problem hast, wieder aus diesem Gefühl auszusteigen,
dann lenke dich mit anderen Dingen ab. Ablenkung, so banal es
klingt, gehört zu den effektivsten Methoden, um aus einem negativen Gefühlszustand herauszukommen. Das Gehirn hat nämlich keine Kapazität, mehrere Dinge auf einmal zu tun. Wenn deine Aufmerksamkeit gefesselt ist, kannst du nicht gleichzeitig Schmerzen
spüren. Du kannst dich zum Beispiel ablenken, indem du dich
zwingst, deine Wahrnehmung ganz auf die äußere Umgebung zu
richten. Zähle zum Beispiel zehn Dinge in deiner Umgebung auf, die
eine rote oder blaue Farbe aufweisen. Oder finde für jeden Buchstaben im Alphabet ein Land, das mit diesem Buchstaben anfängt.

Außerdem kannst du deine Gefühle auch über eine Körper-
übung abschütteln, indem du dich überall mit deinen Handflächen
abklopfst und/oder hüpfst. Unser Körper und unsere Gefühle gehören eng zusammen. Wir können über unserer Körperhaltung und
unsere körperliche Aktivität Einfluss auf unsere Gefühle nehmen.
Auf diesen Zusammenhang werde ich noch öfter zu sprechen kommen.

Es gibt aber noch eine weitere schöne Übung, um die eigenen
Gefühle zu regulieren: Konzentriere dich ganz auf den körperlich
gefühlten Aspekt deines Gefühls, also zum Beispiel bei Angst »Mein
Herz klopft« oder bei Trauer »In der Brust wird es eng«. Und dann
verbanne alle Bilder und Erinnerungen aus deinem Kopf, die zu
diesem Gefühl gehören. Lösche sie. Mache sie schwarz. Konzentrie-

re dich ausschließlich auf das Körpergefühl, und bleibe dabei. Du wirst sehen beziehungsweise spüren, dass es sich recht schnell auflöst. Mit dieser kleinen Vorstellungsübung kannst du alle Gefühle regulieren. Sie hilft sogar bei Liebeskummer.

Möglicherweise fühlst du aber auch gar nichts, wenn du dich in deine negativen Glaubenssätze versenkst. Das könnte daran liegen, dass du im Moment etwas unkonzentriert oder blockiert bist. Wiederhole die Übung zu einem anderen Zeitpunkt. Vielleicht ist es auch notwendig, dass du sie öfter wiederholst, um etwas zu spüren. Möglicherweise hast du aber auch grundsätzlich einen schlechten Draht zu deinen Gefühlen. Auf dieses Problem gehe ich im übernächsten Abschnitt noch genauer ein.

Übung: Die Gefühlsbrücke

Die Gefühlsbrücke beziehungsweise Affektbrücke (nach John Watkins) ist eine weitere Übung, mit deren Hilfe man verstehen kann, wie Gefühle, die eigentlich in unsere Vergangenheit gehören, immer wieder in unsere Gegenwart hineinfunken und dort zu Scherereien führen.

1. Für diese Übung nimmst du dir bitte eine typische Situation aus deinem Erwachsenenleben hervor, in der einer deiner Kernglaubenssätze (oder ein anderer wichtiger Glaubenssatz) wirkt. Eine Situation, in die du mit kleinen Variationen des Ortes und der Handlung immer wieder gerätst und in der dein negativer Glaubenssatz sich wahr und stimmig anfühlt. Zum Beispiel eine Situation, in der du dich abgelehnt fühlst und die deinen Glaubenssatz »Ich genüge nicht« bestätigt. Oder eine Situation, in der du dich nicht genügend respektiert fühlst und die deinen Glaubenssatz »Ich bin der/die Kleine« aktiviert.

2. Wenn du eine Situation gefunden hast, dann begibst du dich in deiner Vorstellungskraft mit allen Sinnen in diese Situation hinein.

Wenn sie zu schlimm ist, als dass du dich da voll hineinbegeben willst, dann reicht es, wenn du sie dir mit etwas innerem Abstand vorstellst oder dir nur einen Teil dieser Situation vorstellst. Wichtig ist, dass du das Gefühl, das zu dieser Situation gehört, aufkommen lässt, dass dieses – wenn vielleicht auch in abgeschwächter Form – jetzt einmal gefühlt werden darf.

3. Wenn sich ein Gefühl einstellt, das zu dieser Situation passt, zum Beispiel Angst oder Trauer, dann reist du mit diesem Gefühl innerlich in deine Vergangenheit zurück, und zwar bis zu dem frühesten Zeitpunkt deiner Erinnerung. Versuche anhand dieser Übung zu fühlen, wie lange du dieses Gefühl schon kennst und welche Situation(en) in deiner Kindheit es geprägt hat. Analysiere, welches Verhalten deiner Eltern oder anderer Personen dazu geführt hat, dass du dich so fühlst.

Sinn dieser und der obigen Übung ist, ein tiefes und gefühltes Verständnis für die eigenen Prägungen und Muster zu erhalten, damit sie nicht automatisiert ablaufen, wie bei Sabine und Michael, sondern du durch die Bewusstwerdung die Chance erhältst, sie zu regulieren. Je bewusster du dir deiner Gefühle nämlich bist, desto schneller kannst du sie erkennen und entsprechend eingreifen.

Exkurs: Problemverdränger und Wenigfühler

Menschen, die einen guten Zugang zu ihren Gefühlen haben, haben es sehr viel leichter, sich selbst zu reflektieren und ihre Probleme zu lösen als Menschen, die viele ihrer Gefühle verdrängen. Die Gefühlsverdränger verdrängen jedoch nicht nur ihre Gefühle, sondern sie beschäftigen sich häufig auch gedanklich wenig mit ihren seelischen Vorgängen. Sie reflektieren sich selbst und ihr Leben nicht gern – zumeist aus einer unterschwelligen Angst heraus, dass zu viele negative Gefühle in ihnen hochkommen könnten. Sie sind quasi notorisch von sich selbst abgelenkt. Andere hingegen denken viel über sich nach, aber sie bleiben in theoretischen Überlegungen stecken und bekommen keinen Zugang zu der Gefühlswelt ihres Schattenkindes.

Insbesondere Männer neigen sowohl anlage- als auch erziehungsbedingt dazu, sich gänzlich mit ihrer Vernunft und mit ihrem rationalen Denken zu identifizieren, sodass das Fühlen dabei zu kurz kommen kann. Dies gilt natürlich längst nicht für alle Männer, und es gibt auch Frauen, die wenig Kontakt zu ihren Gefühlen haben. Aber Männer tendieren eher dazu, vor allem »schwache« Gefühle wie Trauer, Hilflosigkeit und Angst wegzudrücken als Frauen. »Starke« Gefühle wie Freude und Wut können die meisten Männer hingegen recht gut wahrnehmen. So ist das ja auch bei Michael: Seine Kränkung als »schwaches Gefühl«, die er aufgrund Sabines Vergesslichkeit empfindet, nimmt er nicht wahr. Stattdessen verspürt er nur seine Wut, die jedoch bereits eine Folge seiner Selbstwertkränkung ist. Wut stellt sich immer dann ein, wenn ein wichtiges körperliches oder psychisches Grundbedürfnis von uns frustriert wird.

Die männliche Sozialisation war über Jahrtausende darauf ausgerichtet, dass Männer keine Gefühle der Schwäche zeigen dürfen. Erst seit jüngster Zeit hat sich hier ein Bewusstseinswandel eingestellt: Inzwischen darf auch ein Junge einmal traurig sein oder Angst haben, und der blöde Spruch »Indianerherz kennt keinen Schmerz!« verschwindet allmählich aus dem Zitatenschatz von Eltern.

Neben Erziehungseinflüssen haben Männer jedoch auch evolutionär die Veranlagung, Gefühle abstellen zu können, was mit der Aufgabenverteilung von Männern und Frauen in der Steinzeit zu tun hat. Wenn sie erfolgreich jagen wollten, mussten sie die Fähigkeit erwerben, Gefühle der Schwäche auch einmal zur Seite zu schieben. Sie mussten tapfer sein. Frauen müssen und mussten das zwar auch schon immer, aber ihr Aufgabenbereich lag in der Steinzeit und zum Teil auch heute noch mehr im Bereich der Familie. Hier ist eher Einfühlungsvermögen als Tapferkeit gefragt. Insofern bringen Männer schon eine gewisse genetische Disposition zur Versachlichung mit auf die Welt, während Frauen es leichter haben, sich in ihre Mitmenschen einzufühlen.

Die Neigung vieler Männer, negative Gefühle zur Seite zu schieben, hat durchaus ihre Vorteile, vor allem dann, wenn es um die Lösung von Sachaufgaben geht. Im zwischenmenschlichen Bereich kann das flache Gefühlserleben mancher Männer jedoch zu Problemen führen. In der Psychotherapie und in meinen Seminaren begegne ich öfter Männern, die sich wie ein Schiff ohne Kompass um ihre zwischenmenschlichen Probleme drehen, weil ihnen der Zugang zu ihren Gefühlen fehlt. Gefühle sind nämlich notwendig, um eine Situation einschätzen und bewerten zu können. Gefühle zeigen uns an, wie wichtig oder unwichtig uns eine Sache ist. So warnt uns Angst vor Gefahr und motiviert uns, sie abzuwenden. Trauer klärt uns darüber auf, dass wir etwas Wichtiges verloren oder nicht erhalten haben. Scham bedeutet, dass wir eine gesellschaftliche oder persönliche Norm verletzt haben. Freude zeigt uns an, worauf wir Lust haben.

Wenn ein Mensch wenig Kontakt zu seinen Gefühlen hat, dann ist auch sein Kontakt zu seinen Bedürfnissen gestört. Nicht wenige klagen deswegen darüber, dass sie nicht wüssten, was sie wollten. Ich kenne einige Männer, die hochintelligent im abstrakten Denken sind, jedoch ihr Leben irgendwie nicht auf die Reihe bekommen. Beruflich bleiben sie unter ihren Möglichkeiten, privat leiden sie unter Beziehungsproblemen. Manche kommen auch kraft ihrer intellektuellen Fähigkeiten beruflich sehr weit, aber ihr Liebes- und Familienleben bleibt auf der Strecke. Sie verheddern sich in ihren abstrakten Überlegungen und verlieren sich in der Auflistung von Pros und Kontras, wenn es darum geht, eine emotional wichtige Entscheidung zu treffen oder persönliche Ziele zu formulieren. Ihnen fehlt der Kontakt zu ihren Gefühlen, die ihnen – Hand in Hand – mit ihren verstandesgeleiteten Überlegungen eine Orientierung bieten könnten. Denn auch Entscheidungen, die wir mit unserem Verstand gut begründen können, *fühlen* sich gut an. Und dieses Gefühl, auch wenn es nur unterschwellig wahrgenommen wird, gibt letztlich den Ausschlag für eine Entscheidung.

Manche Menschen werden auch von *einem* Gefühl, das stark im Vordergrund steht, beherrscht. Sei es Angst, Depression oder Aggression. Hinter diesen »Leitgefühlen« verbergen sich zumeist andere Empfindungen, die nicht wahrgenommen werden, so wie im Fall von Michael, bei dem das Gefühl der Wut vorherrscht, die Kränkung aber unreflektiert bleibt.

Wenn du noch mehr über die Gefühlswelt von Männern erfahren willst, kann ich dir das Buch von Björn Süfke »Männerseelen« empfehlen.

Was kann ich tun, wenn ich wenig fühlen kann?

Wenn du zu jenen Menschen gehörst, die Schwierigkeiten haben, mit ihren Gefühlen in Kontakt zu kommen und du bei den obigen Übungen nichts gespürt hast, schließe bitte einmal die Augen, und konzentriere dich auf deinen Brust-Bauch-Raum. Nimm zunächst nur wahr, wie dein Atem fließt. Geht er tief in den Bauch? Stockt er irgendwo? Oft unterdrücken wir unbewusst unsere Gefühle, indem wir flach atmen. Deswegen erlaube dir, einmal tief in den Bauchraum zu atmen. Am besten tust du das im Liegen. Und dann spüre einfach mal in dich hinein, wie sich das anfühlt. Falls du auch bei der tiefen Atmung nichts spüren solltest, dann bleibe bitte mit deiner Aufmerksamkeit auf deinem Brust-Bauch-Raum, und spüre ganz bewusst, wie sich dieses »Nichts« da drinnen anfühlt. Wie ist das, mit diesem Nichts zu sein? Nimm wahr, wie dein Körper dieses Nichts spürt. Ist der Bauch entspannt? Geht dein Herz ruhig? Dein Atem tief? Wie fühlt sich das Nichts an? Und dann spüre, ob es hinter diesem »Nichts« vielleicht noch einen weiteren Raum gibt.

Im Übrigen hilft es, wenn du das Fühlen durch Aufmerksamkeit übst. Das Nichtfühlen ist zumeist ein Selbstschutz, den sich die Betroffenen als Kind unbewusst antrainiert haben, um ihre Gefühle des Schmerzes und der Hilflosigkeit, die ihre Eltern in ihnen ausgelöst haben, nicht zu spüren. Sie haben gelernt, sich von ihren Gefühlen abzulenken. Entsprechend kann man lernen, seine Aufmerksamkeit auch auf seine Gefühle hinzulenken.

Hierfür reicht es oft schon, dass man über den Tag verteilt immer wieder innehält und seine Aufmerksamkeit mit der Frage nach innen richtet: Wie fühle ich mich gerade? Achte auf deinen Brust-Bauch-Raum und die körperlichen Empfindungen, die du dort wahrnimmst. Wenn du zum Beispiel ein Kribbeln, ein Ziehen, eine Enge, einen Druck verspürst, dann lenke deine Aufmerksamkeit in diesen Bereich. Und spüre, welches Gefühlswort dazu passen würde. Angst? Trauer? Scham? Wut? Oder Freude? Liebe? Erleichterung? Und dann kannst du dieser körperlichen Empfindung eine Frage stellen. Und diese Frage lautet: *Was in meinem Leben macht es denn da so …* drückend, kribbelig, herzklopfend oder was auch immer deine körperliche Empfindung ist. Diese Frage stellst du in das Gefühl und lässt aus diesem heraus eine Antwort entstehen. Du suchst also nicht im Kopf, also mit dem Erwachsenen-Ich, nach einer Antwort. Die erste Antwort ist meistens sofort die richtige, auch wenn sie dir vielleicht auf den ersten Blick etwas absurd erscheint. Diese Antwort kann auch in Form einer Erinnerung oder eines Bildes ausfallen. Sie kommt aus deinem Unbewussten, also aus deinem inneren Kind, sei es das Schatten- oder das Sonnenkind. Auf diese Art und Weise kannst du direkt mit ihm kommunizieren. Diese Art, seine Gefühle zu fokussieren, entstammt übrigens einer psychologischen Methode mit dem Namen »Focusing«, die auf Eugen Gendlin zurückgeht.

Du wirst sehen, je häufiger du deine Aufmerksamkeit auf deine inneren Vorgänge lenkst, desto besser wirst du sie wahrnehmen können. Für manche ist es auch hilfreich, hierüber zu meditieren.

Unsere Projektion ist unsere Wirklichkeit

Alles, was du verstehen musst, ist, dass es sich bei deinen negativen Glaubenssätzen nicht um die Wahrheit handelt, sondern um deine subjektive Wirklichkeit, die durch das – zumindest partielle – Erziehungsversagen deiner Eltern in dir geprägt wurde. Du nimmst dich selbst und deine Mitmenschen durch die Brille dieser Glaubenssätze wahr, und das ist deine persönliche Wahrnehmungsverzerrung. Es ist deine – durch deine Erziehung infiltrierte – Projektion der Wirklichkeit. Es geht also darum, diese ungünstige Projektion aufzulösen und durch eine bessere und realistischere zu ersetzen. Hierfür ist es unabdingbar, dass du das Schattenkind und den vernünftigen Erwachsenen in dir voneinander trennst. Sie dürfen sich in deiner Wahrnehmung nicht mehr ständig vermischen, so wie es bisher der Fall gewesen ist. Du musst also kraft deines erwachsenen Verstandes erkennen, dass es sich bei den Prägungen des Schattenkindes um eben solche handelt. Mithilfe deines inneren Erwachsenen musst du verstehen, dass du andere Prägungen hättest, wenn deine Eltern anders drauf gewesen wären oder wenn du andere Eltern gehabt hättest. Dein erwachsener Verstand muss einsehen, dass diese ganzen miesen kleinen Sätze nichts über dich und deinen Wert aussagen, sondern *ausschließlich* etwas über den Erziehungsstil deiner Eltern.

Wenn du zum Beispiel einen Glaubenssatz hast, der lautet »Ich genüge nicht!«, dann muss dein erwachsener Verstand erkennen, dass dies Unsinn ist, weil du genügst, auch wenn du Fehler gemacht hast in deinem Leben. Die meisten Fehler, die wir im Leben machen, sind ja bereits ein Resultat unserer negativen Glaubenssätze. Wenn du einen Glaubenssatz aufweist, der lautet »Ich bin wertlos!«, dann muss dein erwachsener Verstand ebenso erkennen, dass dies Unfug ist, weil jeder Mensch per se wertvoll ist. Und es gibt mindestens einen Menschen auf dieser Welt, dem du viel bedeutest.

Ein Kind kommt grundsätzlich unschuldig auf die Welt, und wenn die Eltern ihm dann vermitteln, auch wenn dies nicht in ihrer

Absicht liegt, dass es nichts wert sei, dann kann das Kind nichts dafür. Es ist nicht seine Schuld. Wie man seinen inneren Erwachsenen mithilfe guter Argumente stärkt, darauf komme ich noch unter »Stärke dein Erwachsenen-Ich« auf Seite 140 zu sprechen.

Der bekannte Psychologe und Coach Jens Corssen sagt: »Du bist ein leuchtender Stern von Geburt an!« Das ist eine schöne Formulierung, die ich gern übernehmen möchte. Also: Du bist ein leuchtender Stern von Geburt an, auch wenn du dich manchmal »ungünschtig« verhältst. Du hast richtig gelesen: Ungünschtig mit »sch«. Das kommt auch von Corssen. Das klingt nämlich viel netter und lustiger als »ungünstig«.

Wenn deinem Erwachsenen-Ich also so weit klar ist, dass du ein leuchtender Stern bist und dich keine Schuld am Verhalten deiner Eltern trifft, dann musst du das deinem Schattenkind erklären, damit es das auch begreift. Ansonsten lebst du weiter in deiner doppelten Realität, was bedeutet, dass das Kind in dir immer noch meint, es sei klein, und die Welt da draußen sei Mama und Papa, während der erwachsene Anteil meint, alles sei wahr, was er denkt und fühlt. Und dies ist tatsächlich bei allen Menschen der Fall, die ihr inneres Programm nicht reflektieren und auflösen. Du erinnerst dich an die Klientin, deren Schattenkind erst als sie Ende 50 war zum ersten Mal *gefühlt* hat, das ihr Peiniger schon lange gestorben und sie heute erwachsen ist? Das Kind in ihr beziehungsweise genauso in dir bleibt nämlich in einem früheren Entwicklungsalter stehen. Das Schattenkind dieser Klientin war zum Beispiel nur fünf Jahre alt. Spüre bitte einmal in dich, wie alt dein Schattenkind sich anfühlt? Bitte glaube mir, wenn ich dir sage, dass dein Schattenkind ebenfalls in seiner Realität von früher verhaftet ist und dies dein Denken, Fühlen und Handeln extrem beeinflusst. Du kannst die Wirkung deiner Glaubenssätze gar nicht ernst genug nehmen.

Mit der Projektion ist das ohnehin so eine Sache. So projizieren wir unser Selbstbild, das ja wesentlich durch unsere Glaubenssätze mitbestimmt wird, in die Köpfe der anderen. Finden wir uns gut, dann meinen wir, die anderen müssten das auch so sehen. Finden wir uns schlecht, projizieren wir dieses Urteil ebenso in die Köpfe der anderen. Sei einmal ganz aufmerksam dafür, wie oft du denkst, ein anderer denkt (Projektion in den Kopf des anderen), du seist zu dick, zu hässlich, zu dumm, zu langweilig usw., und indem du denkst, dass der andere das denkt, dich damit stimmungsmäßig herunterziehst. Dann stelle dir vor, du würdest auf einer einsamen Insel leben: Wie schlimm wäre dasselbe Problem dann noch? Dann wäre es doch den meisten von uns völlig egal, ob wir zu dick, zu hässlich, zu dumm oder zu langweilig sind – solange das kein anderer merkt. Irgendwie geht es doch meistens nur darum, was wir denken, was die anderen denken. Mit unseren Projektionen in die Köpfe der anderen machen wir uns dann selbst fertig. Dahinter steckt der Mechanismus des gespiegelten Selbstwertempfindens, den ich schon auf Seite 42 beschrieben habe.

Deswegen ist es ein sehr gutes Training, einfach nur in die Welt hinauszuschauen und zu gucken, was es da alles zu sehen gibt, und damit aufzuhören, sich mit den Augen der anderen (also mit unseren eigenen) selbst zu beobachten. Dann sieht man auch viel mehr und nimmt viel genauer wahr, was da draußen so alles los ist.

Übungen, die dir helfen, mit deinem Schattenkind Frieden und Freundschaft zu schließen, stelle ich dir im übernächsten Kapitel unter »Heile dein Schattenkind vor.«* Als nächstes möchte ich auf die Schutzstrategien des Schattenkindes eingehen. Das sind jene Verhaltensweisen, mit denen wir – zumeist unbewusst – unser Schattenkind verdrängen und entmachten wollen. Es sei an dieser Stelle schon vorweggenommen, dass wir uns den meisten Ärger nicht mit unseren negativen Glaubenssätzen einhandeln, sondern mit dem Selbstschutz, den wir aufgrund unserer Glaubenssätze installieren.

---

* Du kannst jetzt aber schon die Fantasiereise »Die Schattenkind-Trance« downloaden und diese so oft wie möglich hören.

Die Schutzstrategien des Schattenkindes

Wenn wir fest an unsere innere Prägung glauben, also mit unserem Schattenkind unbewusst – und deswegen vollständig – identifiziert sind, dann streben wir danach, das Schattenkind zu verdrängen beziehungsweise uns so zu verhalten, dass wir seine negativen Glaubenssätze möglichst nicht spüren. Insbesondere sind wir bemüht, dass auch die anderen nicht merken, wie ungenügend wir uns in Wahrheit fühlen. Wir entwickeln also sogenannte Schutzstrategien, die uns vor den negativen Gefühlen und Gedanken unseres Schattenkindes beschützen sollen. Viele dieser Schutzstrategien hat man schon als Kind entwickelt, manche kommen aber auch erst im Erwachsenenleben hinzu, wie beispielsweise die Flucht in die Sucht. Wichtig ist zu verstehen, dass wir normalerweise eine recht große Anzahl an Glaubenssätzen in uns tragen, die bei den meisten Menschen aus einer Verletzung mehrerer der vier psychischen Grundbedürfnisse resultieren. Entsprechend haben die meisten Menschen auch mehrere Schutzstrategien. Die meisten Schutzstrategien spielen sich auf der Verhaltensebene ab, sie manifestieren sich also in unserem Handeln.

In diesem Abschnitt möchte ich dir die grundlegende Funktion und Wirkungsweise von Schutzstrategien erklären. In den nächsten Abschnitten nehmen wir häufig angewendete Schutzstrategien unter die Lupe.

Wenn ein Mensch beispielsweise den geheimen Glaubenssatz »Ich genüge nicht!« in sich trägt, dann wird er entweder (unbewusst) viel dafür tun, um ihn zu entkräften, oder er hat resigniert und tut (unbewusst) viel dafür, um ihn zu bestätigen. Eine typische Strategie, diesen Glaubenssatz (und ähnlich lautende Glaubenssätze, die unmittelbar den Selbstwert betreffen) zu entkräften, ist beispielsweise *Perfektionsstreben*. Perfektionsstreben entsteht in seltenen Fällen aus einer leidenschaftlichen Hingabe an eine Tätigkeit, aber meistens aus der unterschwelligen Angst, zu versagen und abgelehnt zu werden. Es gibt viele Menschen, die aufgrund ihrer negativen Glaubenssätze unheimlich bemüht sind, alles richtig zu machen. Fehler und Versagen lösen in ihnen tiefe Schamgefühle aus – sind sie doch die klägliche Bestätigung ihrer gefühlten Unzulänglichkeit. Andere hingegen haben schon resigniert. Diese haben als Kind häufig die Erfahrung gemacht, dass es sowieso nichts bringt, sich anzustrengen. Sie bestätigen sich immer wieder, dass ihre Glaubenssätze zutreffend sind. Sie verhalten sich in der Liebe so, dass ihre Beziehungen scheitern, oder im Beruf so, dass sie erfolglos bleiben. Dies tun sie zum Beispiel, indem sie sich Partner aussuchen, die wenig beziehungstauglich sind und/oder, indem sie sich selbst so kompliziert verhalten, dass es für den Partner schwer ist, es mit ihnen auszuhalten. Beruflich könnte ihre Versagensangst sie beispielsweise dazu verleiten, wichtige Aufgaben auf die lange Bank zu schieben und sich zu verzetteln. Oder sie bleiben aus Angst, es nicht zu schaffen, weit unter ihren tatsächlichen Möglichkeiten. Manche haben aber auch eine Schutzstrategie entwickelt, die in der Fachsprache als »narzisstisch« bezeichnet wird. Das heißt, sie überkompensieren ihr labiles Schattenkind durch ein besonders selbstherrliches Auftreten, mit dem sie sich und anderen vormachen, dass sie die oder der Größte sind. (Hierauf, wie auch auf das Perfektionsstreben, werde ich später noch genauer eingehen.)

Ist ein Kind zu sehr in seinem Wunsch nach Autonomie und Kontrolle verstört worden, dann könnte es Glaubenssätze entwickelt haben wie »Ich bin dir ausgeliefert« oder »Ich bin ohnmächtig«. Um diese möglichst nicht zu spüren, könnte der Erwachsene stark nach

Kontrolle und Macht streben, weil das Kind in ihm ständig besorgt ist, in eine unterlegene Position zu geraten. Menschen mit einem starken Machtmotiv wollen immer die Oberhand behalten: im Gespräch, im Beruf, in der Beziehung. Nicht wenige leiden unter Bindungsangst, weil das Kind in ihnen liebende Nähe mit Ausgeliefertsein verknüpft. Sie weichen Liebesbeziehungen aus oder stellen nach Momenten der Nähe immer wieder Distanz zum Partner her. Wenn das Schattenkind dieses Menschen jedoch schon resigniert hat, dann bindet es sich an Menschen, die es als mächtig und dominant erlebt und ordnet sich diesen freiwillig unter. Es wiederholt also die leidvollen Erfahrungen, die es schon mit mindestens einem Elternteil gemacht hat. Ein typisches Beispiel hierfür ist eine Frau, die sich an einen Mann bindet, der sie extrem dominiert oder gar misshandelt. Oder ein Mann, der sich seiner herrischen Frau unterwirft.

Ist ein Kind hingegen in seinem Bindungsbedürfnis frustriert worden, sodass einer seiner Glaubenssätze lautet »Ich bin allein!«, dann könnte es als Schutzstrategie ein sehr *anklammerndes Verhalten* erworben haben. Er wird dann stets auf *Harmonie und Ausgleich* bedacht sein, um bloß nicht die Nähe zu anderen Menschen zu gefährden. Oder das Schattenkind beschützt seine Verlassenheitsängste, indem es engen Beziehungen ausweicht. Nach dem Motto: Was ich nicht habe, kann ich nicht verlieren. So behält es die Kontrolle über das Geschehen. In diesem Fall hat das Schattenkind gelernt, dass Alleinsein die sicherste Option ist.

Ein Glaubenssatz, der sich auf das psychische Grundbedürfnis der Lustbefriedigung beziehungsweise Unlustvermeidung bezieht, könnte lauten: »Ich darf nicht genießen!« Diese Menschen beschützen sich häufig durch *Flucht in die Arbeit*, weil sie mit ihrer Freizeit wenig anfangen können. Manche verfolgen geradezu *zwanghafte Routinen* und sind extrem selbstdiszipliniert. Andere hingegen überkompensieren ihre Kindheitserfahrungen, indem sie *exzessiv und maßlos konsumieren*. Ihnen mangelt es an Disziplin, und sie lassen sich häufig von ihren Impulsen treiben.

Dies waren nur ein paar Beispiele, um die prinzipielle Wirkungs-weise der Schutzstrategien zu erklären. Auf einer übergeordneten Ebene lassen sich die Schutzstrategien in *Anpassung, Rückzug oder Überkompensation* einteilen.

Die Schutzstrategien und die Glaubenssätze lassen sich hierbei nicht eins zu eins den Grundbedürfnissen zuordnen, so wie ich es oben ansatzweise versucht habe. So kann ein und derselbe Glau-benssatz, wie beispielsweise »Ich bin unwichtig«, sowohl aus der Frustration des Bindungs-, des Kontroll- , des Selbstwert- und des Lustbedürfnisses entstehen. Ebenso kann eine Schutzstrategie, wie beispielsweise Macht- oder Perfektionsstreben, aus der Verletzung unterschiedlicher Grundbedürfnisse resultieren. Außerdem weisen viele Schutzstrategien auch hohe Schnittmengen auf: So sind Per-fektions- und Kontrollstreben eng miteinander verwandt oder auch Harmoniestreben und das Helfersyndrom.

Wie gesagt, sind zumeist die Schutzstrategien die eigentliche Ur-sache für unsere Probleme. Wenn ein Mensch den Glaubenssatz »Ich bin nicht liebenswert« in sich trägt und sich deswegen von an-deren Menschen zurückzieht und engen Beziehungen ausweicht, dann ist die Einsamkeit, die aus seinem Rückzug resultiert, sein ei-gentliches Problem. Würde er hingegen mit anderen Menschen im Kontakt bleiben und ihnen erzählen, dass er denkt, er sei nicht lie-benswert, dann wäre er nicht einsam, sondern in Verbindung. Es sind also nicht die negativen Glaubenssätze für sich genommen, die unsere zwischenmenschlichen Beziehungen und unsere Lebensge-staltung belasten, sondern die Schutzstrategien, die wir wählen, um unseren Glaubenssätzen entgegenzuwirken. *Die meisten Probleme, die wir haben, resultieren also letztlich aus unserem Selbstschutz.*

Ganz wichtig ist, dass du deine Schutzstrategien wertschätzt und würdigst. Sie waren in deiner Kindheit sehr sinnvoll und angemes-sen. Als Kind hast du dich deinen Eltern bestmöglich angepasst. Oder du hast gegen sie rebelliert, und auch dafür wird es gute Gründe gegeben haben. Auch heute strengst du dich noch sehr an, um mithilfe deiner Schutzstrategien mit dir selbst und mit anderen Menschen klarzukommen. Und diese Bemühungen verdienen deine ganze Anerkennung. Es gibt da nur ein Problem: Dein Schattenkind hat noch nicht verstanden, dass ihr heute groß seid. Es lebt noch in der Wirklichkeit von früher. Tatsächlich seid ihr, dein Schattenkind und dein Erwachsenen-Ich, heute frei, und ihr könnt euch selbst versorgen. Ihr hängt nicht mehr von Mama und Papa ab. Der Erwachsene könnte sich mit viel besseren Mitteln beschützen und selbst behaupten als mit seinen Schutzstrategien. Diese werde ich dir natürlich vorstellen, und zwar unter dem Kapitel »Von den Schutz- zu den Schatzstrategien«. Zunächst ist es jedoch notwendig, dass du deine Kinderstrategien erkennst und verstehst, bevor wir sie würdigen und positiv verändern können.

Im Folgenden werde ich die Metastrategien vorstellen, unter denen sich dann individuelle und spezielle Strategien einordnen lassen. Wenn du dich zum Beispiel gern selbst beschützt, indem du dir unentwegt Computerspiele reinziehst und somit aus der Realität fliehst, dann kannst du dies unter der Schutzstrategie »Flucht und Rückzug« verbuchen. Oder wenn du bei deinem Vorgesetzten ständig um den heißen Brei herumredest, wenn du eigentlich deine Meinung vertreten solltest, dann kannst du das unter »Harmoniestreben« einordnen. Während du weiterliest, sei also bitte selbstaufmerksam, welche Strategien du individuell anwendest, die im Folgenden nicht explizit genannt sind.

Selbstschutz: Realitätsverdrängung

Die Verdrängung unangenehmer oder auch unerträglicher Realitäten ist ein ganz grundlegender Schutzmechanismus, ohne den wir kaum funktionieren könnten. Wenn ich mir ständig all der schrecklichen Dinge, die auf der Welt passieren, inklusive meiner eigenen Angreifbarkeit und Sterblichkeit, bewusst wäre, dann überkämen mich wahrscheinlich so starke Angst- und Ohnmachtsgefühle, dass ich kaum noch handlungsfähig wäre. Die Verdrängung ist also zunächst einmal ein gesunder und wertvoller Selbstschutz.

Wenn ich etwas verdränge, dann entzieht es sich meiner Wahrnehmung. Und wenn ich etwas nicht wahrnehme, dann kann ich diesbezüglich auch keine (bewussten) Gefühle, Gedanken und Handlungen entwickeln. Deswegen verdrängen wir psycho-logischerweise auch nur Realitäten, die unangenehme Gefühle wie Angst, Trauer oder Hilflosigkeit in uns auslösen. Es gibt schließlich so gut wie keine Motive, etwas zu verdrängen, an dem wir große Freude und Vergnügen haben (es sei denn, es brächte uns in einen großen Konflikt, zum Beispiel unseren Ehepartner zu betrügen). Dies ist auch der Grund, warum Menschen, die eine sehr schöne Kindheit hatten, sich diese sehr gut ins Gedächtnis rufen können, und Menschen mit einer traurigen Kindheit diese zumeist nur lückenhaft erinnern.

Im Grunde genommen ist die Verdrängung die »Mutter aller Schutzstrategien«, weil letztlich der gesamte Selbstschutz darauf hinausläuft, die Dinge zu verdrängen, die wir nicht spüren beziehungsweise die wir nicht wahrhaben wollen. Alle weiteren Schutzstrategien wie Macht- und Perfektionsstreben, Harmoniestreben oder das Helfersyndrom stehen letztlich im Dienste der Verdrängung.

Wenn ich jedoch meine Probleme verdränge, dann kann ich sie nicht bearbeiten. Und wenn ich sie zu lange verdränge, dann kann dies zu einer Anhäufung von Problemen führen, vor denen ich irgendwann nicht mehr die Augen verschließen kann. So kann die Schutzstrategie »Perfektionsstreben« zum Beispiel in die totale Erschöpfung bis hin zum Burn-out münden. Dabei ist Burn-out noch eine der Folgen, die sich in den meisten Fällen nur auf den Betroffenen selbst und sein näheres Umfeld auswirken. Problematischer kann es werden, wenn ein Mensch seine Ohnmachtsgefühle durch überhöhtes Machtstreben verdrängt, vor allem dann, wenn er gesellschaftlich über großen Einfluss verfügt.

Selbstschutz: Projektion und Opferdenken

So wie die Verdrängung eine universelle Schutzstrategie ist und somit die Grundlage für alle weiteren bildet, so gilt dies auch für den Selbstschutz der Projektion. *Projektion* ist ein psychologischer Fachausdruck, und er besagt, dass ich andere Menschen durch die Brille meiner eigenen Bedürfnisse und Gefühle wahrnehme. Wenn ich mich beispielsweise unsicher und minderwertig fühle, dann kann es mir leicht passieren, dass ich in andere Menschen eine besondere Stärke und Dominanz projiziere. Sehr häufig passiert es auch, dass wir die Erfahrungen, die wir zum Beispiel mit unserem Vater oder unserer Mutter gemacht haben, auf den eigenen Beziehungspartner projizieren. Hatten wir beispielsweise eine Mutter, die sehr kontrollierend war, kann es passieren, dass wir uns sehr schnell von unserem Partner kontrolliert fühlen, weil wir ihm unbewusst unterstellen, er sei so wie die Mutter. Oder wenn ich selbst zu Geiz und Raffgier neige, dann unterstelle ich anderen Menschen leicht dieselben Motive. Wir können aber auch positive Gefühle und Wünsche projizieren. Wenn ich zum Beispiel in einer ziemlich heilen Welt aufgewachsen bin, dann kann es mir passieren, dass ich etwas naiv davon ausgehe, die anderen Menschen seien auch alle so verlässlich und gut wie die eigenen Eltern.

Die Verdrängung und die Projektion betreffen die psychische Funktion der Wahrnehmung. Die Wahrnehmung ist wiederum die Basis für alle weiteren psychischen Funktionen wie Denken, Fühlen und Handeln. Auf der Wahrnehmung baut alles auf, sie ist quasi mit unserem Bewusstsein gleichzusetzen. Deswegen ist eine Wahrnehmungsverzerrung in dem Moment, wo sie stattfindet, für den Betreffenden auch nicht zu erkennen. Die Reflexion einer verzerrten Wahrnehmung kann bestenfalls im Nachhinein erfolgen. Da kann es mir plötzlich »wie Schuppen von den Augen fallen«, dass ich in einem »ganz falschen Film« gefangen war. Bei anderen Schutzstrategien, die sich eher auf die Ebene des Verhaltens und Handelns beziehen, haben wir hingegen viel bessere Chancen, uns dabei zu ertappen, während wir sie anwenden.

Wir Menschen sind im Unterschied zu den Tieren mit der Fähigkeit ausgestattet, uns selbst zu reflektieren. Allerdings gibt es himmelweite Unterschiede, in welchem Ausmaß Menschen von dieser Fähigkeit Gebrauch machen. Einige sind ständig um Selbstreflexion und ihre persönliche Weiterentwicklung bemüht, andere hingegen kaum oder gar nicht. Menschen, die sich vor Selbsterkenntnis drücken, haben zumeist unheimliche Angst davor, mit ihrem Schattenkind in Kontakt zu kommen. So meint das Schattenkind von Petra beispielsweise, dass es schlecht wäre und keiner es lieb haben könnte. Diese gefühlte Minderwertigkeit ist für Petra jedoch schwer zu ertragen, und sie muss deswegen abgewehrt werden. Hierdurch ist sie jedoch keiner Verarbeitung zugänglich. Nun stellen wir uns vor, dass Petra auf Julia trifft, die sie als besser und stärker als sich selbst wahrnimmt. Automatisch, aber unterbewusst, nimmt Petra nun an, dass Julia auf sie herabschauen und sie ablehnen wird. Sie nimmt sich also per se als das potenzielle Opfer von Julia wahr. Auch dieser innere Vorgang wird jedoch nicht von Petra reflektiert. Stattdessen nehmen ihr Schattenkind und ihr innerer Erwachsener gemeinsam einen kleinen Psychotrick vor: Sie befinden, dass Julia nicht vertrauenswürdig und unsympathisch ist. Sie lehnen Julia ab. Die eigene gefühlte Unzulänglichkeit wird also von Petra in eine vermeintliche Feindseligkeit ihres scheinbar stärkeren Gegenübers projiziert.

Menschen, die wie Petra eine hohe Neigung aufweisen, schmerzhafte Selbsterkenntnis möglichst von ihrem Bewusstsein fernzuhalten, sind sehr anfällig, ihre eigenen unliebsamen Gefühle auf andere Menschen zu projizieren. Sie unterstellen anderen, vor allem jenen, die sie in irgendeiner Form als überlegen wahrnehmen, ständig Motive, Gefühle und Absichten, die eigentlich ihren eigenen psychischen Regungen entspringen. So werden auch Schuldgefühle gern auf diese Weise abgewehrt. Man selbst will sich nicht eingestehen, dass man Mist gebaut hat, und projiziert die Schuld deswegen auf einen Sündenbock. Das funktioniert zwischen zwei Nachbarn genauso gut wie auf der großen politischen Bühne.

Kein Mensch ist vor Wahrnehmungsverzerrungen und Projektionen gefeit. Das passiert uns allen, ständig. Aber es gibt Menschen, die eine sehr starke, geradezu aggressive Abwehr von Selbsterkenntnis aufweisen. Mit diesen Menschen ist es auch sehr schwierig, oft unmöglich, ein konstruktives Problemgespräch zu führen. Durch ihre hartnäckige Weigerung zur Selbstreflexion steht man auf verlorenem Posten. Ihr Selbstwertgefühl ist zu fragil für ein Eingeständnis eigener Schuld. Ich bin immer wieder erschüttert, wie verzerrt und ungerecht scheinbar ganz normale Menschen denken und handeln können, wenn sie nicht bereit sind, ihre eigenen Anteile an einer Situation zu reflektieren. Ganz übel und gefährlich wird es natürlich immer dann, wenn ganze Bevölkerungsgruppen Opfer derartiger Projektionen werden, weil sich hierdurch das Unrecht und die Gewalt viel schneller legitimieren. Wenn hingegen Person A Person B krass verzerrt wahrnimmt, dann verbleibt B oft noch die Möglichkeit, einen großen Bogen um A zu schlagen. Zumindest dann, wenn B nicht in einem abhängigen Verhältnis zu A steht.

Während Verdrängung und Projektion Schutzmechanismen sind, die jeder Mensch aufweist und die die grundlegende, psychische Funktion der Wahrnehmung betreffen, sind die folgenden Schutzstrategien etwas spezifischer und individueller. Sie betreffen vor allem die Handlungsebene und sind somit auch viel leichter zu erkennen und entsprechend auch leichter zu verändern.

Selbstschutz: Perfektionsstreben, Schönheitswahn und die Sucht nach Anerkennung

Typische Glaubenssätze: *Ich genüge nicht! Ich darf keine Fehler machen! Ich bin schlecht! Ich bin hässlich! Ich tauge nix! Ich bin ein Versager!*

Die meisten Menschen, die in ihrem Selbstwert verunsichert sind, vollziehen ihr Leben aus der Defensive. Sie wollen keinerlei Angriffsfläche bieten. Perfekt heißt: fehlerfrei. Perfektionisten laufen Gefahr, sich total zu verausgaben – von innen sieht das Hamsterrad wie eine Karriereleiter aus. Das Problem bei dieser Strategie ist, dass es sozusagen kein »genug« gibt. Es gibt immer ein Höher, Weiter, Besser. Die Betroffenen rennen ständig hinter ihren eigenen Ansprüchen her. Kaum ist eine Trophäe gewonnen, muss die nächste ergattert werden. Die erzielten Erfolge verschaffen nur kurzfristig Erleichterung. Sie erfreuen nämlich in erster Linie den inneren Erwachsenen, während das Schattenkind davon unbeeindruckt bleibt. Der äußere Erfolg heilt nicht die tiefen Verletzungen des Schattenkindes. Dieses bleibt in seiner Realität von früher verhaftet und ist hartnäckig überzeugt, dass es eigentlich nicht genügt. Das ist der Grund, warum viele Menschen, obwohl sie objektiv sehr erfolgreich sind, trotzdem tiefe Selbstzweifel aufweisen und nie wirklich zufrieden mit sich sind. Oft meinen sie, ihre Erfolge wären eher auf Glück zurückzuführen, und sie hätten sie eigentlich gar nicht verdient.

Eine Variante des Perfektionsstrebens ist der *Schönheitswahn*. Wenn man an seiner äußeren Erscheinung feilt, so kann man das ganz gezielt tun. Kalorien und Pfunde sind zählbar, Haare kann man färben und Cremes kaufen. Die tief liegenden Selbstzweifel des Schattenkindes sind hingegen schlecht greifbar und somit viel schwieriger zu bekämpfen. Deswegen projizieren viele Verunsicherte ihre Ich-Angst auf ihre äußere Erscheinung, weil man an dieser mit konkreten Maßnahmen arbeiten kann. Die Erfolge, die man mit äußerer Schönheit erzielt, schaffen jedoch ebenfalls nur Erleichterung, aber keine langfristige Heilung. Im Gegenteil: Je älter ein Mensch wird, desto schwerer wird er es mit dieser Strategie haben.

Gemeinsam ist beiden Strategien, dass die Betroffenen unheimlich bemüht sind, die *Anerkennung* ihrer Mitmenschen zu erhalten. Viele Menschen tun unglaublich viel aus der Motivation heraus, anerkannt zu werden. Nicht wenige richten auch ihre Hobbys, ihre Anschaffungen, ihre Partner etc. nach diesem Motiv aus. Das Hobby, der Besitz und der Partner stehen im Dienste der Selbstwerterhöhung. Dabei ist kaum ein Mensch wirklich frei von solchen Ambitionen. Dies liegt in dem Umstand begründet, dass wir Herdentiere und somit auf Bindung angewiesen sind. Die Anerkennung ist sozusagen die Währung für die Bindung und den Anschluss an die Gemeinschaft. Mit unserem Bindungsbedürfnis geht einher, dass wir große Angst vor Ablehnung aufweisen. Das Problem – wie so oft – liegt also nicht in der Tatsache begründet, dass wir uns alle über Anerkennung freuen und uns ein bisschen schämen, wenn wir abgelehnt werden, sondern in dem *Ausmaß*, das wir an Anerkennung benötigen. Menschen, die geradezu süchtig nach Anerkennung sind, richten ihr Tun extrem danach aus und verlieren den Kontakt zu ihren wahren Wünschen und zum Teil auch zu ihren moralischen Werten.

Würdigung dieser Strategie: Wer nach Perfektion strebt, ist eine Kämpfernatur. Du hast viel Kraft, Fleiß und Disziplin. Das sind alles starke Eigenschaften. Deswegen hast du es mithilfe dieser Strategie auch schon weit gebracht. Du darfst ruhig stolz auf dich sein.

Erste Hilfe: Du hast dich entschlossen, dein Schattenkind zu schützen, indem du niemandem einen Grund bietest, dich zu kritisieren. Deine Strategie verhilft dir zwar zu viel Erfolg, aber du läufst Gefahr, dich zu sehr zu erschöpfen. Außerdem wirst du dein Schattenkind nicht wirklich mit dieser Strategie erreichen. Deswegen frage dich, ob du, um dein Schattenkind zu trösten, nicht wesentlich kürzere und weniger stressige Wege einschlagen könntest. Mache dir hierfür – mithilfe deines inneren Erwachsenen – ganz bewusst, dass sich die ganze Sache mit dem Erfolg und der Anerkennung im Wesentlichen in deinem Kopf abspielt. Tatsächlich wärst du vielleicht sogar sympathischer, wenn du mal ein bisschen lockerlassen würdest. Und mache dir auch bewusst, dass dein Schattenkind immer wieder eine »neue und höhere Dosis« benötigt. Du wirst mit dieser Strategie auf Dauer keinen Frieden finden. Wie du dein Schattenkind mit weniger stressigen Maßnahmen beruhigen kannst, werde ich dir in diesem Buch noch ausführlich erklären.

Selbstschutz: Harmoniestreben und Überanpassung

Typische Glaubenssätze: *Ich muss mich dir anpassen! Ich genüge nicht! Ich bin dir unterlegen! Ich muss immer lieb und artig sein! Ich darf mich nicht wehren!*

Harmoniestreben ist genau wie Perfektionsstreben eine sehr häufig angewendete Schutzstrategie. Oft kommen sie gemeinsam zum Einsatz. Beide Strategien beschützen die überwertige Angst des Schattenkindes, von anderen Menschen abgelehnt zu werden.

Menschen, die nach Harmonie streben, möchten möglichst alle Erwartungen ihrer Mitmenschen erfüllen. Sie haben als Kind die Erfahrung gemacht, dass dies der erfolgreichste Weg ist, um Zuwendung und Anerkennung zu erhalten. Um sich bestmöglich anzupassen, haben die »Harmoniestreber« schon früh gelernt, eigene Wünsche und Gefühle zu unterdrücken. Ein starker eigener Wille steht nämlich einer gelungenen Anpassung im Weg. Emotionen wie Wut und Aggression, die dem eigenen Willen ungeheure Schubkraft verleihen könnten, unterdrücken sie reflexartig. Sie sind aggressionsgehemmt. Auf persönliche Grenzverletzungen und Kränkungen reagieren sie eher mit Trauer als mit Wut. Deswegen sind Menschen mit dieser Schutzstrategie stärker gefährdet, in Depressionen abzugleiten als Menschen, die einen guten Zugang zu ihren Wutgefühlen haben. Allerdings sind die Wutgefühle von aggressionsgehemmten Menschen nicht nicht vorhanden, sondern sie transformieren sich in eine Art kalter Wut, die häufig im passiven Widerstand mündet. Anstatt also laut zu sagen, was sie wollen, ziehen sie sich beispielsweise beleidigt aus dem Kontakt zurück und mauern. Auf die Spielarten der passiven und aktiven Aggression werde ich noch im Abschnitt »Schutzstrategie: Macht- und Kontrollstreben« näher eingehen.

Ob ein Mensch sich eher auf die Seite der Anpassung oder des Widerstands schlägt, hängt nicht nur von seinen Kindheitserfahrungen, sondern auch von seinem angeborenen Naturell ab: So bringen Menschen mit einem hohen Harmoniebedürfnis zumeist ein friedfertiges und sensibles Gemüt mit auf die Welt, während Kinder, die sich gegen die elterlichen Erwartungen auflehnen, sich also auf die Seite der Rebellion schlagen, eher impulsiv veranlagt sind.

Weil die Harmoniebestrebten so gut trainiert sind, ihre eigenen Wünsche zu unterdrücken, wissen sie häufig selbst nicht, was sie wollen. Es fällt ihnen schwer, persönliche Ziele zu definieren und Entscheidungen zu treffen.

Im zwischenmenschlichen Umgang sind die Harmoniebeflissenen sehr freundlich und angenehm, allerdings kann ihre Schutzstrategie Beziehungen manchmal auch belasten oder sie gar zum Scheitern bringen. Harmoniesüchtige haben große Angst anzuecken, und sind deswegen konfliktscheu. Deswegen sagen sie oft nicht ehrlich, was sie fühlen, denken und wollen – zumindest dann nicht, wenn sie befürchten, hiermit auf Widerstand zu stoßen. Ihr Schattenkind nimmt sein Gegenüber schnell als groß und überlegen wahr. Aufgrund dieser Wahrnehmungsverzerrung geraten sie leicht in die Opferrolle: Aus Angst vor dem scheinbar Stärkeren ordnen sie sich diesem freiwillig unter und tun Dinge, die sie eigentlich nicht tun wollen. Der scheinbar Stärkere kann jedoch hierdurch in ihren Augen zum Täter mutieren. Denn zumeist reflektiert der innere Erwachsene nicht, dass es die Projektionen des Schattenkindes sind, die sie zu einer freiwilligen Unterwerfung verleiten. Stattdessen verübeln sie dem Gegenüber seine scheinbare Dominanz. Je stärker in ihnen das Gefühl Platz nimmt, zu kurz zu kommen und von der anderen Person dominiert zu werden, desto mehr werden sie geneigt sein, sich von diesem Menschen zurückzuziehen, um ihren persönlichen Freiraum zu beschützen. In der Regel erhält der scheinbar Stärkere keine Chance, in diesen Prozess einzugreifen, weil der Konfliktscheue sich hierfür selbst offenbaren müsste, was er jedoch aus seiner Grundangst, abgelehnt zu werden, vermeidet. Und somit tritt ein psychologischer Effekt ein, der häufig zu beobachten ist: Die Angstabwehr des scheinbar Schwächeren führt dazu, dass dem scheinbar Stärkeren genau das passiert, wovor der scheinbar Schwächere sich beschützen will. In diesem Fall: abgelehnt zu werden. Dies bezeichnet man als die sogenannte *Opfer-Täter-Perversion.*

Würdigung dieser Strategie: Du gibst dir unheimlich viel Mühe, mit deinen Mitmenschen auszukommen und sie nicht zu verletzen. Das macht dich sympathisch und liebenswert und zu einem tollen Teamarbeiter, weil du dich und deine Bedürfnisse oft in den Hintergrund stellst.

Erste Hilfe: Dein Schattenkind will sich möglichst versteckt halten. Dadurch weiß man nicht so richtig, woran man mit dir ist. Mache deinem Schattenkind bewusst, dass es sich ruhig mehr zeigen darf. Es darf zu seinen Wünschen und Bedürfnissen stehen. Hierdurch verlierst du nicht unbedingt an Sympathie, sondern du kannst an Sympathie sogar gewinnen, weil du für deine Mitmenschen leichter greifbar und transparenter wirst. Sie müssen sich nicht ständig den Kopf zerbrechen, was in dir vorgeht. Mache dir bewusst, dass es für deine Mitmenschen leichter ist, wenn du sagst, was du willst, als wenn du dich zurückziehst und schmollst. Hierdurch kannst du es vermeiden, dass du – ohne, dass dies in deiner Absicht läge – vom Opfer zum Täter wirst.

Selbstschutz: Helfersyndrom

Typische Glaubenssätze: *Ich bin wertlos! Ich genüge nicht! Ich muss dir helfen, um geliebt zu werden! Ich bin unterlegen! Ich bin von dir abhängig!*

Menschen, die unter einem sogenannten Helfersyndrom leiden, beschützen ihr Schattenkind, indem sie anderen Menschen, die sie als bedürftig wahrnehmen, ihre Hilfe anbieten. Durch ihre guten Taten fühlen sich die Betroffenen aufgewertet und nützlich. Insofern gehört das Helfersyndrom zu den sozial verträglichsten Selbstschutzstrategien. Das Problem ist eher, dass die Helfenden geneigt sind, sich an Menschen zu binden, denen sie nicht helfen können. Sie können sich in aussichtslose Hilfsprojekte verstricken, insbesondere dann, wenn der oder die Bedürftige der eigene Partner ist. Sie binden sich bevorzugt an Partner, die offensichtliche Defizite aufweisen. Der oder die Helfende wähnt sich dann wie der Ritter oder die Ritterin auf dem weißen Pferd, die den Partner aus seiner Misere befreit und hierdurch für ihn unschätzbar wichtig wird. Hierfür sind Partner mit psychischen Problemen geeignet, Suchtkranke, Pflegefälle oder auch Partner, die finanziell kurz vor dem Abgrund stehen.

Menschen, die mit beiden Beinen im Leben stehen, lösen hingegen beim Helfenden eher Unterlegenheitsgefühle aus, denn diese benötigen ihre Hilfe nicht. Die Gleichung, die Helfende in Beziehungen aufstellen, lautet sinngemäß: »Du brauchst mich, also bleibst du bei mir!« Das Problem ist nur, dass diese Gleichung selten aufgeht. Die Helfenden kämpfen oft bis zur Verausgabung auf verlorenem Posten. Sie wollen nicht wahrhaben, dass ihr Einfluss auf ihr Zielobjekt letztlich gering ist. Wenn dieses nämlich für seine Misere keine eigene Verantwortung übernimmt und hieran selbst nichts ändern will, dann helfen auch die besten Ratschläge nichts. Somit verkehrt sich die Situation der Abhängigkeit: Der Helfende, der eigentlich seinen Partner gern von sich abhängig machen möchte, erlebt sich selbst als abhängig, weil er ihm weder helfen noch sich von ihm lösen kann.

Der Weg aus der Zwickmühle fällt deshalb so schwer, weil das Schattenkind des Helfenden meint, es sei seine Schuld, dass der Partner so ist, wie er ist. Schließlich betreffen die Probleme des Partners nicht nur diesen selbst, sondern sie belasten auch die Partnerschaft und somit den Helfenden. Die Helfer werden von ihrem Partner nämlich zumeist nicht gut behandelt. Ihre eigenen Bedürfnisse nach Aufmerksamkeit und Zuwendung kommen chronisch zu kurz. Hierdurch wird das Schattenkind des Helfenden in seiner Grundangst bestätigt, dass es wertlos und schlecht ist. Um sich das Gegenteil zu beweisen, kämpft es weiter um seinen Partner in der unerschütterlichen Hoffnung, dass dieser sie verändert und es irgendwann besser behandelt. Durch diesen Kampf hängt es jedoch an der Angel des Partners.

Würdigung dieser Strategie: Du gibst dir unheimlich viel Mühe, zu helfen und ein guter Mensch zu sein. Das hat deinen ganzen Respekt verdient. Manchen Menschen hast du auch schon richtig geholfen, und sie danken es dir.

Erste Hilfe: Das Problem mit deiner Strategie ist, dass du geneigt bist, dich in aussichtslosen Projekten zu verausgaben. Deswegen mache deinem Schattenkind immer wieder bewusst, dass es genügt und wertvoll ist, auch wenn es nicht jedem gleich zu Hilfe eilt. Mache ihm bewusst, dass du manchen Menschen nicht helfen kannst. Und erkläre ihm, dass nicht nur ihr, also dein Schattenkind und dein innerer Erwachsener, für euer Glück selbst verantwortlich seid, sondern die anderen Menschen auch. Natürlich darfst du ruhig weiter anderen Menschen helfen, das ist eine wunderbare Eigenschaft. Aber schaue genauer hin, wo deine Hilfe angemessen ist und wo nicht. Mache deinem Schattenkind bewusst, dass es den Menschen, dem es helfen will, als Stütze benutzt, um sich selbst zu helfen. Wie du einen gesünderen inneren Halt findest, als dich in einem Helfersyndrom zu verausgaben, werde ich dir in diesem Buch noch zeigen.

Selbstschutz: Machtstreben

Typische Glaubenssätze: *Ich bin dir ausgeliefert! Ich bin ohnmächtig! Ich kann mich nicht wehren! Ich genüge nicht! Ich darf keine Fehler machen! Ich darf niemandem vertrauen! Ich muss alles im Griff haben! Ich komme zu kurz!*

Das Schattenkind von Menschen mit dieser Schutzstrategie weist eine überwertige Angst auf, in eine unterlegene und schwache Position zu geraten, angegriffen und vernichtet zu werden. Als Kind fühlten sich die Betroffenen der Übermacht ihrer Eltern häufig ausgeliefert. Wie bei den Harmoniebeflissenen projiziert das Schattenkind von Machtbestrebten in seine Mitmenschen eine potenzielle Überlegenheit und Dominanz. Nur begegnet es dieser nicht durch Anpassung, sondern durch Auflehnung. Menschen mit diesem Muster wollen im zwischenmenschlichen Kontakt die Oberhand behalten. Hierbei können sie (unbewusst) grundsätzlich zwischen zwei Strategien wählen: dem aktiven und dem passiven Widerstand. Die meisten wenden beide an. *Aktiver* und *passiver Widerstand* sind allerdings Verhaltensweisen, die sich nicht allein auf Machtmenschen beschränken, sondern die wir alle – auch notwendigerweise – anwenden, um unsere persönlichen Grenzen zu verteidigen. Bei Menschen mit einem hohen Macht- und Kontrollmotiv spielen sie jedoch eine besondere Rolle, weswegen ich sie an dieser Stelle hervorhebe.

Um Widerstand zu leisten, benötige ich ein gewisses Maß an Aggression, deswegen spricht man auch von aktiver beziehungsweiser passiver Aggression. Aktive Aggressionen sind als solche erkennbar. Der Betreffende beharrt auf seinem Recht, streitet, greift an.

Die passive Aggression beziehungsweise der passive Widerstand ist auf den ersten Blick nicht so leicht durchschaubar. Ein Mensch, der sich passiv-aggressiv verhält, teilt seinem Gegenüber nicht offen seinen Willen mit, sondern verweigert sich durch größere und kleinere Sabotageakte. Diese laufen im Kern alle darauf hinaus, dass die

Person einfach genau das *nicht* tut, was von ihr erwartet wird. So werden Zusagen zwar gemacht, dann aber »vergessen« oder einfach nicht eingehalten. Oder sie werden quälend langsam umgesetzt.

Eine typische Form des passiven Widerstands ist auch das sogenannte Mauern: Man lässt den anderen einfach auflaufen, da hilft kein Betteln und kein Flehen. Dahinter verbirgt sich das Schattenkind, das meint, in der Beziehung zu Person B viel zu viele Kompromisse eingehen zu müssen. Einer meiner Klienten war beispielsweise »gegen seinen Willen« zu seiner Lebensgefährtin nach Trier gezogen, obwohl er lieber in seinem Heimatort geblieben wäre. Dies hat er ihr unterschwellig so verübelt, dass er fortan jegliche Lust an sexuellen Aktivitäten verlor. Sexuelle Lustlosigkeit ist eine häufige Ausdrucksform der passiven Aggression – bei Männern wie bei Frauen. An diesem kleinen Beispiel zeigt sich übrigens, wie wichtig es ist, die Verantwortung für seine Entscheidungen zu übernehmen. Der Klient hat sich – unbewusst – zum Opfer seiner scheinbar dominanten Partnerin gemacht und hierbei nicht reflektiert, dass sich sein Schattenkind freiwillig deren Wünschen untergeordnet hat.

Die Charaktereigenschaft der Sturheit ist eng verbunden mit passivem Widerstand. Menschen, die stur und kompromisslos ihr eigenes Ding machen, lösen in ihrem Gegenüber starke Aggressionen aus, weil dieses sich so hilflos fühlt, irgendeinen Einfluss auf den Verweigerer zu nehmen. Natürlich lösen auch Menschen, die sich aktiv aggressiv verhalten, bei ihren Zielobjekten Wut aus, sofern nicht die Angst überwiegt. Aber der aktive Angreifer gibt sich wenigstens als solcher zu erkennen und übernimmt insofern die Verantwortung für sein Verhalten. Der Passiv-Aggressive agiert hingegen unter der Tarnkappe der äußerlichen Ruhe. Dieses Verhalten kann seinen Interaktionspartner so in Rage bringen, dass letztlich dieser als der »Schuldige« dasteht, weil er in seiner hilflosen Wut um sich schlägt. In der psychologischen Fachsprache wird Letzterer als der »identifizierte Patient« bezeichnet. Das heißt, derjenige, der die Symptome zeigt, hier also Wut und Aggression, steht in den Augen der Beteiligten als der »Psycho« da, und nicht der Passiv-Aggressive, der durch seine unterschwellige Manipulation ein gedeihliches Miteinander boykottiert.

Menschen, die ein hohes Machtmotiv aufweisen, sind im zwischenmenschlichen Umgang anstrengend, weil sie ständig Recht behalten wollen, es meistens nach ihrem Willen gehen muss oder weil sie sich passiv-aggressiv einer sinnvollen Kooperation verweigern. Wie so oft, kommt es auch hier zu der sogenannten Täter-Opfer-Perversion: Das innere Kind des Machtmenschen, das sich als Opfer (seiner Eltern) und als unterlegen wahrnimmt, projiziert in sein Gegenüber eine scheinbare Dominanz und Überlegenheit, gegen die es sich verwehren muss. Durch seine Machtstrategien fügt es dem Gegenüber dann eben jene Ohnmachtsgefühle zu, die es bei sich unbedingt vermeiden möchte.

Übrigens können auch Menschen, die im Umgang eigentlich ganz lieb und harmoniebedürftig sind, zumindest »anfallsweise« von einem hohen Machtmotiv besessen sein. Das Schattenkind in ihnen genießt es manchmal, Macht auszuüben, indem es zum Beispiel den Beziehungspartner grundlos verletzt. So berichtete mir eine ganz sympathische und umgängliche Klientin, dass sie öfter mal den Drang habe, wenn ihr Lebensgefährte ganz besonders gut gelaunt und lieb sei, diesen mit ätzenden Bemerkungen herunterzuziehen. Sie selbst fand dieses Verhalten ganz schlimm und konnte sich zunächst nicht erklären, aus welchem Motiv sie dies tut. Als wir die einzelnen Situationen analysierten, stellte sich heraus, dass ihr verletztes Schattenkind seine Macht über ihren Partner genoss. Sie rächte sich hierdurch unbewusst an ihrem übermächtigen Vater.

Eine Ausprägung von Machtstreben ist auch ein stark *forderndes Verhalten*. Menschen, die sehr fordernd auftreten, haben oft einen unbewussten Glaubenssatz, der sinngemäß lautet: »Ich bin zu kurz gekommen!« Aufgrund dieser Prägung wähnen sie sich schnell übervorteilt. Zum Selbstschutz hat das Schattenkind in ihnen beschlossen, sich bloß nicht die »Butter vom Brot nehmen« zu lassen.

Es fordert also recht herrisch die Befriedigung seiner Bedürfnisse ein. Dabei fordern die Betroffenen weitaus mehr als sie geben. Das sehen sie selbst jedoch anders – durch ihren Glaubenssatz wähnen sie sich eher auf der Opferseite. Im Umgang mit ihnen hat man folglich das Gefühl »Madame« beziehungsweise »Monsieur« ständig durch dienstwillige Gefälligkeiten bei Laune halten zu müssen.

In etwas gemäßigter Form geben sie sich einfach recht knauserig. Sie achten sorgfältig auf ihre Rechte, beachten zwar auch jene der anderen, sind aber irgendwie niemals großzügig – weder in finanziellen Dingen noch mit Lob oder Gefälligkeiten. Alles wird auf- und gegengerechnet. Ihr Schattenkind schützt sich durch »raffen«.

Würdigung dieser Strategie: Du bist ein starker Typ. Du wehrst dich und bietest deinen Gegnern die Stirn. Du bist das Gegenteil von Resignation. Du hast einen unheimlich starken Überlebens- und Selbstbehauptungswillen. Dieser hat dich auch schon oft beschützt und weitergebracht.

Erste Hilfe: Mache deinem Schattenkind bewusst, dass die Zeiten mit Mama und Papa vorbei sind. Heute seid ihr – der innere Erwachsene und das Schattenkind – groß. Selbstverständlich habt ihr die gleichen Rechte wie andere Menschen, und selbstverständlich dürft ihr euch auch wehren. Das Problem ist nur, dass ihr oft mit Kanonen auf Spatzen schießt. Die Welt da draußen ist nicht so böse, wie du denkst. Entspanne dich, und vertraue mehr dir und anderen. Viele Konflikte, die du mit Machtstreben lösen möchtest oder sogar durch dieses provozierst, sind unnötig. Wohlwollen und Empathie würden dich auf eine entspanntere Art viel weiterbringen. Wie dies geht, werde ich dir noch zeigen.

Selbstschutz: Kontrollstreben

Typische Glaubenssätze: *Ich muss alles im Griff haben! Ich verliere mich! Ich bin dir ausgeliefert! Ich kann dir nicht vertrauen! Ich genüge nicht! Ich bin nichts wert!*

Eine Variante des Machtstrebens ist ein überhöhtes *Kontrollstreben*. Kontrolle dient genau wie Macht unserem Sicherheitsbedürfnis, und insofern müssen wir ein gewisses Maß an Kontrolle über uns selbst und über unsere Umgebung ausüben, um einigermaßen heil durchs Leben zu kommen. Menschen, die ein hohes Kontrollmotiv aufweisen, benötigen jedoch mehr Gewissheit und Sicherheit als der Durchschnitt. Dahinter verbirgt sich die Angst des Schattenkindes vor dem Chaos, vor dem Untergang der eigenen Person – die Angst, angreifbar und verletzlich zu sein. Durch penible Ordnung, Perfektionismus und dem strikten Einhalten bestimmter Regeln soll diese Angst bewältigt werden. Ähnlich wie beim Perfektionsstreben, das eine Variante des Kontrollstrebens ist, neigen die Betroffenen dazu, sich sinnlos zu verausgaben, zumal sie auch – aus Angst vor Kontrollverlust – Probleme haben, Aufgaben zu delegieren.

Allerdings neigen Menschen, die ein hohes Kontrollmotiv aufweisen, nicht nur dazu, sich selbst zu optimieren, sondern auch dazu, ihre Partner und Familienangehörigen streng im Auge zu behalten. Der Kontrollfreak möchte über deren Aktionen gut informiert sein – sowenig er sich selbst vertraut, so schwer fällt es ihm, anderen zu vertrauen. In seiner höchsten Blüte kann sich dieser Argwohn bis hin zum Eifersuchtswahn steigern. So ist schon manche Beziehung an dem überhöhten Kontrollbedürfnis eines Partners gescheitert. Ebenso belastet ein Zuviel an Kontrolle auch das gesunde Gedeihen der Nachkommen.

Viele Kontrollstreber praktizieren auch eine geradezu zwanghafte Selbstdisziplin, um so die Kontrolle über die Gesundheit und/oder die Figur zu bewahren. Das Schattenkind projiziert in diesem

Fall seine innere Angreifbarkeit auf den Körper. Im Extremfall in Form von hypochondrischen Gesundheitssorgen. Ähnlich wie beim Schönheitswahn bietet der Körper hier eine Projektionsfläche, die wesentlich konkreter – und somit auch besser kontrollierbar – ist als die diffusen Ängste vor Vernichtung, die darunterliegen.

Eine weitere Form, um Kontrolle auszuüben, ist der sogenannte *Grübelzwang*. Viele Menschen klagen darüber, dass sie ihre Gedanken einfach nicht abstellen können. Geradezu zwanghaft verfolgen ihre Gedanken immer wieder dieselben Bahnen. Der Grübelzwang kann als ein hilfloser Lösungsversuch angesehen werden: Das Gehirn gibt einfach keine Ruhe, bis die Baustelle beseitigt ist. Die Endlosschleifen, in denen das Problem durchdacht wird, blockieren jedoch meistens eher dessen Lösung, als dass sie weiterhelfen würden.

Würdigung dieser Strategie: Du bist unheimlich selbstbeherrscht und diszipliniert. Disziplin ist eine ganz wertvolle Ressource, um im Leben klarzukommen. Du hast einen sehr starken Willen, auf den du stolz sein kannst.

Erste Hilfe: Dein Problem ist, dass du öfter zu viel des Guten unternimmst, um dein Schattenkind vor seiner Grundangst, angegriffen und verletzt zu werden, zu beschützen. Du fühlst dich durch dein Kontrollstreben oft selbst gestresst, und du stresst auch deine Umgebung. Für dich ist es besonders wichtig, dass dein Schattenkind mehr Selbstvertrauen erwirbt. Aber auch ein bisschen mehr »Gottvertrauen«, dass die Dinge schon in Ordnung kommen. Versuche, mehr Lebensfreude und Gelassenheit zu entwickeln, indem du mithilfe deines inneren Erwachsenen deinem Schattenkind immer wieder erklärst, dass es genügt, so wie es ist, und es sich nicht immer so anstrengen muss. Gönne dir öfter Pausen, und belohne dich, wenn du etwas gut erledigt hast.

Wenn du unter einem Grübelzwang leidest, dann nimm dir am Tag eine halbe Stunde Zeit, und setze dich schriftlich mit deinem Problem auseinander. Danach versuche, mit aller Kraft deine Gedanken und deine Aufmerksamkeit auf andere Beschäftigungen und Dinge zu richten. Dein innerer Erwachsener hat die Gewissheit, dass im Zweifelsfall alles auf dem Zettel steht und keine Information verloren geht.

Selbstschutz: Angriff und Attacke

Typische Glaubenssätze: *Ich bin unterlegen. Ich kann dir nicht vertrauen. Ich darf mich nicht abgrenzen. Die Welt ist böse! Ich komme zu kurz! Ich bin nicht wichtig.*

Wie ich bereits erwähnt habe, haben die Emotionen Wut und Aggression den lebensgeschichtlichen Sinn, dass wir unsere persönlichen Grenzen verteidigen können. Das Problem in unserer Zeit ist nur, dass die Feinde nicht so objektiv zu identifizieren sind wie in der Steinzeit. Aufgrund unserer Projektion und Wahrnehmungsverzerrung verorten wir manchmal Feinde, wo keine sind. Menschen, deren Schattenkind sich anderen Menschen unterlegen wähnt, fühlen sich subjektiv schnell angegriffen. So können sie beispielsweise Bemerkungen, die objektiv harmlos sind, schnell in den falschen Hals bekommen und reagieren gekränkt. Kränkung ist ein Gefühl, das ungeheure (aktive) Aggression freisetzen kann. Vor allem bei jenen, die nicht – wie die Harmoniestreber – reflexartig ihre Wut unterdrücken.

Menschen, die sich unbewusst auf die Seite der Rebellion geschlagen haben, reagieren auf tatsächliche oder vermeintliche Angriffe, indem sie zurückschlagen. Ich möchte in diesem Ratgeber nicht auf Extremfälle eingehen, wie zum Beispiel den eifersüchtigen Ehemann, der aus seinem gekränkten Ego so viel Hass generiert, dass er seine Frau absticht, sondern mich auf jene Beispiele beziehen, die uns alltäglich begegnen. So zum Beispiel auf die allseits bekannten »Zicken«. Zicke ist ein Begriff, der leider nur auf Frauen gemünzt ist, aber es gibt auch genügend männliche Zicken, sodass ich mir die Freiheit nehme, ihn für beide Geschlechter anzuwenden. Jeder kennt die Situation, dass sein Gegenüber völlig unvorhersehbar zuschnappt und man sich entgeistert fragt, was man denn gerade so Schlimmes gesagt oder getan hat. Bei den Zicken findet eine blitzschnelle Verkettung von Reiz-Reaktion-Handlung statt, wie ich es schon am Beispiel von Michael erklärt habe. Auf einen vermeintlichen Angriff erfolgt das Gefühl der Kränkung, das Wut freisetzt und den Agitator impulsiv zuschlagen lässt – entweder verbal oder körperlich. Wobei körperliche Angriffe und massive Verbalattacken natürlich nicht mehr nur als »zickig« zu bezeichnen sind.

Menschen, die zu Impulsivität neigen, leiden häufig selbst darunter. Spätestens wenn der Wutrausch verflogen ist und sie wieder in ihrem Erwachsenen-Ich angekommen sind, wissen sie, dass sie über das Ziel hinausgeschossen sind. Das Problem ist, dass impulsive Wut sehr schwer zu zügeln ist. Wenn man seine Impulsivität beherrschen möchte, müssen die Interventionen darauf abzielen, dass die Wut gar nicht erst aufkommt. Die Prävention muss also bei der Kränkung ansetzen und ist somit eines der Kernanliegen dieses Buches. Auf das Thema Kränkung werde ich noch ausführlich eingehen.

Würdigung dieser Strategie: Du lässt dir nichts gefallen. Du bist sehr stark und weißt dich zu wehren. Du bist eine Kämpfernatur. Deine Impulsivität macht dich auch sehr lebendig – es wird einem nicht so schnell langweilig mit dir.

Erste Hilfe: Dein Schattenkind ist leicht gekränkt. Es hat deswegen zu schnell das Gefühl, dass es respektlos behandelt und angegriffen wird. Versuche möglichst, in deinem Erwachsenen-Ich und somit auf Augenhöhe mit deinen Mitmenschen zu bleiben, damit du vernünftig und angemessen reagieren kannst. Hierbei kann es dir sehr helfen, dich auf Situationen vorzubereiten, die dich in Wut versetzen können. Analysiere ganz genau, mit welchem Anteil dein Schattenkind mit seinen Wahrnehmungsverzerrungen hieran beteilig ist, und trenne es von deinem inneren Erwachsenen. Dieser muss unbedingt die Oberhand behalten. Hierbei kann es dir sehr helfen, wenn du dir Antwortstrategien zurechtlegst. Wie das geht, erkläre ich dir unter dem Abschnitt »Kleine Lektion in Sachen Schlagfertigkeit« auf Seite 248.

Selbstschutz: Ich bleibe Kind

Typische Glaubenssätze: *Ich bin schwach! Ich bin klein! Ich bin abhängig! Ich muss mich anpassen! Ich darf dich nicht enttäuschen! Ich schaffe es nicht allein! Ich genüge nicht! Ich darf dich nicht verlassen!*

Manche Menschen wollen nicht erwachsen werden, sondern Kind bleiben. Sie lehnen sich an andere Menschen an, in der Hoffnung, dass diese sie durch das Leben führen mögen. Dies können entweder die Lebenspartner oder auch die eigenen Eltern sein. Es gibt gar nicht mal so wenig Menschen, die sich nicht von ihren Eltern gelöst haben. Sie trauen sich nicht, ihren eigenen Weg zu gehen, sondern fühlen sich bei wichtigen Entscheidungen von der Zustimmung ihrer Eltern und/oder anderer Menschen abhängig. Das Schattenkind in ihnen hat nicht den Mut, sein Leben eigenständig zu gestalten. Es fühlt sich abhängig und klein. Zudem empfindet es große Schuldgefühle bei der Vorstellung, sich von den Eltern oder dem Partner zu lösen.

Um sich von seinen Eltern und ihrem Urteil abhängig zu fühlen, muss man nicht unbedingt ein gutes Verhältnis zu ihnen haben. Manche Menschen haben sogar gar keinen Kontakt mehr zu ihren Eltern und verhalten sich trotzdem nach deren – verinnerlichten – Vorgaben. Ich erinnere mich an einen Klienten, ich will ihn mal Harald nennen, der seine Eltern zutiefst ablehnte, weil sie ihm eine höchst unerfreuliche Kindheit bereitet hatten. Er wohnte hunderte von Kilometern von ihnen entfernt und sah sie äußerst selten.

Trotzdem war sein Schattenkind zu fast 100 Prozent mit den Werten und Einstellungen identifiziert, die seine Eltern, vor allem der autoritäre Vater, ihm vermittelt hatten. Für seinen Vater zählte nur Leistung. Freizeit und Spaß waren in den väterlichen Augen wertlos. Haralds Mutter hatte Angst vor ihrem Ehemann, und somit konnte sie ihren Sohn nicht vor dessen extremen Anforderungen und brachialen Strafen beschützen. Und obwohl der Klient seinen Vater schon als Kind hasste, übernahm er dessen Leistungswahn vollständig und konnte sich in den ersten Psychotherapiesitzungen noch nicht einmal mit seinem Erwachsenen-Ich hiervon distanzieren. Entsprechend der elterlichen Prägung machte er eine steile Karriere und arbeitete ständig. Er gönnte sich kaum Lebensfreuden und hatte auch keine rechte Vision, wie man das Leben mehr genießen könnte. Allerdings trug er eine große Sehnsucht nach Entspannung und Lebensfreude in sich. Dabei war seine Angst groß, er könne in das andere Extrem verfallen, wenn er seinen Wünschen etwas mehr nachgeben würde. Eine seiner wichtigsten Schutzstrategien war entsprechend Kontrolle und Selbstdisziplin. Harald ist ein sehr eindrückliches Beispiel dafür, wie ein erwachsener Mensch ein (Schatten-)Kind bleibt, selbst wenn er scheinbar erwachsene und eigenmächtige Entscheidungen trifft und einen großen Abstand zu seinen Eltern einhält.

Für nicht wenige Menschen stellt es ein Problem dar, Verantwortung für sich und ihre Lebensentscheidungen zu übernehmen. Sie schieben die Verantwortung auf das Schicksal, ihre Partner oder die Eltern, indem sie sich deren Vorgaben und Erwartungen anpassen. Sie haben Angst, zu enttäuschen und zu versagen, wenn sie ihren eigenen Weg gehen würden. Zudem verfügen sie über eine geringe *Frustrationstoleranz*, das heißt, sie halten kaum die negativen Gefühle aus, die sich einstellen, wenn sie einen Fehler machen. Wenn ich nämlich die Verantwortung für mein Handeln übernehme, dann habe ich zwar auf der einen Seite die Entscheidungsfreiheit, auf der anderen Seite aber auch das Risiko, eine falsche Entscheidung zu treffen und dies als »persönliches Versagen« zu ertragen. Insofern ist es für die Betroffenen gefahrloser, wenn ihre Schutzpersonen ihnen sagen, was sie tun sollen.

Zudem sind die Betroffenen es von Kind auf so gewohnt, dass andere über sie bestimmen, dass sie zumeist selbst nicht wissen, was sie wollen. Sie sind häufig unzufrieden und schlecht gelaunt, weil sie viele Dinge tun, die sie eigentlich nicht tun wollen. Sie handeln meistens aus einem falschen Pflichtgefühl, aber nicht aus ihren eigenen Wünschen und Vorstellungen heraus. Hierfür müssten sie ein klareres Gefühl dafür entwickeln, wer sie sind und was sie wollen.

Manche Eltern arbeiten aber auch mit Druck bis hin zur Erpressung. Sie signalisieren dem Kind, dass es quasi aus der Familie verstoßen wird, wenn es nicht das macht, was die Eltern für richtig halten. Die Betroffenen müssten mit ihrer Familie brechen, wenn sie ihren eigenen Weg gehen wollten. Davor schrecken viele zurück, schließlich verspüren sie auch Bindungen an die Familie. Außerdem bräuchten die Kinder für diesen radikalen Schnitt genau das, was die machtbesessenen Eltern in ihnen unterdrückt haben: eine starke Selbstsicherheit. Wenn Eltern sich nämlich – im Guten wie im Schlechten – zu stark in die Lebensentscheidungen ihrer Kinder einmischen, dann entsteht in diesen eine Grundverunsicherung, ob sie überhaupt zu einer vernünftigen Entscheidung ohne die Eltern in der Lage wären.

Ebenso drohen manche Machtmenschen ihrem Partner mit Sanktionen oder Trennung, wenn dieser nicht nach ihrer Pfeife tanzt. Der Partner fühlt sich zu abhängig, um sich ernsthaft zu widersetzen oder das Weite zu suchen. Auch in dieser Konstellation hat das Schattenkind des abhängigen Partners große Angst, ohne den Partner nicht leben zu können. Hinzu kommt, dass sich das Schattenkind von Menschen mit der Schutzstrategie »Ich bleibe Kind« schnell schuldig fühlt. So empfindet es eine gewisse Mitschuld an der schwierigen Situation, die ihm auch nicht selten von den Eltern oder dem Partner eingeredet wird. Das Zugeständnis von eigener Schuld macht die Beziehung zu den »Peinigern« aber auch etwas erträglicher: Die eigene Schuld lässt die Eltern oder den Partner nämlich in einem besseren Licht erscheinen. Durch diese Idealisierung der Beziehung zu den vermeintlichen Schutzpersonen können die Betroffenen ihre Abhängigkeit zu diesen aufrechterhalten. Sie beschützt sie also vor der furchterregenden Trennung und/oder einer harten Auseinandersetzung. Zudem kann einem die Annahme einer vermeintlichen Mitschuld ein Gefühl der Kontrolle zurückgeben beziehungsweise die gefühlte Ohnmacht reduzieren. Einer meiner Klienten hielt beispielsweise fast jeden Vorwurf, den ihm seine dominante und manipulative Frau machte, für gerechtfertigt. Ständig kritisierte sie ihn und gab ihm die Schuld für ihre Depressionen und ihre Migräneanfälle. Indem er ihr zustimmte, hat er (unbewusst) eine gewisse Illusion von Kontrolle aufrechterhalten. Die Alternative wäre gewesen, sich ihren ungerechten Urteilen einfach nur ausgeliefert zu fühlen.

Sehr nahe bei dem Eingeständnis einer vermeintlichen Mitschuld liegt der Selbstschutz, sich die Dinge schönzureden. Die Betroffenen verdrängen gern das Ausmaß ihrer eigenen Abhängigkeit und nehmen ihren Partner und ihre Eltern in Schutz. Sie verspüren eine hohe Loyalität zu diesen, auch wenn die Beziehung schwierig ist. Aufgrund ihres großen Bindungswunsches und ihrer gefühlten Abhängigkeit verdrängen sie die Schwierigkeiten in der Beziehung zu ihrer »Schutzperson«.

Klassischerweise waren es früher die Frauen, die sich von ihrem Mann abhängig gemacht haben, was teilweise heute auch noch der Fall ist. Aber es gibt auch genügend Männer, die ihre Verantwortung an die Frau delegieren, indem sie erwarten, dass »Mutti« sich um alles kümmert, was nicht unmittelbar mit dem Broterwerb zu tun hat – und manchmal auch hiermit. Es gibt zunehmend Männer, die von ihrer Frau finanziell abhängig sind und dies nicht, weil sie die Kindererziehung übernehmen würden, sondern weil sie beruflich keinen festen Boden unter die Füße bekommen.

Würdigung dieser Strategie: Du gibst dir viel Mühe, dein Schattenkind zu beschützen und möglichst alles richtig zu machen. Du strengst dich unheimlich an, ein »guter Junge« beziehungsweise ein »liebes, artiges Mädchen« zu sein. Du tust somit viel dafür, dass deine Eltern stolz auf dich sein können.

Erste Hilfe: Dein Schattenkind hat eine überwertige Angst, zu enttäuschen und Fehler zu machen. Mache ihm mithilfe deines inneren Erwachsenen begreiflich, dass Fehler zum Leben gehören und es Fehler machen darf. Es ist wichtig, dass du dein Erwachsenen-Ich stärkst. Dies kann dir gelingen, indem du dich darin übst zu argumentieren. Ein gutes Argument ist, dass du für dein Lebensglück selbst verantwortlich bist, genauso wie deine Eltern für ihres. Du bist nicht auf der Welt, um die Erwartungen deiner Mitmenschen zu erfüllen. Mache dir klar, dass jede Entscheidung, die du triffst, dich auf deinem Weg ein Stück weiterbringt. Wenn du hingegen stehen bleibst, dann kannst du dich zwar nicht verlaufen, aber du kommst auch nirgendwo an. Wie du dich im Argumentieren üben kannst, zeige ich dir noch auf unter dem Abschnitt »Werde konfliktfähig, und gestalte dein Leben« auf Seite 211.

Selbstschutz: Flucht, Rückzug und Vermeidung

Typische Glaubenssätze: *Ich bin dir ausgeliefert! Ich bin schwach! Ich bin wertlos! Ich bin unterlegen! Ich kann dir nicht vertrauen! Alleinsein ist sicher! Ich schaffe das nicht!*

Flucht und Rückzug sind beliebte Schutzstrategien, wenn man einer Konfrontation, der man sich nicht gewachsen fühlt, aus dem Weg gehen will. Wie ich schon mehrfach erwähnt habe, wenden wir normalerweise mehrere Schutzstrategien an und variieren diese je nach Begebenheit. So greift man in einer Situation an, in der anderen gibt man der Flucht den Vorzug – das hängt von der Einschätzung der eigenen Erfolgschancen ab. Zudem sind Schutzstrategien wie Angriff oder Flucht auch nicht per se problematisch, sondern sinnvolle und naturgegebene Reaktionen, um uns vor Gefahren zu beschützen. Das Problem liegt allein in der Definition der Gefahr. Je schwächer und angreifbarer mein Schattenkind sich fühlt, desto schneller stuft es eine Situation als gefährlich ein. Menschen, die ihre Fähigkeiten aufgrund ihrer Glaubenssätze unterschätzen, können deswegen chronisch auf der Flucht sein. Hierbei fliehen sie sowohl vor der Konfrontation mit ihren eigenen Ängsten und vermeintlichen Schwächen als auch vor der Konfrontation mit anderen Menschen, die sie wiederum mit ihren eigenen Schwächen konfrontieren könnten.

Menschen, die sich in erster Linie durch Rückzug in ihre eigenen vier Wände beschützen, haben häufig aufgrund ihrer Kindheitserfahrungen einen Glaubenssatz verinnerlicht, der sinngemäß beinhaltet, dass Alleinsein die sicherere Option als zwischenmenschlicher Kontakt darstellt. Wenn sie allein sind, fühlen sie sich aber nicht nur sicher, sondern auch frei, weil sie nur wenn sie allein sind das Gefühl haben, frei entscheiden und frei handeln zu dürfen. Sobald andere Menschen in ihrer Nähe sind, springt nämlich ihr Kindheitsprogramm an, deren (vermeintliche) Erwartungen erfüllen zu müssen (hierzu noch mehr im nächsten Abschnitt).

Allerdings muss man sich nicht zwangsläufig in die Einsamkeit flüchten, um vor sich selbst und/oder seinen Mitmenschen davonzulaufen. Man kann sich auch in Aktivitäten wie Arbeit, Hobbys oder ins Internet flüchten. Die Flucht in Aktivitäten erfüllt den Zweck, uns von unserem Hauptproblem abzulenken. Dies muss dem Flüchtenden selbst noch nicht einmal bewusst sein. Und zwar gerade deshalb nicht, weil die Flucht in diese Aktivitäten ja eben dazu dient, die darunterliegenden Nöte des Schattenkindes zu verdrängen. Permanente Geschäftigkeit bietet eine hervorragende Ablenkung von den Selbstzweifeln und Ängsten des Schattenkindes. Millionen Menschen können nicht still sitzen, weil in der Stille ihre negativen Glaubenssätze vernehmbar sind. Sie stressen sich und ihre Umgebung mit ihrer rastlosen Betriebsamkeit. Allerdings ist auch hier die Gratwanderung zwischen gesund und ungesund wieder einmal schmal. So kann »Ablenkung« auch eine sehr sinnvolle Maßnahme sein, um uns aus negativen Zuständen zu befreien. Wenn das eigentliche Problem jedoch durch die Ablenkung immer größer anstatt kleiner wird, dann wäre es günstiger, sich des Problems direkt anzunehmen. Hierfür allerdings muss ich im ersten Schritt erst einmal erkennen, dass ich überhaupt ein Problem habe, was den wichtigsten und grundlegendsten Schritt zur Problembehebung darstellt.

Einher mit Flucht und Rückzug geht die *Vermeidung* als Selbstschutz. Wir vermeiden ausnahmslos alle gern mal eine unangenehme Situation oder Tätigkeit. Es ist mal wieder nur eine Frage des Ausmaßes, in dem wir uns drücken. Insbesondere Situationen und Tätigkeiten, die Angst oder Unlust in uns auslösen, begegnen wir gern durch Vermeidung. Das Problem hierbei ist, dass die Unlust und Angstgefühle durch die Vermeidung stärker und nicht schwächer werden. Der Stapel an Aufgaben, die ich bei Unlustgefühlen vor mir herschiebe, wird immer größer, was die Unlust noch erhöht. Und die Angst potenziert sich, je öfter ich um sie einen Bogen mache. Durch die Vermeidung glauben wir nämlich immer mehr daran, dass wir die Situation nicht bewältigen können. Die Vermeidung bestätigt hirntechnisch sozusagen unsere Angst- und Unlustgefühle. Außerdem verhindert die Vermeidung, dass wir die Erfahrung machen können, dass wir die Situation bewältigen können. Umgekehrt sind wir ganz besonders stolz auf uns, wenn wir es geschafft haben, uns einer Herausforderung – trotz Angst – erfolgreich zu stellen. Beim nächsten Mal haben wir dann schon viel weniger Angst vor ihr.

Eine spezielle Form der Flucht und Vermeidung ist der *Totstellreflex* – die Betroffenen flüchten hierbei quasi in sich selbst, indem sie innerlich abschalten. Dieser Vorgang ist zumeist nicht willentlich gesteuert, häufig geschieht er reflexhaft und automatisch. Diese

Schutzstrategie entsteht in den ersten Lebensjahren, wenn die Kinder weder weglaufen noch sich wehren können, sondern ihnen lediglich die Möglichkeit verbleibt, innerlich aus dem Kontakt zu gehen und möglichst nichts zu fühlen. In der Fachsprache heißt dieser Selbstschutz *Dissoziation.*

Die Betroffenen gehen innerlich offline, wenn sie sich im Kontakt mit anderen Menschen überfordert fühlen. Das Gegenüber spürt dann sehr deutlich, dass der andere innerlich abwesend ist. Menschen, die zur Dissoziation neigen, können sich schlecht innerlich und äußerlich abgrenzen. Das heißt, sie nehmen die Schwingungen und Stimmungen der anderen stark in sich auf und fühlen sich für diese verantwortlich. Ihre Antennen sind also permanent auf Empfang gestellt, und dies kann in ihnen starken Stress im zwischenmenschlichen Kontakt erzeugen. Sie fühlen sich durch ihre perforierten inneren Grenzen schnell von der Nähe eines anderen Menschen überflutet. Die Betroffenen beschützen sich jedoch nicht nur durch den inneren, sondern auch gern durch den äußeren Rückzug. Sie fühlen sich am sichersten, wenn sie allein sind. Das Kind in ihnen hat die Erfahrung gemacht, dass zwischenmenschlicher Kontakt Stress bedeutet. Entweder weil sie sich von einer bedürftigen und schwachen Mutter oder einem bedürftigen und schwachen Vater nicht richtig abgrenzen durften oder weil sie Eltern hatten, die sie als bedrohlich erlebt haben. Menschen, die (auch im Erwachsenenalter) traumatisiert wurden, weisen ebenfalls häufig dissoziative Zustände auf.

Würdigung dieser Strategie: Es macht Sinn, dass du dein Schattenkind durch Flucht und Rückzug beschützt, wenn es sich überfordert fühlt. Du sorgst hierdurch für dich und teilst dir deine Kräfte ein.

Erste Hilfe: Auch wenn Rückzug eine sehr sinnvolle Schutzstrategie ist, so flüchtest du öfter vor »Gespenstern«. Du brauchst dich nämlich gar nicht zu verstecken. Mache deinem Schattenkind mithilfe der Übungen in diesem Buch immer wieder klar, dass es genügt, und ganz wichtig: dass es sich auch selbst behaupten und wehren darf. Wenn du anfängst, deine eigenen Rechte, Wünsche und Bedürfnisse mehr zu vertreten, dann wirst du feststellen, dass du dich im Kontakt mit anderen Menschen viel freier und selbstsicherer fühlst.

Exkurs: Die Angst des Schattenkindes vor Nähe und Vereinnahmung

Wenn sich ein Kind stark den Erwartungen seiner Eltern unterordnen muss, dann kann es sich nicht angemessen behaupten. Stattdessen trainiert es, seine Antennen auszufahren, um möglichst rechtzeitig auf die Stimmungen und Wünsche seiner Eltern reagieren zu können. Besonders schwierig wird es für das Kind, wenn die Eltern ihre Normen nicht mit Strenge und Autorität durchsetzen, sondern indem sie dem Kind signalisieren, dass sie *enttäuscht* sind, wenn es sich nicht nach ihren Wünschen verhält. Ein Kind, dessen Mutter traurig reagiert, weil es nicht ihre Erwartungen erfüllt, hat keine Chance, sich von ihr abzugrenzen. Denn es empfindet Mitleid für die traurige Mutter, und es fühlt sich schuldig und verantwortlich für deren Kummer. Deswegen macht es »freiwillig«, was die Mama möchte, damit diese glücklich und zufrieden ist. Ein Kind, dessen Mutter hingegen wütend reagiert, wenn es ihre Erwartungen nicht erfüllt, hat viel bessere Chancen, zu denken: »Blöde Kuh!«, und sich hierdurch wenigstens innerlich abzugrenzen.

Häufig kommen zu mir Menschen in die Psychotherapie, die unter Bindungsangst leiden. Diese haben Schwierigkeiten, sich selbst in gesunder Weise zu behaupten, und fühlen sich deswegen schnell durch die Nähe ihres Partners bedrängt. Nicht selten haben sie als Kind erlebt, dass ein Elternteil – häufig die Mutter – sehr vereinnahmend war. So reagierte diese zum Beispiel enttäuscht, wenn das Kind lieber mit seinen Freunden spielen wollte, als bei ihr daheim zu bleiben. Ein Beispiel hierfür ist Thomas (39 Jahre): Seine Mutter litt sehr unter seinem Vater, der sie lieblos behandelte und außereheliche Affären pflegte. Sie war deswegen oft traurig. Der kleine Thomas hatte den dringenden Wunsch, die arme Mama zu trösten, und rutschte hierdurch immer mehr in die Rolle des Ersatzpartners für sie, zumal die Mutter sich bei ihm auch über den bösen Vater ausheulte. Der kleine Thomas spürte, dass es seiner Mama guttat, wenn er bei ihr war. Deswegen verzichtete er oft darauf, nachmittags mit seinen Freunden zu spielen, um die Mama glücklich zu machen. Er lernte also nicht, sich in gesunder Weise abzugrenzen und die Verantwortung für die persönlichen Probleme seiner Mutter bei dieser zu belassen. Hierdurch entwickelte er Glaubenssätze, die unter anderem lauteten: »Ich darf dich nicht verlassen.«, »Ich bin für dein Glück verantwortlich.«, »Ich muss immer bei dir sein.«, »Ich darf keinen eigenen Willen haben.« Aufgrund dieses Programms konnte er als Erwachsener die Nähe seiner Partnerin nur begrenzt ertragen. War seine Freundin im selben Raum, hatte er schnell das Gefühl, sich selbst zu verlieren. So richtig frei und selbstbestimmt fühlte er sich nur, wenn er allein war. Deswegen stellte er nach Momenten der Nähe immer wieder Distanz zu ihr her. Durch den Stress, den die Anwesenheit seiner jeweiligen Freundin in ihm auslöste, veränderten sich auch seine Gefühle für sie. Die anfängliche Verliebtheit wich tiefen Zweifeln, ob sie überhaupt die Richtige ist. Deswegen flüchtete er sich häufig in die Arbeit, manchmal auch in Seitensprünge und Affären, oder er machte Schluss und guckte sich nach einer »Besseren« um. Bis er irgendwann erkannte, dass seine rastlose Suche nach »der Richtigen« weniger etwas mit den vermeintlichen Mängeln seiner Exfreundinnen zu tun hatte, sondern dass er selbst unter Bindungsangst litt.

In der Psychotherapie löste Thomas seine Mutter-Projektion auf und lernte, dass er sich auch innerhalb der Beziehung als ein freier Mensch fühlen kann. Hierfür musste er lernen, sich selbst zu behaupten und seine eigenen Wünsche und Bedürfnisse in die Beziehung einzubringen. Das Kind in ihm hatte nämlich verinnerlicht, dass man Beziehungen nur über *sich ergehen lassen*, aber nicht *aktiv mitgestalten* kann. Und je mehr Thomas das Gefühl gewann, dass er seiner Freundin nicht einfach nur ausgeliefert ist, sondern er eigene Rechte in der Beziehung hat, desto mehr konnte er die Nähe zu ihr genießen, anstatt aus ihr zu flüchten.

Wenn du dich für das Thema »Bindungsangst« besonders interessierst, dann kannst du hierüber viel in meinen Büchern »Jein!« und »Vom Jein zum Ja« erfahren.

Spezialfall: Flucht in die Sucht

Essen, Alkohol trinken, Rauchen, Drogen- und Tablettenkonsum trösten das Schattenkind, das sich nach Schutz, Geborgenheit, Entspannung und Belohnung sehnt. Aber auch Kaufen, Arbeit, Spiel, Sex und Sport können suchtartig betrieben werden, um sich von seinen Sorgen und Problemen abzulenken. Sucht bezieht sich in erster Linie auf unser Lustempfinden. Die Drogen, seien sie stoff- oder verhaltensgebunden, setzen den Botenstoff Dopamin, das sogenannte »Glückshormon« frei. Wenn wir einer Sucht nachgeben, beseitigen wir Unlustgefühle und stellen Lustgefühle her. Wir werden durch die Substanz oder das Verhalten unmittelbar belohnt beziehungsweise stellen sich Unlustgefühle in Form von Entzugserscheinungen ein, wenn wir den Stoff nicht bekommen oder ein bestimmtes Verhalten nicht ausüben können. Lust- und Unlustempfindungen sind jedoch die Basis unserer Motivation, und genau das macht es so schwer, sich von einer Sucht zu befreien. So geht es schließlich im Leben immer irgendwie darum, Unlust zu vermeiden und Lust zu gewinnen. Wir sind ständig auf der Glückssuche und deswegen anfällig für Süchte. Die langfristigen negativen Konsequenzen liegen irgendwo in der Zukunft und können deswegen gut verdrängt werden. Oder der Süchtige leidet bereits unter den Folgen seines Verhaltens – zum Beispiel an einer Fettleber oder einer chronischen Bronchitis, aber er kann trotzdem nicht davon lassen, weil die Vorstellung, ohne die Droge zu leben, zu starke Angst- und Unlustgefühle oder gar körperliche Schmerzen auslöst.

Eine stoffgebundene Sucht, wie beispielsweise Alkoholsucht, gilt heutzutage als »Stoffwechselerkrankung«, weil sie das Gehirn verändert und hierdurch einen sehr negativen Einfluss auf den freien Willen hat. Die Entzugserscheinungen können so schlimm beziehungsweise das Verlangen so groß sein, dass der Wille einfach unter ihnen zusammenbricht.

Es gibt allerdings auch Forscher, wie zum Beispiel Gene M. Heymann, ein Psychologe der Harvard Medical School, die argumentieren, dass Sucht keine Krankheit sei, sondern eine »Störung des willentlichen Entscheidungsverhaltens« (disorder of choice). Ein einleuchtendes Argument hierfür ist, dass es laut epidemiologischer Studien circa die Hälfte der Drogenabhängigen schafft, irgendwann von ihrer Sucht loszukommen. Diese Wahl haben Menschen, die unter einer Stoffwechselerkrankung wie Schizophrenie, Alzheimer oder Diabetes leiden, nicht.

Heymann argumentiert, dass Sucht ein Verhalten ist, das durch seine Konsequenzen gesteuert wird – im Gegensatz zum unwillkürlichen Verhalten, das durch Reize ausgelöst wird, wie beispielsweise das Blinzeln. Blinzeln erfolgt reflexhaft auf einen Reiz, wie etwa einem Blitzlicht. Das Augenzwinkern ist hingegen willkürlich und wird von Gehirnstrukturen dirigiert, die die Folgen unseres Verhaltens abschätzen. So wägt ein Mann beispielsweise ab, ob es ihm Erfolg bringen könnte, eine Frau, die ihm gefällt, anzuzwinkern. In diesem Sinne unterliegt die Sucht denselben Motivations- und Entscheidungsgesetzen, die auch sonst unser Verhalten regulieren. Für diese Annahme spricht auch, dass die meisten Süchtigen ihr Verhalten genau dann aufgeben, wenn die Kosten des Weitermachens zu hoch werden. Beziehungsweise umgekehrt, nicht von der Sucht loskommen, weil ihnen die Kosten des Verzichts letztlich doch höher als der Gewinn der Suchtfreiheit erscheinen. Dies liegt auch an einem perfiden Phänomen der Sucht, nämlich dass alternative Verhaltensweisen, je länger die Sucht anhält, immer mehr an Reiz verlieren.

Gerade bei der Sucht besteht zumeist eine enorme Diskrepanz zwischen den Ansichten des inneren Erwachsenen und den Gefühlen des Schattenkindes. So weiß der innere Erwachsene zumeist sehr genau, dass sein Verhalten schädlich ist und er damit aufhören sollte. Aber das Schattenkind will unbedingt sofort (!) belohnt werden und sich sofort (!) gut fühlen. Gerade orale Süchte wie Essen, Trinken und Rauchen üben auf das innere Kind eine ungeheuer tröstliche und beruhigende Wirkung aus. Durch die tiefe, wenn auch unbewusste Assoziation mit der Mutterbrust erfüllen die oralen Süchte die kindlichen Bedürfnisse nach Genährtwerden, Versorgtsein und Geborgenheit besonders gut. Süchte sprechen aber nicht nur das Schattenkind an, das nach Trost und Ablenkung sucht, sondern auch das Sonnenkind, das Spaß, Abenteuer und Aufregung haben will. Deswegen verfallen nicht nur Menschen der Sucht, die sich von ihrem Kummer erleichtern und von ihren Problemen ablenken wollen, sondern auch solche, die einfach nur nach einem Kick, Lust und Abenteuer suchen. Der Punkt ist der, dass das innere Kind von Natur aus zum Exzess neigt. Das Kind will nämlich immer das machen, was am meisten Annehmlichkeiten verspricht. Das Problem ist, dass die Annehmlichkeit in die Sucht münden kann, weil durch die Konditionierung der Gewohnheiten und des Gehirns der Süchtige die Kontrolle über seine Sucht verliert. Das Schlimme bei der Sucht ist, dass sie, je länger sie anhält und dauert, dem Betroffenen immer mehr die Hoffnung nimmt, den Ausstieg zu schaffen. Auch sein innerer Erwachsener denkt dann irgendwann: »Das pack ich nicht!«

Der Ausstieg aus einer Sucht wird meistens dann geschafft, wenn die langfristigen Belohnungen im Gefühl des Schattenkindes attraktiver sind als die kurzfristige Befriedigung. So schaffen zum Beispiel viele Drogensüchtige den Ausstieg, wenn ein positiver Umbruch im Leben kommt, wie ein neuer Job oder eine neue Liebe. Deswegen basieren viele Entzugsprogramme auf dem Prinzip, den kurzfristigen Lustgewinn zu minimieren und langfristige Ziele attraktiver zu machen. Nicht wenige Raucher haben allein auch aufgrund der öffentlichen Rauchverbote aufgehört zu rauchen, weil der kurzfristige Lustgewinn des Rauchens, wenn man hierfür bei Regen und Kälte vor die Tür gehen muss, erheblich eingeschränkt ist. Meiner Meinung nach ist das Entscheidende beim Ausstieg aus der Sucht, dass man jene Gefühle fühlt, die einen motivieren, sein Verhalten zu verändern. Also indem man die Angst vor den langfristigen Konsequenzen zulässt, anstatt sie zu verdrängen, und die Lebensfreude und Erleichterung antizipiert, die sich einstellen, wenn man es schafft, sich aus seiner Sucht zu befreien. Unter dem Abschnitt »Exkurs: Schatzstrategien gegen Sucht« auf Seite 252 werde ich euch noch einige Maßnahmen vorstellen, mit denen man das innere Kind und den inneren Erwachsenen motivieren kann, aus ihrem Suchtprogramm auszusteigen.

Würdigung dieser Strategie: Die meisten Süchte machen einfach auch einen Höllenspaß, wenn man sich einmal an sie gewöhnt hat. Trinken, Rauchen, Essen usw. kickt und löst eine Menge Lustgefühle aus. Außerdem lauern überall die Versuchungen. Es ist wirklich nicht leicht, seinen Willen ständig dagegenzustellen. Im Grunde genommen willst du einfach nur, dass es dir gut geht.

Erste Hilfe: Das Problem ist leider, dass die meisten Süchte auch einen hohen Preis haben, und deswegen hast du auch oft Schuldgefühle, die dich herunterziehen. Du steckst in einem tiefen Dilemma: auf der einen Seite die Sucht, die dich zumindest kurzfristig glücklich macht, und auf der anderen Seite die Angst vor ihren Konsequenzen. Im ersten Schritt darfst du einfach mal Verständnis für dich und deine Sucht aufbringen. Es reicht schon, dass du unter diesem Verhalten leidest, du musst dich nicht noch zusätzlich mit Selbstvorwürfen plagen. Dein Schattenkind ist bedürftig, und es braucht deine liebevolle Zuwendung.

Selbstschutz: Narzissmus

Glaubenssätze: Ich bin wertlos! Ich bin ein Niemand! Ich bin scheiße! Ich bin ein Versager! Ich darf nicht fühlen! Ich muss es allein schaffen! Ich werde nicht satt!

Nach der griechischen Sage hat der schöne Jüngling Narziss sich in sich selbst verliebt, als er sein Antlitz in einem ruhenden Wasser sah. Den Rest seines Lebens litt er unter unstillbarer Selbstliebe. Ein Narzisst ist demnach ein Mensch, der sich in selbstverliebter Manier als großartig und bedeutend wahrnimmt. Tatsächlich ist die Demonstration der eigenen Größe und Unfehlbarkeit jedoch lediglich eine Schutzstrategie, die ein Mensch unbewusst entwickelt, um sein verletztes Schattenkind möglichst nicht zu spüren.

Menschen, die eine narzisstische Persönlichkeit entwickeln, haben früh gelernt, das Schattenkind, das sich wertlos und kläglich fühlt, zu verdrängen, indem sie sich ein ideales zweites Selbst zulegen. Dieses *Idealselbst* wird konstruiert, indem der Narzisst alles dafür tut, um sich aus dem Durchschnitt herauszuheben. Narzissten strengen sich unglaublich an, etwas Besonderes zu sein, weil das Schattenkind genau das Gegenteil empfindet. Um ihr Schattenkind im Schach zu halten, streben sie nach außerordentlichen Leistungen, nach Macht, Schönheit, Erfolg und Anerkennung. Narzissmus besteht somit aus einem ganzen Bündel von Schutzstrategien. Zu diesen gehört leider auch die Abwertung anderer Menschen. So haben Narzissten ein ausgeprägtes Gespür für die Schwächen ihres Gegenübers, die sie gern in Form von ätzender Kritik verbalisieren. Narzissten können ihre eigenen Schwächen nicht ertragen und ertragen sie deswegen auch nicht bei ihren Mitmenschen. Indem sie aber auf deren Schwächen fokussieren, verlieren sie die eigenen aus dem Blickfeld. Mit ihrer Kritik lösen sie dann bei ihren Mitmenschen genau jene Gefühle aus, die sie selbst nicht spüren wollen: eine tiefe Verunsicherung und Minderwertigkeit. Bei Narzissten tritt das Prinzip der Täter-Opfer-Perversion besonders deutlich zutage.

Manche Narzissten wählen aber auch die gegenteilige Strategie, um sich aufzuwerten. Sie idealisieren die Menschen, die ihnen nahestehen. In diesem Fall geben sie unheimlich mit ihrem tollen Partner, ihren grandiosen Kindern und ihren wichtigen Freunden an. Viele tun auch beides, idealisieren und abwerten. Nicht selten wird eine neue Bekanntschaft oder Liebe zunächst idealisiert, dann abgewertet und fallen gelassen.

Unabhängig ob Narzissten sich eher auf die Seite der Idealisierung oder der Abwertung schlagen, sie geben gern mit ihren Fähigkeiten, Besitztümern und Unternehmungen an. Dabei müssen sie dies nicht unbedingt sehr laut und mit großem Tamtam tun. Es gibt auch *leise Narzissten*, nicht selten Intellektuelle, die mit leisen Tönen ihre Überlegenheit und Einmaligkeit zur Schau stellen.

Narzissten haben jedoch auch liebenswerte Seiten. Sie können ausgesprochen charmant, liebenswürdig und interessant sein. Einige sind geradezu charismatische Persönlichkeiten. Ihr Erfolgsstreben lässt sie beruflich oft weit kommen und ein hohes Ansehen genießen. Ihre Bemühungen, etwas Besonderes zu sein, tragen also auch oft Früchte. Und dies zieht andere Narzissten in ihren Bann, aber auch Menschen, die eine abhängige Struktur aufweisen. Finden sich zwei aktive Narzissten in einer Partnerschaft zusammen, dann ist diese meist durch eine Achterbahnfahrt von Leidenschaft und gegenseitigen Verletzungen geprägt. Gehört der Partner des Narzissten hingegen eher zu den abhängigen Naturen, dann lässt er die Verbalattacken des Narzissten meistens ohne viel Gegenwehr über sich ergehen und ist fleißig bemüht, dessen Erwartungen zu erfüllen. Ein Vorhaben, das zum Scheitern verurteilt ist, denn egal wie »artig« der Partner sich auch immer betragen mag, sein Verhalten ändert nichts an der Wahrnehmungsverzerrung des Narzissten. Diese Wahrnehmungsverzerrung besteht in der weitgehenden Ausblendung seiner eigenen Schwächen in Kombination mit einer lupenhaft vergrößerten Wahrnehmung kleiner und vermeintlicher Schwächen des Partners. Wenn der Narzisst in diesen Wahrneh-

mungszustand hineingerät, dann verengt sich sein Blick beispielsweise auf die etwas zu lange Nase seiner Partnerin, während ihre
Vorzüge aus seinem Gesichtsfeld verschwinden. Diese vermeintliche Schwäche macht den Narzissten ungeheuer wütend, weil die
Partnerin zu seiner Aufwertung dienen soll. Sie muss deswegen,
genau wie er, perfekt sein.

Gegen den Schwächen-Zoom des Narzissten hat kein Partner
eine Chance. Die abhängigen Partner meinen jedoch, wenn sie nur
irgendwie besser und schöner wären, dann wäre der Narzisst auch
zufrieden mit ihnen. Dies ist ein typischer Trugschluss des Schattenkindes, der nicht nur in Beziehungen mit einer ausgeprägt nar-
zistischen Struktur zu verzeichnen ist. Viele Menschen neigen dazu,
sich von jeglicher Kritik deprimieren zu lassen – sei sie noch so
ungerecht und abgelegen. Diese haben aufgrund ihrer inneren Prägungen immer und grundsätzlich das Gefühl, schuld zu sein und
nicht zu genügen. Dies ist auch dann der Fall, wenn der innere Erwachsene des Betroffenen schon längst erkannt hat, dass sein Partner ein Narzisst ist und es nicht seine Schuld ist, wenn dieser ihn
immer wieder abwertet. Das Schattenkind erreicht diese Erkenntnis nicht, es bleibt in seinen Minderwertigkeitsgefühlen gefangen,
die durch die Kritik des Narzissten noch verstärkt werden. Um sich
zu heilen, will das Schattenkind unbedingt die Anerkennung des
Narzissten erlangen und strengt sich noch mehr an, ihm zu gefallen. Der Narzisst bleibt jedoch, wie er ist. Der Abhängige erlebt sich
also als wirkungslos und ohnmächtig, was seine gefühlte Abhängigkeit noch verstärkt. Ein Teufelskreis.

Ihr extremer Ehrgeiz und ihr Machtstreben machen ausgeprägte
Narzissten auch zu unbeliebten Kollegen und Vorgesetzten. Was den
Umgang mit ihnen zusätzlich erschwert, ist ihre hohe Kränkbarkeit.
Außenstehend ist es schwer nachvollziehbar, aus welch harmlosen
Anlässen narzisstische Menschen sich gekränkt fühlen können, zu-
mal sie ja auch aufgrund ihres scheinbar selbstsicheren Auftretens
gar nicht den Eindruck eines Sensibelchens machen. Das zutiefst

verunsicherte und gekränkte Schattenkind in ihnen zieht sich jedoch nicht traurig zurück, wenn es sich gekränkt fühlt, sondern es wird ganz furchtbar wütend. Wut und Groll gehören zu den vorherrschenden Emotionen von narzisstischen Menschen. Allerdings können sie auch in ausgesprochen depressive Zustände einbrechen, und zwar immer dann, wenn ihre Erfolgsstrategien versagen und sie eine persönliche Niederlage erleben. Das Schattenkind gerät dann in tiefste Verzweiflung, weil es nun in vollem Umfang seine Unzulänglichkeit und sein Schlechtsein verspürt. Um das Schattenkind zu beschützen, wird der Erwachsene sich bemühen, mittels seiner alten Strategien wieder erfolgreich zu sein. Manchmal ist der Leidensdruck aber auch so groß, dass er sich umbringt oder sich in eine Psychotherapie begibt. Im günstigen Fall lernt er dort, das Schattenkind anzunehmen und zu trösten. Sodass es sich verstanden und wertvoll fühlt, ohne etwas Besonderes leisten zu müssen.

Narzissmus ist übrigens eine Selbstschutzstrategie, die wir alle anwenden – es hängt einfach nur vom Ausmaß ab, ab wann man sagt, dieser Mensch sei ein »Narzisst«. In kleinerem Ausmaß benutzen wir alle narzisstische Schutzstrategien: Wir wollen möglichst gut dastehen und werten zu diesem Zweck andere Menschen auch manchmal etwas ab. Wir geben auch gern mal ein bisschen an, und keiner kann sich ganz frei von Prestigegedanken machen. Auch verengt sich unser Blick manchmal auf die Schwächen anderer Menschen, und wir schämen uns, wenn unser Partner uns »Schande« macht. Wir versuchen möglichst unser Schattenkind nicht zu spüren und unsere Schwächen zu verstecken. Entsprechend reagieren wir gekränkt auf Zurückweisung und Kritik.

Würdigung dieser Strategie: Du gibst dir wirklich unheimlich viel Mühe, gute Leistungen zu erbringen und gut auszusehen. Das erfordert enorm viel Kraft und Einsatz. Wahrscheinlich hast du auch viele Erfolge vorzuweisen, auf die du stolz sein kannst.

Erste Hilfe: Deine Schutzstrategie verbraucht sehr viel Energie und führt immer wieder dazu, dass du Stress mit anderen Menschen hast. Mache dir bewusst, dass deine ganzen Anstrengungen, etwas Besonderes zu sein, dein Schattenkind nicht heilen. Heilen kannst du es nur, wenn es endlich von dir akzeptiert und angenommen wird. Höre also auf, gegen deine vermeintlichen Schwächen anzukämpfen, sondern akzeptiere, dass du einfach auch nur ein Mensch bist wie die anderen auch. Erst dann kannst du dich entspannen – vielleicht das erste Mal in deinem Leben.

Akzeptance is key

Selbstschutz: Tarnung, Rollenspiel und Lügen

Glaubenssätze: *Ich darf nicht ich sein! Ich muss mich anpassen! Ich bin schlecht! Ich genüge nicht! Keiner liebt mich! Ich bin wertlos!*

Jeder Mensch hält sich mehr oder weniger an gesellschaftliche Normen und Regeln und ist um Anpassung bemüht. Im täglichen Miteinander gibt es eine Vielzahl sozialer Rituale, denen wir, ohne weiter darüber nachzudenken, folgen. Wir können und wollen uns auch gar nicht jederzeit und bei jedem völlig offen und authentisch verhalten. Eine gewisse Zurückhaltung und »Tarnung« als Selbstschutz sind gesund, natürlich und sozialverträglich. Manche Menschen spielen jedoch regelrecht Rollen und verstecken sich hinter einer Maske. Insbesondere Menschen, die einen schlechten Kontakt zu ihren Gefühlen und zu ihrem Schattenkind haben, nehmen sich im zwischenmenschlichen Kontakt oft als »hüllenhaft« wahr. Ein Klient, der dieses Problem hatte, erklärte mir einmal, wenn er morgens zur Arbeit gehe, erlebe er sich so: »Mann mit Anzug geht in die Firma!« Dieser Klient konnte sich kaum fühlen und hat sich einmal als »Menschendarsteller« bezeichnet. Sein Schattenkind war aufs Äußerste darauf getrimmt, sich anzupassen und die Erwartungen anderer Menschen zu erfüllen. Oft sagen die Betroffenen über sich, dass sie im zwischenmenschlichen Kontakt »einfach funktionieren«. Sie spulen ein Verhaltensprogramm ab, spielen eine Rolle, verstecken sich hinter einer Maske. Sie trauen sich nicht, authentisch zu sein. Ihre Angst, abgelehnt zu werden und sich den Angriffen ihrer Mitmenschen auszuliefern, ist sehr groß. Dabei wirken sie äußerlich oft gar nicht verunsichert.

Aber auch Menschen, die einen besseren Kontakt zu sich selbst und ihren Gefühlen haben als die oben beschriebenen, meinen oft, in Gesellschaft anderer Menschen eine gewisse Rolle spielen zu müssen. Sie verstecken ihre eigenen Bedürfnisse und richten sich nach den Wünschen der anderen aus. Einige Menschen trauen sich nicht vor die Tür, wenn sie einen schlechten Tag haben. Sie fühlen sich dann zu angreifbar. Sie wollen der Welt nur ihre starken und fröhlichen Seiten präsentieren. Diese Schutzstrategie hat also eine hohe Schnittmenge zum Harmonie- und Perfektionsstreben.

Menschen, die sich nur mit einer Tarnkappe aus dem Haus trauen, erleben diese Kostümierung als belastend und anstrengend. Aber ihre Angst, auf Ablehnung zu stoßen, wenn sie mehr von sich zeigen würden, ist stärker als die Atemnot unter der Tarnkappe. Ihr Schattenkind ist darauf getrimmt, sich zu verstellen und anzupassen. Nicht wenige Menschen trauen sich noch nicht einmal, bei ihrem eigenen Partner authentisch zu sein. Sie meinen immer, Teile von sich verstecken zu müssen. Sie wollen dem Partner möglichst nur ihr »vorzeigbares Ich« präsentieren. Sie glauben, wenn sie authentisch wären und zu ihren Wünschen und Bedürfnissen stünden, dann würden sie die Beziehung zu sehr belasten. Dabei ist das Gegenteil der Fall: Authentizität macht die Beziehung erst spannend und lebendig. Manche Beziehungen sind hingegen im Rollenspiel geradezu erstarrt. Hierzu trägt auch die hohe Konfliktscheu der Betroffenen bei. Aus lauter Anpassungsdruck formulieren sie ihre eigenen Bedürfnisse nicht. Auf die Dauer entwickeln sie das Gefühl, in der Beziehung chronisch zu kurz zu kommen, was Frust in ihnen erzeugt, den sie jedoch wiederum aus Konfliktangst in sich hineinfressen. Somit staut sich immer mehr kalte Wut in den Betroffenen auf, die auch die Gefühle für den Partner erkalten lassen kann. Die Beziehung wird starr und öde. Irgendwann ist kein Funke mehr da, und die Betroffenen machen Schluss. Bis dahin ist kaum ein böses Wort gefallen.

Menschen, die sich sehr stark anpassen und in Rollen handeln, können nicht gleichzeitig aufrichtig sein. Dafür müssten sie ihren Selbstschutz fallen lassen und zu ihren Wünschen und zu ihrer Meinung stehen. Auch wenn sie nicht unbedingt aktiv lügen, so ist es doch für das Gegenüber oft schwer zu erkennen, wo sie stehen. Wenn sie sich jedoch aus einem freundschaftlichen oder partnerschaftlichen Kontakt zurückziehen, ohne dem anderen hierfür die Gründe zu nennen, dann ist das nicht unbedingt fair. Genauso wenig fair ist es, dem anderen am Ende der Beziehung quasi eine »Endabrechnung« vorzulegen, wenn man sich während der Partnerschaft oder Freundschaft selten beschwert hat. In diesem Zusammenhang war ich schon oft überrascht, mit welcher Inbrunst sich manche Menschen als aufrichtig und ehrlich bezeichnen, sich aber gleichzeitig nicht trauen, mit dem eigenen Partner oder einer guten Freundin ein offenes Wort zu sprechen.

Würdigung dieser Strategie: Du gibst dein Bestes, um geliebt und anerkannt zu werden. Du strengst dich unheimlich an, nur deine besten Seiten zu zeigen. Du verfügst über eine hohe Anpassungsfähigkeit und Selbstbeherrschung.

Erste Hilfe: Dein Schattenkind ist ziemlich verzagt. Es meint, es müsste irgendwie anders sein, um geliebt zu werden. Sage ihm, dass das Unsinn ist. Dein innerer Erwachsener sollte es ganz besonders liebevoll und wohlwollend behandeln, damit es sich traut, mehr zu sich zu stehen. Übe einfach mal in kleinen Situationen, mehr zu dir selbst, deiner Meinung und deine Wünschen zu stehen. Du wirst überrascht sein, wie gut das bei den anderen Menschen ankommt.

Das waren nun die wichtigsten Schutzstrategien im Überblick. Wie ich bereits am Anfang geschrieben habe, ist es wichtig, dass du deine individuellen Schutzstrategien erkennst, die hier vielleicht nicht aufgeführt wurden. Zudem dürfte klar geworden sein, dass die

Schutzstrategien oft die eigentliche Ursache für unsere Probleme sind. Dazu die folgende Übung:

Übung: Finde deine persönlichen Schutzstrategien

Es ist möglich, dass deine Schutzstrategien je nach Lebensbereich variieren. So könntest du dich also im Beruf beispielsweise vor Angriffen beschützen, indem du möglichst perfekt allen Anforderungen genügst, während du in deiner Beziehung vielleicht oft Streit vom Zaun brichst und »herumzickst«. Häufig ist es aber auch so, dass wir typische Schutzstrategien haben, die wir grundsätzlich und für alle schwierigen Situationen und Probleme anwenden. So neigen Menschen mit Perfektionsstreben in der Regel dazu, in allen Bereichen ihres Lebens möglichst perfekt zu sein. Andere reagieren hingegen auf die meisten Probleme mit Rückzug und Vermeidung. Deswegen nehmen wir unsere Schutzstrategien und jene anderer Menschen auch häufig als eine Art Persönlichkeitsmerkmal wahr. Wenn jemand sich zum Beispiel durch Rückzug und Rollenspiel beschützt, dann sagen wir von ihm, er sei verschlossen. Ebenso ist die narzisstische Schutzstrategie eng mit der Persönlichkeit des Betroffenen assoziiert.

Die meisten Menschen weisen auch den ein oder anderen Glaubenssatz auf, der bereits eine Schutzstrategie darstellt, wie beispielsweise »Ich muss immer lieb und artig sein!« oder »Ich darf keine Fehler machen!«.

Um deine wichtigsten Schutzstrategien schnell zu erkennen, kannst du dir einfach zwei oder drei Situationen aus den letzten Wochen vorstellen, in denen du dich unwohl gefühlt hast und dachtest: Da habe ich ein Problem! Sei es ein Konflikt bei der Arbeit, sei es eine Situation mit deinem Partner, der dich genervt, geärgert oder aus der Bahn geworfen hat. Schnell wirst du bei dieser kleinen Erinnerungsübung merken, welche Situationen in gewisser Weise typisch für dich sind und dir immer wieder Schwierigkeiten machen. Anhand der Situationen siehst du deine Schutzstrategien dann sehr deutlich. Gehst du zum Angriff über? Ziehst du dich zurück? Passt du dich an?

Bitte notiere in den Fußraum deiner Kinderschablone deine persönlichen Schutzstrategien (siehe Abbildung im vorderen Buchinnendeckel). Bitte formuliere sie in ganzen Sätzen und möglichst sehr konkret. Schreibe also beispielsweise nicht einfach »Rückzug« auf, sondern zum Beispiel: »Ich gehe Konflikten aus dem Weg.« Oder: »Ich eiere herum und verheimliche meine Meinung.« Oder: »Ich flüchte mich ins Internet.« Schutzstrategien lassen sich nämlich meistens durch konkrete Verhaltensweisen beschreiben. Sie sind ein Teil unseres Handelns. Deswegen formuliere deine ganz individuellen Schutzstrategien, wie zum Beispiel: »Ich gehe in die Werkstatt und schraube an meinem Auto.« Oder: »Ich geh shoppen.« Oder: »Ich erfinde Geschichten, ich lüge.«

Wenn du deine Schutzstrategien in deine Kinderschablone eingetragen hast, dann liegt jetzt jener Teil deines psychischen Programms vor dir, der dir immer wieder Probleme bereitet: dein Schattenkind.

Das Schattenkind ist immer dabei

Wie gesagt, lassen sich alle Probleme, die man im Leben hat und die eine eigene Beteiligung aufzeigen lassen, auf das Schattenkind zurückführen. Mehr ist es tatsächlich nicht. Es handelt sich immer nur um Thema und Variation. Allerdings fällt es den meisten Menschen schwer, dies zu glauben. Tatsächlich ist es auch nicht leicht zu begreifen, dass sich hinter unseren scheinbar so unterschiedlichen und scheinbar so komplizierten Problemen in den allermeisten Fällen das Schattenkind mit seinen einfachen Glaubenssätzen verbirgt. Das erlebe ich auch immer wieder bei meinen Klienten.

So kommt zum Beispiel Billy (27 Jahre) in die zehnte Therapiestunde und erzählt mir von einem Problem, das sie letzte Woche mit ihrer besten Freundin hatte. Wenn ich dann sage, das steht ja alles schon in deiner Kinderschablone, dann reagiert sie überrascht. Wir gehen dann noch einmal ihre Glaubenssätze und Schutzstrategien durch, und dann fällt es ihr (mal wieder!) wie Schuppen von den Augen, dass es sich eigentlich immer nur um Variationen desselben Themas handelt. In ihrem Fall, dass sie sich aufgrund der Unterlegenheitsgefühle ihres Schattenkindes, das unter anderem den Glaubenssatz »Ich genüge nicht« aufweist, schon bei der kleinsten Kritik gekränkt fühlt und hierauf mit Rückzug reagiert.

Also auch wenn ich bereits Bekanntschaft mit meinem Schattenkind geschlossen habe, kann es mir leicht passieren, dass ich es im Alltag vergesse und mich deswegen nicht dabei ertappe, wenn ich aus ihm heraus meine Umwelt wahrnehme und in meinem alten Muster agiere. Man verliert sich sozusagen selbst so weit aus dem Auge, dass man auf seine eigenen Projektionen hereinfällt.

Du bist der Konstrukteur deiner Wirklichkeit!

Wenn du aus deinem Kindheitsprogramm aussteigen, sprich: glücklicher werden willst, dann musst du die Tatsache anerkennen, dass du dir mit deinem Schattenkind und dessen Glaubenssätzen deine Wirklichkeit selbst konstruierst. Das heißt, deine Probleme – es sei denn, es handelt sich um reine Schicksalsschläge – resultieren aus deiner subjektiven Wahrnehmung deiner selbst und deiner Umwelt. *Alles, was du nun verstehen musst, ist, dass du frei bist, dir deine Wahrnehmung, deine Gedanken und deine Gefühle selbst zu gestalten.* Wahrscheinlich glaubst du mir das nicht. So erleben wir unsere Gefühle doch oft als so mächtig und unabwendbar. Und wir sind von Kindesbeinen an daran gewöhnt, dass es nur die *eine,* nämlich unsere Wirklichkeit gibt. Deswegen halte dir jetzt einmal bewusst vor Augen, wie weitreichend deine negativen Glaubenssätze deine Gefühle beeinflussen und wie weitreichend deine Schutzstrategien dein alltägliches Leben durchdringen.

Der Grund, warum diese Kindheitsprogramme so tief wirken und wie eine subjektive Brille fungieren, ist dem Umstand geschuldet, dass unser Gehirn durch *Konditionierung* lernt: Je öfter wir einen Gedanken denken, eine Handlung vollziehen, ein Gefühl fühlen, desto wahrhaftiger wird es, desto tiefer prägt es sich als neuronale Reiz-Reaktion-Verknüpfung in unser Gehirn, in unser Bewusstsein ein. Die neuronalen Verschaltungen in unserem Gehirn werden bei gewohnheitsmäßiger Wiederholung von Gedanken, Gefühlen und Taten zu immer breiteren Datenautobahnen, während für alternative Gedanken, Gefühle und Taten bestenfalls ein kleiner Trampelpfad zur Verfügung steht.

Also noch einmal: Du konstruierst dir deine Wirklichkeit selbst, und dieser Prozess läuft so lange automatisch und unbewusst ab, bis du es bemerkst. Wenn du es bemerkst, dann kannst du deine Wirklichkeit und damit einhergehend deine Gedanken, Gefühle und Handlungen verändern. Das ist der aktuelle Stand der Hirnforschung und keine Esoterik. Und wie man diese Veränderung herbeiführt und sich seine Wirklichkeit konstruktiv und angemessen gestaltet, darum wird es in den nächsten Kapiteln gehen. Bevor wir uns jedoch dem Sonnenkind und seinen Schatzstrategien widmen, wollen wir zunächst das arme, verletzte Schattenkind annehmen, trösten und es vielleicht sogar heilen.

Zusätzlich zu den Übungen in den folgenden Abschnitten kannst du dir auch die Fantasiereise »Die Schattenkind-Trance« downloaden.

Heile dein Schattenkind

Den meisten Kummer machen wir uns im Leben mit der Sorge, dass wir falsche Entscheidungen treffen und Fehler machen. Wir haben ein starkes Bestreben, richtig zu sein und richtig zu handeln. Fehler verzeihen wir uns ganz schlecht. Viele Menschen grämen sich jedoch nicht nur über ihre Fehlentscheidungen, sondern sie finden, dass sie irgendwie an sich ein Fehler sind. Sie haben das unterschwellige Gefühl, dass sie nicht genügen und irgendwie anders sein müssten. Dieses Gefühl resultiert aus dem Schattenkind und seinen negativen Glaubenssätzen. Das arme Kind. Da fristet es ein Schattendasein und meint, es sei verkehrt. Es fühlt sich von den Großen, sprich: vom inneren Erwachsenen nicht verstanden und ausgestoßen. So wie es sich vielleicht schon früher bei Mama und Papa (und/oder von anderen Kindern) nicht richtig verstanden fühlte. Je weniger es sich jedoch angenommen und akzeptiert fühlt, desto schlechter geht es ihm. Es wird höchste Zeit, dass es deinen Trost und dein Verständnis findet.

In den nächsten Abschnitten möchte ich dir ein paar praktische Übungen vorstellen, mit denen du dein Schattenkind heilen oder zumindest trösten kannst. Wie gesagt, ist es ganz wichtig, dass du mit deinem inneren Erwachsenen dir immer wieder klarmachst, dass diese ganzen miesen kleinen Sätze und Gefühle einfach nur das Ergebnis von Kindheitsprägungen sind und nicht die Wahrheit. Dies magst du mir im Moment vielleicht noch nicht so richtig glauben, aber ich gebe mir größte Mühe, dass dir dies im Verlauf dieses Buches immer klarer wird.

Wir haben inzwischen verstanden, dass wir aufgrund unseres Schattenkindes und seiner Schutzstrategien uns selbst verletzen und manchmal auch andere Menschen. Deswegen ist es ganz wichtig, dass wir das Schattenkind vom Erwachsenen-Ich trennen, damit wir uns selbst besser regulieren und steuern können. Dies erfordert, dass wir uns immer wieder *ertappen*, wenn wir aus unserem Schattenkind heraus fühlen und handeln. Denn nur wenn wir uns ertappen, können wir aus dem Modus des Schattenkindes aussteigen und in unser Erwachsenen-Ich wechseln. Es geht bei den folgenden Übungen also ganz wesentlich um die Regulation unserer Wahrnehmung, unseres Denkens und unserer Gefühle. Anders ausgedrückt: um *Selbstmanagement*.

Wichtig ist, dass du selbst die Verantwortung für deinen Veränderungsprozess übernimmst, und das bedeutet, dass du die Übungen mitmachst und auch in deinem Alltag praktizierst. Je öfter du dies tust, desto mehr werden sich die neuen Programme und guten Gefühle in deinem Gehirn einprägen. Das ist wie wenn du einen Tanz einstudierst – am Anfang musst du das ganz konzentriert tun, und es ist etwas müheselig. Mit der Zeit spuren sich die Bewegungen jedoch immer mehr in deinem Körpergedächtnis ein, bis sie schließlich ganz automatisch ablaufen.

Übung: Finde innere Helfer

In einem meiner Seminare erzählte ein Teilnehmer, es sei für ihn so schwer, es immer wieder allein zu schaffen. Er wünschte sich einfach in manchen schwierigen Situationen, es wäre jemand bei ihm. Darauf entgegnete meine gute Freundin und Kotrainerin Karin, er müsse diese Situationen auch gar nicht allein bewältigen. Dann erzählte sie ihm von ihrer Freundin Rahmée, die in Kamerun geboren wurde und mit ihrer

Familie als kleines Kind nach Deutschland gekommen ist. Heute ist sie eine erfolgreiche Geschäftsfrau. Wenn sie in eine wichtige Verhandlung mit ihren deutschen und internationalen Geschäftspartnern geht, dann tut sie das nie allein. Hinter ihr stehen verschiedene starke Familienmitglieder: ihre Großmutter, das Familienoberhaupt, ihr Großvater, der Stammesälteste und ihr Onkel, der Medizinmann ihres Heimatdorfes. Diese Vorstellung gibt ihr die Stärke, die sie benötigt, um selbstbewusst zu verhandeln.

Diese Selbststärkung finde ich so einleuchtend wie zauberhaft, weswegen ich sie dir hiermit weiterreiche: Finde auch für dich innere Helfer und Unterstützer, die dir in schwierigen Situationen beistehen. Vielleicht ist es nur eine Person oder auch ein Team wie bei Rahmée. Du kannst dir ganz reale Personen, auch wenn sie schon verstorben sind, vorstellen. Du kannst aber auch Fantasiewesen wie eine Märchenfee oder Superman zu Hilfe holen. Lass deine Helfer einfach deiner Fantasie entspringen. Vielleicht suchst du dir auch für unterschiedliche Situationen verschiedene Helfer – je nach deren Kompetenz und deinem Bedarf.

Immer wenn du Unterstützung brauchst, stellst du dir vor, sie wären bei dir und begleiten dich. Dies gilt natürlich auch für die folgenden Übungen.

Übung: Stärke dein Erwachsenen-Ich

Um dein Schattenkind zu heilen, benötigst du einen starken und haltspendenden inneren Erwachsenen. Dieser kann nämlich verstehen, dass deine negativen Glaubenssätze einfach nur das Ergebnis deiner kindlichen Prägungen sind. Unser vernünftiger Verstand ist mit der Fähigkeit ausgerüstet, in logischen Argumenten zu denken. Argumente sind wie ein tragendes Gerüst, mit dem wir uns stärken und Sicherheit finden können. Hierauf werde ich im Laufe des Buches immer wieder zu sprechen kommen. Hier zunächst ein paar Argumente beziehungsweise

Tatsachen, die du dir vor Augen halten kannst, um einen kleinen Abstand zwischen deinem Schattenkind und deinem Erwachsenen-Ich einzulegen:

- Kein Kind kommt schlecht auf die Welt. Kinder können keine schlechten Menschen sein.
- Kinder können nerven und anstrengend sein, aber das ändert nichts an ihrem Wert. Es liegt in der Verantwortung der Eltern, sich – bevor sie Eltern werden – darüber Gedanken zu machen, ob sie den Stress der Elternschaft auf sich nehmen wollen.
- Kinder müssen sogar nerven. Denn eigentlich sind sie recht machtlos und müssen die Erwachsenen irgendwie dazu bewegen, ihre wichtigen Bedürfnisse zu befriedigen. Ihr Programm ist schließlich: Überleben! Groß werden! Alles lernen!
- Wenn Eltern mit der Erziehung ihrer Kinder überfordert sind, dann sollten sie sich Hilfe suchen. Die Kinder können nichts dafür.
- Ein Kind hat ein Recht darauf, dass seine seelischen und körperlichen Bedürfnisse erfüllt werden. Seine Eltern sind dafür verantwortlich.
- Gefühle und Bedürfnisse sind grundsätzlich normal und richtig, auch wenn ein Kind lernen muss, nicht jedem Gefühl und Bedürfnis zu jeder Zeit Ausdruck verleihen zu dürfen.
- Es ist die Aufgabe der Eltern, die Gefühle und Bedürfnisse ihres Kindes zu verstehen. Es liegt nicht in der Verantwortung des Kindes, die Gefühle und Bedürfnisse seiner Eltern zu verstehen und zu erfüllen.
- Es ist die Aufgabe der Eltern, ihr Kind zu lieben und es auf dieser Welt willkommen zu heißen, und nicht Aufgabe des Kindes, sich so zu verhalten, dass seine Eltern es lieb haben können.
- Vieles, was man bei Kindern anstrengend findet (verschiedene Interessen, Durchsetzungswille etc.), findet man bei Erwachsenen total gut und wichtig. Insofern ist es auch Aufgabe der Eltern,

diese Eigenschaften ein Stück weit auszuhalten und in gute Bahnen zu lenken. Wer sie einfach abwürgt, stellt sich selbst ein Armutszeugnis aus.   *genau?*

Es steht dir frei, anhand deiner persönlichen Geschichte und deiner persönlichen Glaubenssätze dir Gedanken wie diese zu machen, die auf deine Situation zugeschnitten sind. Übe dich also im Argumentieren. Wie gesagt, geben Argumente dem inneren Erwachsenen Stärke und Halt.

Guter Tipp: Versuche dir anzugewöhnen, wenn du über dich nachdenkst oder sprichst, immer einen kleinen Abstand zu deinem Problem herzustellen, indem du konsequent vermeidest zu denken: »*Ich habe Angst, abgelehnt, verlassen, verhöhnt usw. zu werden.*« Denke stattdessen: »*Das Schattenkind in mir* hat Angst, …« Das übe ich oft mit meinen Klienten, und das hilft wirklich, immer wieder einen kleinen Abstand zwischen sich und seinem Problem einzulegen. Diese Formulierung verhindert, dass ich mich voll und ganz mit meinem Schattenkind identifiziere.

Gebe ich dem Schattenkind einen Namen?

Übung: Das Schattenkind annehmen   *Quelle*

Es ist ein psychologisches Gesetz, dass wir umso mehr Stress und Belastung erleben, desto mehr wir gegen uns selbst ankämpfen. Viele Menschen vollziehen ihr Dasein in einem permanenten Kampf gegen sich selbst. Das ist anstrengend und fruchtlos. Die Selbstannahme ist die Voraussetzung für Entspannung und für eine fruchtbare Weiterentwicklung. Um Missverständnissen vorzubeugen: Mich selbst anzunehmen bedeutet ja nicht, dass ich alles gut an mir finden muss. Selbstannahme bedeutet, dass ich zu dem, was da ist, Ja sage. Sie ist also das Gegenteil von Selbsthass und Selbstbetrug. Selbstannahme bedeutet, dass ich meine Gefühle, die positiven wie die negativen, als zu mir gehörig annehme. Dass sie also gefühlt werden dürfen. Und Selbstannahme heißt, dass ich meine Stärken, aber auch meine Begrenzungen anerkenne. Denn nur wenn ich diese erst einmal anerkenne, kann ich sie akzeptieren, und wenn ich möchte, weiter an ihnen arbeiten. Selbstannahme bedeutet schließlich nicht Stillstand.

Für die folgende Übung schließe bitte deine Augen, und nimm innerlich Verbindung auf zu deinem Schattenkind. Das gelingt dir, indem du dir deine negativen Glaubenssätze innerlich vorsagst und in dich hineinspürst. Vielleicht kannst du dein Schattenkind aber auch leichter abrufen, wenn du einfach an eine Situation denkst, in der es ganz aktiv war beziehungsweise ist. Vielleicht eine Situation aus deiner Kindheit, in der du dich beschämt, missverstanden, einsam oder ungerecht behandelt gefühlt hast. Vielleicht auch eine Situation aus deinem Erwachsenenleben, in der dein Schattenkind sich schrecklich fühlt. Fühle, was du fühlst. Wahrscheinlich tauchen altbekannte Begleiter wie Angst, Unsicherheit, Trauer, Druck oder Wut auf. Nimm Kontakt zu den Gefühlen auf, und atme in deinen Bauchraum tief ein und aus und sage dir: *Ja, so ist es, das ist mein Schattenkind. So ist es, mein liebes Schattenkind. Du darfst jetzt einfach mal da sein. Ich heiße dich willkommen.*

Du wirst sehen, je mehr du es akzeptierst, desto ruhiger wird es. Es fühlt sich gesehen, angenommen und verstanden.

Übung: Der Erwachsene tröstet das Schattenkind

In der folgenden Übung gehen wir etwas weiter. Hier geht es darum, dass dein Erwachsenen-Ich dem Schattenkind begreiflich macht, dass es sich bei den negativen Glaubenssätzen und seinen negativen Gefühlen um eine Fehlprogrammierung handelt.

Der innere Erwachsene nimmt für diese Übung gegenüber dem Schattenkind eine sehr wohlwollende, elterliche Haltung ein. Vielleicht hilft es dir, wenn du ein altes Kinderfoto von dir vor dich hinlegst. Wenn es dir schwerfällt, zu deinem Schattenkind eine liebevolle Haltung einzunehmen, dann stell dir vor, irgendein kleines Kind wäre traurig und verschreckt. Vielleicht weil es Angst hat, dass die anderen Kindern nicht mit ihm spielen wollen. Wie würdest du es trösten? Indem du zu ihm sagst: »Stell dich nicht so an, du kleiner Schisser!«? Oder indem du es ermutigst und an die Hand nimmst und mit ihm gemeinsam zu den anderen Kindern gehst? Vermutlich Letzteres. Diese wohlwollende, freundliche Haltung kannst du auch auf den Umgang mit deinem Schattenkind übertragen. <u>Übe dich also in Wohlwollen dir selbst gegenüber.</u> Wohlwollen ist nicht nur die Essenz jeglicher zwischenmenschlichen Verbindung, sondern auch ganz wichtig, um mit <u>dir und deinem Schattenkind Frieden zu schließen.</u>

Aus dieser wohlwollenden inneren Haltung sprichst du das Schattenkind mit einer ganz freundlichen Stimme an. Du kannst ruhig laut sprechen, das ist meistens noch effektiver. Wenn du dir jedoch zu doof dabei vorkommst, dann kannst du dir deine Ansprache auch denken.

1. Der innere Erwachsene erklärt nun dem Schattenkind, wie das damals mit Mama und Papa war. Und das geht zum Beispiel so (du nimmst natürlich deine eigenen Inhalte): *Oje, mein armer Schatz. Das war damals nicht einfach für dich mit Mama und Papa. Mama war immer so müde und gestresst. Und sie war oft krank. Du hattest immer das Gefühl, dass der Mama alles zu viel ist. Deswegen warst du immer ganz lieb und artig, damit du ihr nicht auch noch zur Last fällst. Aber so richtig glücklich machen konntest du die Mama nie. Meistens war sie traurig. Und Papa war dir da auch keine Hilfe. Der hat immer mit Mama gemeckert und mit dir meistens auch. Aber wenn er gut drauf war, konnte er auch richtig lustig sein. Dann warst du richtig glücklich und hast dir inständig gewünscht, dass er seine gute Laune behält. Aber die hielt nie lange an, dann hatte er sich schon wieder mit Mama in der Wolle. Und weil Mama und Papa so unglücklich miteinander waren und deswegen immer so gestresst und überfordert, bist du zu ganz blöden Überzeugungen gekommen. Du denkst: »Ich genüge nicht.«, »Ich muss*

immer lieb und artig sein.«, »Ich falle zur Last.« ... (Hier liest du die Kernglaubenssätze ab, die du für dich gefunden hast.)

2. Bitte verwende, wenn du mit deinem Kind sprichst, Wörter aus der Kindersprache, damit sich das Kind in dir auch wirklich angesprochen fühlt. Wenn deine Mutter zum Beispiel sehr dominant gewesen ist, dann ist das Wort »dominant« aus der Erwachsenensprache. Übersetze es in Kindersprache, sage beispielsweise, dass die Mama immer so »bestimmend« war. Auch Wörter wie depressiv oder aggressiv sind keine Kindersprache und sollten entsprechend in traurig oder wütend übersetzt werden.

3. Im nächsten Schritt vermittelst du deinem Kind die wichtigste Botschaft, nämlich, dass das alles nicht seine Schuld war, und wenn Mama und Papa nicht so überfordert gewesen wären, es ganz andere Überzeugungen erworben hätte. Das könntest du zum Beispiel in etwa so sagen: *Mir ist ganz wichtig, dass du verstehst, dass das alles nicht deine Schuld war! Mama und Papa haben die Fehler gemacht und nicht du! Und wenn Mama und Papa nicht so überfordert gewesen wären oder du vielleicht sogar andere Eltern gehabt hättest, dann wüsstest du, dass du so wie du bist vollkommen genügst. Du wüsstest, dass sie ganz stolz auf dich sind. Sie lieben dich, auch wenn du mal frech bist und deinen eigenen Willen hast. Und natürlich darfst du auch mal zur Last fallen, sie kümmern sich gern um dich, wenn du sie brauchst.*

Du kannst die Sätze so formulieren, wie sie zu dir und deinen Problemen und negativen Glaubenssätzen passen. Es geht hier nicht darum, dass du den Text wörtlich übernimmst, sondern darum, dass du das Prinzip verstehst. Nämlich, dass du mithilfe deines Erwachsenen-Ichs dem Schattenkind begreiflich machst, dass seine Glaubenssätze recht beliebig sind und nichts, aber auch gar nichts, über deinen tatsächlichen Wert aussagen.

Diese Übung kannst du natürlich auch machen, wenn du eine vorwiegend glückliche Kindheit hattest und deine Eltern offensichtlich nur wenige Fehler gemacht haben. So kannst du das

Gespräch ja auch einleiten, indem du deinem Schattenkind erklärst: *Mein liebes Schattenkind, Mama und Papa haben ja vieles
richtig gemacht, und wir sind sehr froh mit ihnen, nur in einem Punkt
hätten sie etwas mehr ... / etwas weniger ...*

Ganz wichtig ist, dass du ab jetzt darauf aufpasst, dass dein Schattenkind nicht mehr die Führung in deinem Handeln übernimmt.
Das Schattenkind mag ängstlich und verzagt sein, am liebsten davonlaufen oder auch zuschlagen. Aber der Erwachsene bestimmt,
was getan wird. Das ist wie im realen Leben mit kleinen Kindern.
Hat das Kind zum Beispiel Angst, zum Zahnarzt zu gehen, dann
nimmt der liebevolle Elternteil es an die Hand und hilft ihm, den
Zahnarztbesuch zu bewältigen. Er wird aber nicht dem Kind die
Führung überlassen, indem er den Zahnarztbesuch absagt. Ebenso
wird er ihm nicht gestatten, wenn es die Schule schwänzen will, weil
es keine Lust hat, dorthin zu gehen. Und genauso kannst du dir das
mit deinem Schattenkind vorstellen: Du hörst ihm zu und gestattest
ihm, seine Ängste und Sorgen zu erzählen. Aber letztlich entschei-
dest du mit deinem vernünftigen Verstand darüber, was getan wird.

Das Gespräch mit deinem Schattenkind solltest du übrigens oft
machen, immer wieder, bis die Botschaft bei ihm endlich angekommen ist. Dafür musst du auch nicht jedes Mal ein langes Gespräch
führen. Wenn du zum Beispiel in deinem Alltag vor einer schwierigen Situation stehst und dich dabei ertappst, wie du in deinen negativen Glaubenssätzen festhängst oder in dein Angstgefühl, deine
Wut oder Verzweiflung abrutschst, dann kann es manchmal auch
reichen, wenn du deinem Schattenkind zum Trost in Gedanken
einfach nur über das Köpfchen streichelst, um es zu ermutigen oder
zu beruhigen. Du kannst es auch mit wenigen Worten trösten und
ermuntern. Durch diese Geste stellst du einen kleinen Abstand her
zwischen deinem Kindheitsprogramm und deiner erwachsenen
Realität. Hierdurch kann dein Programm nicht mehr einfach automatisch ablaufen. Du hast durch den kleinen Abstand zwischen der

Wahrnehmung deines Schattenkindes und deinem inneren Erwachsenen die Möglichkeit, dein Muster selbst zu reflektieren. Dadurch entsteht die Chance, zu neuen Entscheidungen für dein Verhalten zu kommen.

Übung: Überschreiben alter Erinnerungen

Wie wir bereits erfahren haben, hinterlassen die Erfahrungen, die wir mit unseren Eltern oder anderen Bezugspersonen gemacht haben, Gedächtnisspuren in uns. Dieser Erinnerungsfilm ist in unserem Gehirn durch die Verschaltungen unserer Nervensynapsen kodiert. Manchmal reichen kleine Trigger, um voll in die alte Erinnerung zurückgeschleudert zu werden, selbst wenn diese dann noch nicht einmal bewusst auftaucht – ich erinnere an Michael und die vergessene Wurst. Manche Erinnerungen sind so tief in unserem Gehirn eingespurt, dass wir immer wieder und sehr schnell in unser altes Muster verfallen. Wir können diese Filme jedoch neu gestalten. *Unser Gehirn unterscheidet nämlich nicht gut zwischen Vorstellung und Wirklichkeit.* So brauchen wir uns nur eine stressige Situation, wie beispielsweise eine bevorstehende Prüfung, vorzustellen, um Angst zu verspüren. Entsprechend kannst du deine Vorstellungskraft auch benutzen, um negative Erinnerungen neu zu gestalten. Es besteht also hirntechnisch die Möglichkeit, alte Erinnerungen zu überschreiben. Das hilft bei der Selbstheilung alter Wunden. Durch die Überschreibung verändern wir ein Stück weit die Vergangenheit und damit auch die negativen Gefühle, die sie hervorrufen kann. Wie Erich Kästner bereits sagte: Es ist nie zu spät für eine gute Kindheit.

Die folgende Übung kommt aus der Schematherapie, und ich habe sie aus dem gleichnamigen Buch von Gitta Jacob und Arnoud Arntz entlehnt.

Du wirst dich wahrscheinlich mindestens an eine, wenn nicht mehrere Situationen in deiner Kindheit erinnern, die zumindest »ungünstig«, wenn nicht gar sehr bedrückend, beängstigend oder im schlimmsten Fall – traumatisierend – waren. Situationen, die vielleicht typisch für eine gewisse Erziehungshaltung deiner Eltern beziehungsweise Pflege-personen waren.

1. Finde bitte eine konkrete Situation aus deiner Kindheit, die im Zusammenhang mit den Prägungen deines Schattenkindes steht. Sofern diese Erinnerung sehr belastende Gefühle hervorruft, ist es nicht nötig, dass du innerlich voll in sie einsteigst. Wenn du also beispielsweise erlebt hast, dass ein Elternteil dich misshan-delt hat, dann kann es schon reichen, wenn du dir vorstellst, wie dieser Elternteil die Hand hebt – du musst nicht die ganze Szene abspulen. Allerdings solltest du die sogenannte »Feldperspekti-ve« einnehmen, das heißt, du siehst dich in dieser Erinnerung nicht von außen, sondern durch die Augen des Kindes, das du damals gewesen bist.

2. Fühle genau, was du in dieser Situation gefühlt hast – wobei du, wie gesagt, nicht ganz tief in das Gefühl einsteigen musst. Wenn du also beispielsweise Angst empfunden hast, dann reicht es, wenn du in der Erinnerung nur ein bisschen Angst fühlst.

3. Male dir mithilfe deiner Fantasie aus, wie dir in dieser Situation geholfen wird. Du lässt also eine Hilfsperson in der Szene er-scheinen, wobei die Wahl der Hilfsperson völlig frei ist. Das kann also eine reale Person wie die liebe Tante oder Großmutter sein, aber es kann sich auch um eine fiktive Person wie Superman oder eine Märchenfee handeln. Deiner Fantasie sind in dieser Übung keine Grenzen gesetzt. Du kannst sogar selbst als Er-wachsener in dieser Situation erscheinen und eingreifen. Im Fol-genden gebe ich dir ein paar Anregungen, wie du die Situation für dich überschreiben kannst:

    • Wenn deine Pflegeperson sehr gestresst und gereizt war, kannst du dir vorstellen, wie eine Hilfsperson auftaucht und ihr erklärt, dass sie so nicht mit dir umgehen darf. Deine Pflegeperson wird in Psychotherapie geschickt, und eine gute Fee ist fortan immer an deiner Seite, die dich beschützt.

- War deine Pflegeperson sehr bedrohlich, dann kannst du dir vorstellen, dass die Polizei oder ein Actionheld kommt und sie wegsperrt.

- War deine Pflegeperson oft traurig und deprimiert, sodass du dich als Kind um sie gekümmert hast, kann ein Mitarbeiter vom Jugendamt kommen und dafür sorgen, dass das Kind, das du warst, spielen gehen darf und sich um den hilfsbedürftigen Elternteil gekümmert wird. Zudem kann für das Kind eine verlässliche und beschützende Bindungsperson gefunden werden – die wiederum aus der realen oder aus der Fantasiewelt entnommen werden kann.

- War deine Pflegeperson sehr streng und fordernd, erklärt deine Hilfsperson ihr, dass man Kinder auch loben muss, und zeigt ihr, wie sie sich besser in das Kind einfühlen kann. Die Pflegeperson erhält beispielsweise einen Coach, der ständig an ihrer Seite ist und das Kind hierdurch beschützt.

Du kannst dir also mit allen Mitteln deiner Fantasie ein Happy End gestalten. Diese Übung ist natürlich auch hervorragend geeignet für belastende Erinnerungen, die nichts mit deinen Eltern zu tun haben.

Übung: Bindung und Sicherheit für das Schattenkind

Diese Übung zielt auf die kindlichen und erwachsenen Bedürfnisse nach Liebe und Bindung ab. Hierfür verstärkst du in deiner Vorstellung positive Bindungserfahrungen, die du mit deinen Eltern oder anderen nahen Verwandten gemacht hast. Du tauchst also innerlich noch einmal in ganz schöne, nahe, liebevolle, kuschelige und zärtliche Momente ein, die du mit deinen Pflegepersonen erlebt hast. Tauche in die Situation ein, und gib Gefühlen von Geborgenheit, Sicherheit und Aufgehobensein in dir Raum. Spüre die Bindung, spüre, dass du in diesem Moment sehr willkommen und geliebt warst.

Solltest du in deiner Erinnerung keine nahen Momente mit deinen Eltern oder nahen Verwandten finden, dann kannst du dir Fantasieeltern suchen. Lass dir von deiner Fantasie die Eltern schenken, die du als Kind gebraucht hättest – diese können reale Personen sein, wie vielleicht die Eltern einer guten Freundin. Oder auch Fantasiefiguren. Schließe die Augen, und lasse dir von deinem Unbewussten einfach liebevolle Eltern schenken.

Male dir aus, wie froh und glücklich deine neuen Eltern mit dir sind. Lass sie sich genauso verhalten, wie du es dir als Kind gewünscht hättest. Gib dir ein ganz neues Zuhause. Du kannst deine neuen Eltern in jeder Situation herbeirufen, in der du sie benötigst.

Übung: Schreibe deinem Schattenkind einen Brief

Für diese Übung kann es hilfreich sein, wenn du dir ein Kinderfoto von dir vorlegst. Und dann schreibst du deinem Schattenkind einen Brief, und zwar so, wie eine liebe Mama oder ein lieber Papa einem Kind schreiben würde, um das es sich sorgt und das es trösten will. Zum Beispiel so:

Meine liebe kleine Rikki,
du bist ein ganz tolles Mädchen, und ich bin sehr stolz auf dich. Und es tut mir sehr leid, dass du dir immer so viel Kummer mit deiner Figur machst. Für mich brauchst du gar nicht perfekt zu sein. Ich habe dich lieb – genau so, wie du bist. Und ich sehe ganz viel Schönes an dir! In meinen Augen bist du das süßeste Mädchen, das ich kenne. Hör bitte auf, dich mit den Models im Fernsehen und in Zeitschriften zu vergleichen. Geh lieber auf die Straße und ins Schwimmbad, und schau dich da um, damit du mal merkst, dass die wenigsten Frauen und Mädchen so aussehen wie im Modemagazin. Mach dich also bloß nicht verrückt. Deine dich ganz doll liebende große Rikki

Hier noch ein weiteres Beispiel:

Mein lieber Jürgen,
du machst dir immer so einen Kopf um alle möglichen Dinge. Du hast immer so fürchterliche Angst, zu versagen und sozial abzurutschen. Ständig gibst du deswegen Vollgas im Beruf, aber auch in deiner Freizeit. Ich will dir mal sagen, dass du dich nicht immer so verausgaben musst. Du genügst, so wie du bist. Und du machst deine Sache gut genug, auch wenn du mal ein bisschen lockerlässt. Deine ganzen doofen Glaubenssätze wie »Ich genüge nicht«, »Ich muss es alleine schaffen« kommen doch von früher, von Mama und Papa. Ich meine, da hattest du es auch nicht leicht. Mama war immer gestresst, und Papa war fast nie daheim. Du hast dich immer unheimlich angestrengt, um Mama glücklich zu machen. Aber richtig gelungen ist dir das nie. Sie war immer so erschöpft und unglücklich. Da dachtest du, du müsstest ein noch besserer Junge sein. Deswegen hast du dich mächtig angestrengt in der Schule. Aber guck doch mal, dass Mama immer so schlecht drauf war, war doch nicht deine Schuld! Mama hätte sich damals Hilfe holen sollen, am besten hätte sie mal eine Psychotherapie gemacht. Schließlich war sie immer so überfordert, weil ihr eigenes Schattenkind auch so viele Selbstzweifel hatte. Mama dachte auch schon immer, sie würde nicht genügen. Aber dafür konntest du doch nichts! Und heute sieht die Welt doch ganz anders aus. Wir sind erwachsen und frei! Lass uns das Leben doch endlich mal genießen! Du musst nicht immer der Beste sein. Entspanne dich, und geh mal wieder auf den Fußballplatz – das hast du doch immer so gern gemacht. Sorge dafür, dass du mehr Spaß hast. Das tut deiner Stimmung viel besser als die Schufterei.
Alles Liebe
dein Jürgen

Übung: Verstehe dein Schattenkind

Auch die folgende Übung soll dir helfen, die Wahrnehmung deines Schattenkindes von jener deines inneren Erwachsenen zu differenzieren, um somit in deinen Entscheidungen und Handlungen freier zu werden.

1. Nimm dir für diese Übung ein konkretes Problem vor, das du mit einem anderen Menschen oder mit dir selbst hast. Nimm zwei Stühle und stell sie gegenüber. Dann setzt du dich auf den einen Stuhl und gehst ganz bewusst in dein Schattenkind. Sprich über dein Problem, indem du es ausschließlich aus der Perspektive des Schattenkindes erzählst. Lass das Schattenkind über seine Gefühle sprechen und über seine Glaubenssätze, die mit dem Problem zu tun haben. Nimm ganz bewusst wahr, wie dein Problem sich anhört und anfühlt, wenn du es gänzlich aus der Perspektive des Schattenkindes erzählst und erlebst.

2. Dann steige aus dem Modus des Schattenkindes aus, und tritt ganz bewusst in den Modus des inneren Erwachsenen. Um dein Schattenkind »abzuschütteln«, kannst du deinen Körper mit den flachen Händen abklopfen oder hüpfen. Im Modus des inneren Erwachsenen setzt du dich auf den anderen Stuhl. Aus dieser Position betrachtest du das Schattenkind, das eben noch auf dem Stuhl gegenüber gesessen hat, und analysierst dein Problem mit deinem kritischen Verstand.

Hierfür ein Beispiel: Babsi leidet unter Panikattacken. Sie hat Angst, allein von A nach B zu gehen oder zu fahren. Sie befürchtet, die Kontrolle zu verlieren und in Ohnmacht zu fallen. Ich bitte sie, sich gänzlich in ihr Schattenkind einzufühlen und mir ihr Problem von dort aus zu schildern.

Das Schattenkind: »Wenn ich mir vorstelle, allein auf die Straße zu gehen, bekomme ich direkt Panik. Ich fühle mich klein und hilflos. Ich habe schreckliche Angst umzufallen. Das wäre mir so peinlich. Vielleicht könnte ich auch sterben. Keiner hilft mir. Meine Mama soll kommen und bei mir sein. Allein schaffe ich das nicht!«

Nun bitte ich Babsi, den Stuhl zu wechseln und sich ganz mit ihrem Erwachsenen-Ich zu identifizieren.

Das Erwachsenen-Ich: »Ich sehe da das kleine Mädchen, das sich eigentlich gar nicht traut, auf eigenen Füßen zu stehen. Dabei kann ihr doch objektiv gesehen gar nichts passieren – selbst wenn sie ohnmächtig würde, was total unwahrscheinlich ist, dann würden Passanten sich ganz bestimmt um sie kümmern. Nein, ich denke, ihr eigentliches Problem ist, dass die Kleine meint, sie könnte sich ohne ihre Mama nicht zurechtfinden. Mir wird von hier aus klar, dass sie gar nicht gelöst ist von ihren Eltern. Sie will, dass sich jemand um sie kümmert und die Verantwortung für sie übernimmt. Sie fühlt sich nicht selbstständig – dem Leben gar nicht gewachsen. Ich glaube, ich muss mich mehr um sie kümmern. Ihr öfter mal zuhören, wie sie sich eigentlich fühlt ...«

Babsi wird also durch den Stuhldialog klar, dass sich hinter ihrer Angst, allein das Haus zu verlassen, alte Kinderängste verbergen. Ihr wird hierdurch bewusst, dass sie das Schattenkind, das sich nach Zuwendung und Unterstützung sehnt, verdrängt hatte. Durch diese Erkenntnis kann sie ihre mangelnde Loslösung von den Eltern reflektieren und aktiv daran arbeiten, dass sie selbstständiger wird und mehr Selbstvertrauen gewinnt.

Den meisten Menschen fällt es schwer, ihr inneres Kind tatsächlich vom inneren Erwachsenen zu trennen. So reden sie beispielsweise in der Kindposition in der Erwachsenensprache und sagen Dinge, die ein kleines Kind so niemals formulieren würde und umgekehrt. So war es auch anfangs bei Babsi – der obige Stuhldialog ist von mir zusammengefasst und bereinigt worden. So sagte Babsi zum Beispiel im Modus des Schattenkindes: »Ich weiß ja, dass meine Ängste übertrieben sind.« Diese vernünftige Einschätzung entsprang jedoch ihrem Erwachsenen-Ich. In der Erwachsenenposition sagte sie hingegen: »Ich möchte mich am liebsten nur noch daheim verkriechen« – ein Wunsch, der wiederum aus dem Schattenkind kommt. Vielleicht wendest du jetzt ein, warum denn nicht auch die erwachsene Babsi den Wunsch haben kann, sich daheim zu verkriechen? Die Antwort ist, weil dieser Wunsch aus der Angst ihres Schattenkindes resultiert, da draußen in der Welt nicht klarzukommen. Die erwachsene Babsi geht nämlich sehr gern unter Menschen, wenn da nicht ihre Ängste wären.

Es ist tatsächlich nicht leicht, immer sauber zu trennen, was der kindliche und was der erwachsene Anteil ist. Deswegen achte in der Kindposition ganz genau darauf, dass du auch wirklich wie ein Kind redest und fühlst. Und sei in der Erwachsenenposition ganz aufmerksam dafür, dass du dein Problem ganz nüchtern und unemotional analysierst.

Du kannst die Übung natürlich auch schriftlich machen, da fällt es manchmal leichter, die beiden Anteile auseinanderzuhalten.

Übung: Die drei Positionen der Wahrnehmung

Diese Übung knüpft eng an die obige an. Allerdings solltest du sie eigentlich gar nicht als »Übung« begreifen, sondern als eine Hilfe, deine Wirklichkeit zu strukturieren. Die drei Positionen der Wahrnehmung sind sozusagen der solide Grund, auf dem du deine Probleme lösen und deine Gefühle regulieren kannst. Am Anfang kannst du die drei Wahrnehmungspositionen üben, indem du auch tatsächlich deine Position im Raum veränderst, dann solltest du sie zunehmend in deinen Kopf verlagern, sodass du immer und überall auf sie zurückgreifen kannst.

Stelle dir bitte einen typischen Konflikt mit einer Person vor, der dir immer wieder begegnet. Das kann zum Beispiel sein, dass du immer wieder findest, dass dein Partner dich gar nicht richtig sieht und ernst nimmt. Oder dass dein Chef dir immer viel zu viele Aufgaben auf den Tisch knallt. Oder dass die Kollegin jedes Mal dich um Rat fragt, auch wenn du bis über beide Ohren in Arbeit steckst, oder, oder ...

1. Suche dir einen Platz im Raum (stehend). Gehe in dein Schattenkind. Betrachte ein Problem, das du mit Person XY hast, ausschließlich aus der Perspektive des Schattenkindes. Nimm bewusst wahr, wie das Schattenkind das Problem fühlt und welche Glaubenssätze hier wirken.

2. Schüttle dein Schattenkind ab, indem du dich abklopfst oder hüpfst, und dann begib dich auf eine andere Position im Raum, und schlüpfe in deinen Interaktionspartner. Betrachte dich und die Situation aus seinen Augen. Wie fühlt er oder sie sich mit dir?

3. Begib dich auf eine dritte Position im Raum, und betrachte euch beide von außen. Gehe also auf den Modus deines Erwachsenen-Ichs und analysiere die Situation von außen. Nimm dich und deinen Interaktionspartner wie Schauspieler auf einer Bühne wahr. Überlege dir, was du deinem Schattenkind raten würdest.

Was du dir unbedingt bewusst machen musst, ist, dass das Schattenkind ganz schnell an Augenhöhe verliert. Wenn es in dieser Perspektive gefangen ist, mutiert das Gegenüber schnell zum Feind. Aus der Perspektive des Schattenkindes muss man: *sich schützen, angreifen, sich rechtfertigen oder flüchten.*

Hierzu noch ein Beispiel aus meiner Praxis: Hermann (69 Jahre) ist seit ein paar Jahren mit Miranda (65 Jahre) liiert. Sein Schattenkind trägt unter anderem Glaubenssätze in sich wie: »Ich darf mich nicht wehren!«, »Ich muss mich dir anpassen!«, »Ich darf nicht ich sein!« Aus diesem Grund hat es als Schutzstrategie einen enormen Flucht-Freiheit-Drang entwickelt. Mit anderen Worten ausgedrückt: Hermann leidet unter Bindungsangst. In einer Therapiesitzung erzählte er mir, dass er sich (mal wieder) über Miranda geärgert habe: Er habe ursprünglich von einem Kurztrip mit Freunden am Sonntagabend nach Hause kommen wollen. Dann habe sein erwachsener Sohn Manuel ihn jedoch um einen Besuch gebeten (er sei gerade in dessen Nähe gewesen), was er spontan gemacht habe. Er habe Miranda angerufen und ihr mitgeteilt, dass er sich um einen Tag verspäten würde. Am Montag habe sein anderer Sohn Bernd seinen Bruder besucht, und beide hätten ihn gebeten, doch noch einen weiteren Abend zu bleiben. Auch diese Idee habe er gut gefunden und Miranda informiert, dass er noch eine weitere Nacht bleibe. Da habe Miranda angefangen »zu maulen«. Dies habe ihn so genervt, dass er am liebsten (mal wieder) Schluss gemacht hätte.

Mit Hermann habe ich die drei Positionen erarbeitet:

1. Position: das Schattenkind: »Was hat die mir Vorschriften zu machen? Kann ich nicht machen, was ich will? Muss ich nach ihrer Pfeife tanzen? Ist da kein Raum mehr für Flexibilität? Ich bin echt sauer!«

2. Position: Hermann versetzt sich in Miranda: »Ich bin enttäuscht, ich hatte mich auf ihn gefreut am Sonntagabend und dann auf den Montagabend, und schließlich kommt er erst am Dienstag. Er macht ständig, was er will. Ich habe da irgendwie kein Mitspracherecht. *Er* bestimmt ständig, wann er mir nahe sein will und wann nicht.«

3. Position: der Erwachsene Hermann: »Oh Mann, das ist ja gar nicht Miranda, die alles bestimmt, sondern *ich* bin der Dominante. Alles geht nach meiner Nase. Wenn ich spontan meine Pläne ändere, dann hat Miranda das gefälligst hinzunehmen, und dabei fühle ich mich dann noch als das Opfer. Shit.«

Durch die konsequente Trennung dieser drei Wahrnehmungspositionen konnte Herman sein Problem aus einem ganz neuen und viel angemesseneren Winkel betrachten. In seinem Alltagsleben ist er nämlich meistens in der ersten Position, also vollends mit seinem Schattenkind identifiziert. Aus der ersten Position kann er nicht über seinen eigenen Tellerrand blicken. Hier hat er nur Mitgefühl für sich selbst und kann keinerlei Empathie für Miranda aufbringen. Aus der Schattenkindposition fühlt er sich als das arme Opfer. In der zweiten und dritten Position kann er seinen Anteil an der Situation erkennen und realisieren, dass er derjenige ist, der einen hohen Machtanspruch hat und nicht seine Freundin. Diese Erkenntnis verändert seine Gefühle, und hierdurch kommt er zu neuen Verhaltensweisen. In seinem Fall: mit Miranda viel öfter Kompromisse auszuhandeln. Damit ihm der Transfer dieser Übung in den Alltag gelingt, hat er mit Miranda vereinbart, sich in akuten Situationen eine kurze Auszeit zu nehmen.

Hermann gehört zu jenen, die ihr Schattenkind beschützen, indem sie sich gegen die vermeintlichen Ansprüche ihrer Mitmenschen abgrenzen und sich aus dem Kontakt zurückziehen. Er befindet sich also häufig auf der ersten Position. Menschen, die ihr Schattenkind hingegen durch Harmoniestreben und Anpassung beschützen, haben oft das Problem, dass sie sich zu schlecht abgrenzen können: Sie befinden sich also häufig auf der zweiten Wahrnehmungsposition, das heißt, sie fühlen zu viel mit, was die anderen wollen und von ihnen erwarten. Diese Menschen müssen lernen, ein stärkeres Gespür dafür zu entwickeln, was sie eigentlich selbst wollen und was ihnen wichtig ist. Sie müssen also besser lernen, sich abzugrenzen. Hierfür bietet dieses Buch noch zahlreiche Anregungen.

Entdecke das Sonnenkind in dir

Das Sonnenkind ist ein innerer Gefühlszustand, den wir alle lieben! Aber was macht das Sonnenkind in uns eigentlich aus? Da ist zunächst einmal die Fähigkeit, sich ganz dem Hier und Jetzt hinzugeben. Das Sonnenkind liebt Spaß und Quatsch, und es ist neugierig und spontan. Es denkt nicht über sich selbst nach, und es mag sich so, wie es ist. Es vergleicht sich auch nicht mit anderen Kindern, weil sein Blick nicht auf sich selbst gerichtet ist, sondern auf die Welt da draußen. Weil es sich nicht ständig selbst beobachtet, macht es sich auch keine Gedanken darum, welchen Eindruck es bei den anderen Kindern hinterlässt. Es kann einfach spontan laut lachen, hüpfen, singen und springen und das Leben genießen, aber auch selbstversunken arbeiten und lernen.

Das Freude- und Spaßpotenzial eines unbeschwerten Kindes tragen wir alle in Form unseres Sonnenkindes in uns, auch wenn wir es vielleicht nur selten anzapfen. Erinnere dich einmal, wie du als Kind völlig gedankenverloren spielen und laut lachen konntest. Erinnere dich an deine kindliche Neugier und Abenteuerlust. Hole dir die Spontaneität und Unbefangenheit vor Augen, mit der du als Kind die Welt betrachtet hast. Überlege einmal, wie wenig du dich als kleines Kind mit anderen verglichen hast. Mache dir bewusst, dass deine heutigen, erwachsenen Normen von schön und hässlich, richtig und falsch, Erfolg und Misserfolg, kaum eine Rolle in deinem kindlichen Denken gespielt haben: Die Dinge waren eben einfach so, wie sie waren. Erinnere dich an die glücklichen Momente mit deiner Familie und den Spaß, den du mit deinen Spielfreunden hattest.

Wenn wir neue Wege gehen und uns von unseren alten Mustern befreien wollen, dann hilft es wenig, wenn wir uns vornehmen, nicht mehr an unser altes Programm zu glauben, sondern wir benötigen eine Vision, an was wir *stattdessen* glauben wollen. Wir benötigen einen Zielzustand, an dem wir uns orientieren und festhalten können. Wir benötigen etwas, das wir an die Stelle des Alten setzen können. Zu diesem Zweck werden wir im Folgenden die Übung, die wir zu unserem Schattenkind gemacht haben, wiederholen – diesmal jedoch wirst du dein Sonnenkind entdecken. Diesmal suchen wir nach *unterstützenden Glaubenssätzen,* und wir werden uns deinen *Stärken* zuwenden. Zudem suchen wir nach deinen persönlichen *Werten*, die dir ebenfalls Halt und Geleit für neue Einstellungen und Verhaltensweisen vermitteln können. Und schließlich zeige ich dir Wege auf, wie du deine Beziehungen gesünder und tragfähiger gestalten kannst. Ich werde dir also alternative Verhaltensweisen zu deinen Schutzstrategien aufzeigen. Diese bezeichnen wir als die *Schatzstrategien.*

Wir wollen also das Sonnenkind in dir zur ganzen Entfaltung bringen. Hierbei wird es jedoch nicht darum gehen, dich quasi »neu zu erfinden«, denn das allermeiste an dir ist bereits gut und richtig. Denke immer daran: Du bist ein leuchtender Stern von Geburt an. Wir wollen nur jene Einstellungen und Verhaltensweisen positiv verändern, mit denen du dir selbst – und manchmal auch deinen Mitmenschen – Probleme bereitest. Bevor wir jedoch zu den konkreten Übungen schreiten, möchte ich noch ein paar Worte über die eigene Verantwortlichkeit verlieren.

Du bist für dein Glück verantwortlich

Wir leben zumeist in der Illusion, dass andere Menschen, Ereignis-se und Umstände Gefühle in uns auslösen würden. So meinte ja auch Michael in unserem anfänglichen Beispiel, Sabine sei schuld an seiner Wut, weil sie die Wurst vergessen hatte. Und so wie Mi-chael fühlen und denken die meisten Menschen. Ist der Ehepartner morgens schlecht gelaunt, zieht es uns herunter. Erhalten wir ein Kompliment, freuen wir uns. Werden wir kritisiert, sind wir ge-knickt oder verärgert. Stehen wir im Stau, sind wir genervt. Wir erleben unsere Gefühle und Stimmungen häufig als etwas, das durch äußere Geschehnisse ausgelöst wird – sei es durch unsere Mitmenschen oder durch Widerfahrnisse. Diese Wahrnehmung verleitet uns dazu, andere Menschen oder das Schicksal für unsere Probleme und für unsere Stimmung verantwortlich zu machen. Wir denken, der untreue Partner ist schuld, dass es uns so schlecht geht – oder die launische Chefin, oder die Wechseljahre, das Wetter, oder das kaputte Auto usw. Tatsächlich sind wir jedoch selbst für unsere Stimmung und natürlich auch für unsere Entscheidungen verantwortlich – beides ist schließlich auch sehr eng miteinander verknüpft. Letztlich liegt es an uns selbst, welche Haltung und wel-che Einstellung wir zu den Ereignissen entwickeln. So könnten wir, anstatt gekränkt zu sein, uns auch darüber freuen, dass der Partner etwas erotische Abwechslung genießt. Die launische Chefin könnte unser Mitgefühl erregen. Die Wechseljahre könnte frau als eine spannende Zeit des Wandels begrüßen. Das Wetter könnte man ge-lassen hinnehmen. Das kaputte Auto könnte als eine Chance ergrif-fen werden, um sich mehr zu bewegen und/oder sich ein besseres Auto anzuschaffen. Jedes dieser Ereignisse könnte man als eine gute Übung in Sachen Geduld und Gelassenheit annehmen.

Das mag dir jetzt vielleicht etwas absurd und esoterisch anmu-ten: Wer kann sich tatsächlich vorstellen, völlig unabhängig von den äußeren Ereignissen immer gut drauf zu sein? Ich glaube übri-

Geduld und Gelassenheit

gens auch nicht, dass dies möglich ist. Vermutlich gibt es keinen Menschen, der vollkommen erhaben über das Verhalten seiner Mitmenschen oder persönliche Schicksalsschläge ist, egal wie viel er in seinem Leben bereits reflektiert und meditiert haben mag. Gleichwohl haben wir viel mehr Spielräume und Gestaltungsmöglichkeiten hinsichtlich unserer Gefühle, Gedanken, Stimmungen und Handlungen, als wir gemeinhin annehmen.

Wir können aber nur einen aktiven Einfluss auf unsere seelische Befindlichkeit nehmen, wenn wir unsere eigene Verantwortung für diese anerkennen. Oft bemerkt man nämlich gar nicht, dass man seine Verantwortung delegiert. So ist das manchmal auch bei meinen Klienten. So hegen manche von ihnen die diffuse Erwartung, ich könnte ihre Probleme lösen. Sie kommen pünktlich zu jedem Termin und hoffen, dass ich irgendetwas mit ihnen veranstalte, das sie von ihrem Kummer erlöst. Aber so funktioniert das nicht. In der Psychotherapie kann man die Menschen nicht wie in der Medizin be-handeln. Wenn der Klient erwartet, er könnte eine Psychotherapie passiv beanspruchen, in dem Sinne, dass der Psychotherapeut die Arbeit leistet und der Klient diese als eine Art Dienstleistung entgegennimmt, dann wird er keine Fortschritte machen. Die Klienten, die wenig Verantwortung für sich übernehmen, haben zwar manchmal während einer Sitzung gute Einsichten, aber sie setzen diese nicht um. Andere Klienten hingegen arbeiten zwischen den einzelnen Sitzungen ganz aktiv an ihren Problemen, indem sie sich beobachten, reflektieren, neues Verhalten üben und so weiter. Diese machen zügig Fortschritte, während die anderen auf der Stelle treten. Und genauso kannst du es mit diesem Buch halten: Du kannst es einfach nur lesen und hoffen, dass sich hierdurch irgendetwas verbessert. Oder du kannst für deinen Veränderungsprozess die Verantwortung übernehmen und aktiv mit diesem Buch arbeiten.

Ich möchte dich bitten, einmal darüber nachzudenken, in welchen Lebensbereichen du deine Verantwortung delegierst: In welchen Bereichen meinst du, jemand anderes müsste sich verändern, damit es dir besser geht? Inwieweit wähnst du dich abhängig und bestimmt von äußeren Umständen? Oder deinen Launen und Stimmungen ausgeliefert? Wahrscheinlich würde dein Erwachsenen-Ich einige Ideen haben, wie man die Situation oder seine Stimmung in eigener Verantwortung verbessern könnte. Der Erwachsene weiß beispielsweise, dass es besser wäre, den Job zu wechseln oder, wenn das nicht geht, seine Einstellung zu der Arbeit zu verändern. Der Erwachsene weiß, dass es wenig Sinn macht, darauf zu warten, dass der Partner sich verändert und es viel sinnvoller wäre, den Partner so zu nehmen, wie er ist. Oder er weiß, dass er sein eigenes Verhalten dem Partner gegenüber verändern könnte, um somit seinerseits die Beziehungsqualität zu verbessern. Vielleicht weiß der Erwachsene aber auch, dass es besser wäre, sich von seinem Partner zu trennen. Vielleicht hast du aber auch gar keinen Partner und hoffst, dass dieser irgendwann vor der Tür steht? Aber aufgepasst: Dieses wäre eine Hoffnung des Schattenkindes. Der innere Erwachsene wüsste, dass er sich selbst aktiv auf die Suche begeben müsste.

Der Erwachsene weiß nämlich meistens, was zu tun wäre. Es ist das Schattenkind, das Angst vor einer Veränderung hat und hierdurch die Tatkraft des Erwachsenen lähmt. Meistens aus der Angst zu scheitern. Denn wenn ich die Verantwortung für mein Handeln übernehme, dann muss ich mich auch dem Risiko des Scheiterns stellen. Hierfür benötige ich jedoch eine gewisse Frustrationstoleranz, also die Fähigkeit, negative Gefühle auch einmal auszuhalten.

Wie ich schon am Anfang dieses Buches ausgeführt habe, gibt es natürlich auch Schicksalsschläge, die nicht innerhalb der eigenen Verantwortung liegen und an denen man selbst wenig verändern kann. So wenn ein geliebter Mensch stirbt oder man selbst schwer erkrankt. Auch Menschen, die in Kriegs- und Krisengebieten leben, haben nur sehr bedingt Einfluss auf ihr Schicksal. In diesen Fällen ist es natürlich ungleich schwerer, zu einer inneren Haltung zu finden, mit der man sein Schicksal meistern kann. Aber selbst unter den schlimmsten Lebensumständen schaffen es manche Menschen, sich innerlich so einzustellen, dass sie ihr Schicksal annehmen und hierdurch auch in gewisser Weise gestalten können, selbst wenn sie sterben müssen.

Da deine Probleme hoffentlich weniger dramatisch sind als die eben genannten, versuche bitte zu einer Haltung zu finden, dass du selbst für dein Glück verantwortlich bist – und zwar zu 100 Prozent. Warte nicht darauf, dass die anderen sich verändern oder darauf, dass »irgendetwas« passiert, sondern greife in dein Leben ein und ändere, was du verändern möchtest. Die folgenden Übungen werden dich auf diesem Weg unterstützen.

Übung: Finde deine positiven Glaubenssätze

Wir wollen uns nun deines Sonnenkindes annehmen. Für diese und die folgenden Übungen benötigst du ein neues Blatt Papier und bunte Stifte.

Nun malst du bitte noch einmal eine Kindersilhouette auf ein mindestens DIN-A4-großes Blatt Papier. Diese soll im Unterschied zum Schattenkind ganz bunt, schön und fröhlich werden. Das Sonnenkind wird dein Zielzustand, und er soll deswegen auch optisch sehr ansprechend sein. Das motiviert und macht Lust auf neue Erfahrungen. Also gestalte dein Sonnenkind so schön, als wolltest du einen Malwettbewerb gewinnen. Male ihm auch ein Gesicht, Haare, und dekoriere das Blatt ganz nach deinem Geschmack und Belieben (siehe Abbildung auf dem Innendeckel der Rückseite des Buches).

Wir werden jetzt deine positiven Glaubenssätze finden. Dies tun wir in zwei Schritten: erstens schauen wir, welche positiven Glaubenssätze du von deinen Eltern oder andere Pflegepersonen übernommen hast, und zweitens drehen wir die Kernglaubenssätze, die du bei deinem Schattenkind gefunden hast, in ihr positives Gegenteil um.

1. Positive Glaubenssätze aus der Kindheit

Falls deine Beziehung zu deinen Eltern gut genug ist, dass du sie bei deinem Sonnenkind dabeihaben möchtest, dann schreibe Mama und Papa beziehungsweise deine Pflegepersonen rechts und links neben den Kopf deiner Sonnenkindschablone, und überlege dir diesmal, welche guten Eigenschaften sie hatten, was haben sie richtig gemacht? Notiere sie bitte.

Falls du deine Eltern nicht bei deinem Sonnenkind haben möchtest, weil deine Beziehung zu ihnen zu schwierig ist/war, dann lässt du diesen Teil der Übung entweder ganz weg, oder du notierst die guten Eigenschaften deiner Eltern auf einem Extrablatt und schreibst dann nur die positiven Glaubenssätze, die du von ihnen übernommen hast, in dein Sonnenkind.

Vielleicht hast du aber auch eine liebe Oma, eine nette Nachbarin oder einen verständnisvollen Lehrer, die oder der dir in deiner Kindheit Wärme gespendet hat? Dann kannst du diese Person dort aufführen.

Wenn du die guten Eigenschaften deiner Eltern oder anderer Bezugspersonen notiert hast, dann spüre einmal in dich: Welche positiven Glaubenssätze hast du von ihnen erworben? Um dir dabei zu helfen, hier eine Liste mit positiven Glaubenssätzen.

Positive Glaubenssätze

Ich werde geliebt!
Ich bin wertvoll!
Ich genüge!
Ich bin willkommen!
Ich werde satt!
Ich bekomme genug!
Ich bin klug!
Ich bin schön!
Ich habe ein Recht auf Freude!

Ich darf Fehler machen!

Ich habe Glück verdient!

Das Leben ist leicht!

Ich darf ich sein!

Ich darf auch mal zur Last fallen!

Ich darf mich wehren!

Ich darf meine Meinung haben!

Ich darf fühlen!

Ich darf mich abgrenzen!

Ich schaffe das.

Falls du mehrere positive Glaubenssätze gefunden hast, wähle bitte höchstens zwei aus, und trage sie in den Brustraum deiner Kinderschablone ein. Auch hier wollen wir uns – wie bei den negativen Glaubenssätzen – etwas begrenzen, damit du im Alltag leichter mit ihnen arbeiten kannst.

2. Umdrehen der Kernglaubenssätze

Nun nimmst du dir bitte die negativen Kernglaubenssätze vor, die du auf Seite 73ff. identifiziert hast. Diese wollen wir jetzt in ihr positives Gegenteil verkehren. Bei Glaubenssätzen wie »Ich bin wertlos« oder »Ich genüge nicht« liegt die Umdrehung auf der Hand: »Ich bin wertvoll!« Oder: »Ich genüge!« Es gibt aber auch Glaubenssätze, die etwas schwieriger umzudrehen sind, und dies liegt in dem Umstand begründet, dass wir bei den positiven Glaubenssätzen keine Verneinung wie ein »nicht« haben wollen. Wenn du also beispielsweise den Glaubenssatz hast »Ich bin für dein Glück verantwortlich!«, dann heißt die Umkehrung nicht »Ich bin *nicht* für dein Glück verantwortlich!«. Das »nicht« ist vom Unterbewusstsein zu umständlich zu denken, weil es schwierig ist, an etwas nicht zu denken. Wenn ich dir jetzt sage, denke bitte nicht an eine kleine getigerte Katze, dann wirst du automatisch an sie denken. Also die Umkehrung von »Ich bin für dein Glück verantwortlich!« könnte lauten: »Ich darf mich abgrenzen!« Oder: »Ich darf mein eigenes Ding machen!« Oder: »Meine Wünsche und Bedürfnisse sind genauso wichtig!«

Die Umkehrung von einem Glaubenssatz wie »Ich falle zur Last!« wäre: »Ich darf auch mal zur Last fallen!« So ist es schließlich nicht zu vermeiden, dass wir für andere Menschen auch mal eine Belastung sein können, wenn wir zum Beispiel krank und hilfsbedürftig sind. Ebenso: »Ich darf auch mal Fehler machen.«

Die positiven Glaubenssätze sollen zudem so formuliert werden, dass sie auch annehmbar sind. So ist es manchen Menschen beispielsweise zu viel, wenn sie anstatt »Ich bin hässlich!« den Glaubenssatz »Ich bin schön!« für sich annehmen sollen. Diesen rate ich ein »genug« dahinter, also: »Ich bin schön genug!« Oder: »Ich bin gut genug!«

Du kannst deine Glaubenssätze, damit sie für dich besser annehmbar sind, auch etwas einschränken. Wenn dir zum Beispiel der Glaubenssatz »Ich bin wichtig!« übertrieben und schlecht annehmbar erscheint, dann könntest du notieren: »Für meine Kinder/Freund/Eltern bin ich wichtig.« Formuliere deine neuen Glaubenssätze, dass sie sich für dich gut anfühlen.

Bitte notiere deine positiven Kernglaubenssätze in deine Sonnenkindschablone.

Übung: Finde deine Stärken und Ressourcen

Neben den positiven Glaubenssätzen ist es wichtig, dass du dir deiner Stärken und Ressourcen bewusst wirst. Zu den *Stärken* zähle ich Charaktereigenschaften und Fähigkeiten, die dir oft nützlich sind, wie beispielsweise Humor, Mut oder soziale Kompetenz. Du darfst jetzt ruhig einmal großzügig mit dir sein. »Eigenlob stinkt« ist einer der blödesten Sprüche, die je erfunden wurde. Falls es dir schwerfällt, über dich etwas Gutes zu sagen, dann stell dir vor, welche positiven Eigenschaften deine Freunde an dir loben würden. Oder frag sie einfach einmal.

Um dir etwas bei dem Auffinden deiner Stärken auf die Sprünge zu helfen, gebe ich dir folgend einige Beispiele.

Liste Stärken

humorvoll, ehrlich, loyal, hilfsbereit, intelligent, kreativ, reflektiert, sozial kompetent, sympathisch, diszipliniert, attraktiv, flexibel, tolerant, witzig, sportlich, verbindlich, großzügig, gebildet, wissbegierig, ausgeglichen, temperamentvoll, stabil, unterhaltsam, achtsam, unternehmunslustig usw.

Deine Stärken malst du bitte in deine Kinderschablone hinein (siehe Abbildung Buchinnendeckel Rückseite).

Unter *Ressourcen* wollen wir sozusagen deine Kraftquellen sammeln beziehungsweise äußere Lebensumstände, die dir Halt oder Kraft spenden.

Liste Ressourcen

gute Freunde, intakte Beziehung, Familie, Kinder, guter Job, genügend Geld, Gesundheit, Natur, Musik, eine schöne Wohnung, Haustier, nette Arbeitskollegen, Reisen usw.

Deine Ressourcen malst du bitte um dein Sonnenkind herum (siehe Abbildung Buchinnendeckel Rückseite).

Wenn du deine Ressourcen gefunden hast, gehen wir weiter zu deinen Werten.

Wie Werte uns helfen können

Lange hat man angenommen, dass der Mensch nur egoistisch und zu seinem eigenen Vorteil handeln würde. Die jüngere Hirnforschung hat diese These jedoch widerlegt: Ein Mensch, der rein egoistisch veranlagt wäre, hätte keine guten Überlebenschancen. Stattdessen ist der Mensch darauf angelegt, in Gruppen zu leben und zu kooperieren. Der bekannte Wissenschaftsautor Stefan Klein schreibt in seinem Buch »Der Sinn des Gebens«, dass Altruismus im Gehirn ähnliche Auswirkungen haben kann wie Sex oder eine Tafel Schokolade. Wenn wir das Gefühl haben, dass unser Handeln höheren Werten und in diesem Sinne der Gemeinschaft oder auch nur einem anderen Einzelnen dient, dann kann uns das auf einer tiefen Ebene glücklich stimmen. Wir streben nach Sinn in unserem Tun. Umgekehrt ausgedrückt: Das Erleben von Sinnlosigkeit erzeugt Depression. Beziehungsweise ist ein Leitsymptom der Depression die Empfindung einer allumfassenden Sinnlosigkeit.

Der berühmte Wiener Arzt Victor Frankl hat die sogenannte Logotherapie erfunden, was so viel bedeutet wie: Sinntherapie. Er trat dafür ein, dass Menschen ihre Ich-Ängste überwinden können, wenn sie ihr Handeln an höheren Werten ausrichten und somit Sinnvolles tun. Wenn wir einem höheren Sinn und Zweck dienen als unserem Selbstschutz, können wir über uns hinauswachsen. Wenn ich zum Beispiel große Angst habe, meinem Vorgesetzten ehrlich meine Meinung zu sagen, weil er mich dann bei der nächsten Beförderung übergehen könnte, dann könnte ich diese Angst durch höhere Werte überwinden. So zum Beispiel, indem ich mir vor Augen halte, dass ich durch ein offenes Wort einen Kollegen davor bewahren kann, zu Unrecht beschuldigt zu werden.

Die höheren Werte Gerechtigkeit und Zivilcourage, die diese Überlegung unterstützen, können mich darin bestärken, die Angst meines Schattenkindes vor Verlust und Abwertung zu überwinden.

Werte sind ein hervorragendes Anxiolytikum – so nennt man die Arznei, die gegen Ängste wirkt. Unserem alltäglichen Handeln liegen Werte zugrunde, auch wenn wir uns ihrer oft nicht bewusst sind. Wir werden uns unserer Werte meistens erst dann bewusst, wenn sie verletzt werden. Gerechtigkeit ist zum Beispiel so ein Wert, dessen Verletzung in uns eine ungeheure Kraft freisetzen kann. Deshalb kann man höhere Werte auch ganz bewusst und positiv einsetzen, um Kraft und inneren Halt zu finden.

Viele Selbstschutzstrategien, die unser Schattenkind beschützen sollen, bewirken, dass wir etwas egozentrisch um uns selbst kreisen. Wir sind dann so stark mit unserem Selbstschutz beschäftigt, dass wir höhere Werte aus den Augen verlieren. Hierzu ein kleines, ganz alltägliches Beispiel:

Sabrina geht auf Abstand zu ihrer Freundin Aisha, weil diese sie mit einer Bemerkung über ihre Figur gekränkt hat. Sabrina will jedoch nicht mit Aisha über ihre Kränkung sprechen, weil sie meint, sie gäbe sich hierdurch eine Blöße. Deshalb zieht sie sich lieber von dem Kontakt zurück. Die Frage, die sich Sabrina stellen könnte, ist die, ob ihr Verhalten gegenüber Aisha wirklich fair ist. Fairness wäre also ein Wert, an dem Sabrina sich aufrichten und über ihren Schatten springen könnte. Ebenso wie der Wert Freundschaft – schließlich hat sie mit Aisha auch schon viel Gutes erlebt. So erhält Aisha durch Sabrinas Rückzug nämlich keine Chance zu einer Stellungnahme oder zu einer Entschuldigung. Aisha hat keine Ahnung, warum sie neuerdings bei Sabrina gegen eine gläserne Wand läuft. Hätte Sabrina den Grund für ihr Verhalten genannt, dann hätte das Gespräch wieder Nähe zwischen ihnen schaffen können. Sabrina und Aisha hätten also Freundinnen bleiben können, wenn Sabrina den Mund aufgemacht hätte. Ihr stillschweigender Rückzug hingegen macht die Freundschaft kaputt, zumal Sabrinas schweigender Rückzug auch Aisha verletzt. Sabrina hätte dies vermeiden können, wenn sie sich bewusst an Werten orientiert hätte, wie beispielsweise Fairness, Freundschaft, Offenheit oder auch Zivilcourage.

Nun fragst du dich vielleicht, warum Sabrina denn die Verantwortung für das Problem in der Freundschaft übernehmen soll, schließlich war doch Aisha diejenige, die sie beleidigt hat. Hier verweise ich noch einmal auf die persönliche Verantwortung: Es ist Sabrina, die sich gekränkt fühlt und die damit auch die Verantwortung für dieses Gefühl trägt. So wissen wir noch nicht einmal, ob Aishas Bemerkung tatsächlich kränkend war oder ob es sich nicht um eine vermeintliche Kränkung handelt, die aus einer verzerrten Wahrnehmung von Sabrinas Schattenkind resultiert. Sollte Sabrina nämlich Glaubenssätze mit sich herumtragen wie »Ich bin hässlich«, »Ich genüge nicht«, »Ich bin zu dick«, dann könnte sie auch eine abwertende Kritik über ihre Figur in Aishas Worte hineininterpretiert haben. Vielleicht hat Aisha ja nur gesagt: Die schwarze Hose gefällt mir besser als der kurze Rock! Sabrina könnte dies jedoch mit den Ohren ihres Schattenkindes wie folgt gehört haben: »Du hast zu dicke Beine für einen kurzen Rock!« Und schon fühlt sie sich gekränkt, ohne dass dies in der Absicht Aishas gelegen hätte, deren Kritik sich vielleicht nur auf das Muster und den Schnitt des Rocks bezogen haben mag.

Vermeintliche Kränkungen, die eigentlich keine sind, passieren häufig. Je unsicherer ein Mensch sich fühlt, desto schneller ist er geneigt, in die Worte und Handlungen anderer Menschen eine persönliche Kritik oder Ablehnung hineinzudeuten. Und deshalb wäre es für die Freundschaft viel hilfreicher, wenn Sabrina den Mund aufmachen würde. Es hätte ja schon gereicht, wenn sie Aisha einfach nur nach einer Begründung für ihre Einschätzung gefragt hätte. Da hätte sich das Missverständnis schon vermeiden lassen können. Außerdem möchte ich zu bedenken geben, dass keine Kommunikation zu 100 Prozent perfekt sein kann und unsere Mitmenschen es auch nicht sind, genauso wenig wie wir selbst. Es kann also immer einmal vorkommen, dass ich einen Freund beleidige, ohne dies zu wollen. Oder eben auch, dass ich eine ehrlich gemeinte Kritik anbringe, auf die mein Gegenüber viel gekränkter reagiert, als ich es erwartet hätte. Wir können nicht genau abschätzen, was unsere Worte und Handlungen in unserem Gegenüber auslösen. Auch wenn wir uns bemühen, sehr respektvoll und höflich zu sein, heißt dies nicht unbedingt, dass dies immer so bei unserem Interaktionspartner ankommt. Was hingegen innerhalb unserer Kontrolle liegt, ist, ein offenes Wort zu sprechen, wo es angebracht ist.

Wenn du dich also dabei ertappst, dass du dich auf eine deiner Schutzstrategien zurückziehst, dann halte einmal ganz bewusst inne und frage dich, ob dein Verhalten eigentlich gerade gegenüber den beteiligten Personen fair ist. Lege dir bei allen Überlegungen, die sich um deinen Selbstschutz drehen, immer wieder die Frage vor, ob das, was du tust oder auch was du unterlässt, *anständig* ist. Versuche doch einmal dein Handeln weniger an der Frage auszurichten »Wie kann ich mich am besten beschützen?«, statt an den Fragen »*Was ist anständig und was ist sinnvoll?*«. Wenn du diese Fragen zum persönlichen Leitmotiv erhebst, dann kannst du weit über dein Schattenkind und seine Ängste hinauswachsen. Dies hilft nicht nur dir, besser klarzukommen, sondern es macht dich auch zu einem besseren Menschen.

Übung: Bestimme deine Werte

Nun möchte ich dich dazu einladen, deine persönlichen Werte zu finden, die dir dabei helfen können, die Angst- und Unterlegenheitsgefühle deines Schattenkindes in gesunder Weise zu überwinden. Wenn du anfängst, darüber nachzudenken, dann fallen dir wahrscheinlich viele Werte ein, die dir wichtig sind, wie Toleranz, Gerechtigkeit, Hilfsbereitschaft. Wir wollen für diese Übung jedoch nicht mehr als drei auswählen. Dies hat genau wie bei den Glaubenssätzen den Grund, dass deine Werte in deinem Alltag schnell abrufbar sein sollten, damit du mit ihnen möglichst effektiv arbeiten kannst. Am besten beschränkst du dich deshalb auf Werte, die ein gutes Gegenmittel zu deinen Schutzstrategien sind. Das meine ich so: Wenn zu deinen Schutzstrategien zum Beispiel Rückzug und Harmoniestreben zählen, dann bräuchtest du dagegen Werte, die dir den Rücken stärken, mehr für dich (und andere) einzutreten und zu kämpfen. Zu diesen könnten unter anderem zählen: Aufrichtigkeit, Mut, Zivilcourage, Fairness, Verantwortung oder Anstand.

Strebst du hingegen nach Perfektion und willst immer alles richtig machen, dann könnten gute »Gegenwerte« sein: Gelassenheit, Lebensfreude, Gottvertrauen, Bescheidenheit oder gar Demut.

Zählt zu deinen Schutzstrategien ein hohes Machtstreben, dann könnten dir die Werte Vertrauen, Mitgefühl und Demokratie helfen, deinem Machtmotiv entgegenzuwirken.

Suche dir also Werte, die dir dabei helfen können, die Ängste und Sorgen deines Schattenkindes zu überwinden.

Um dich für diese Aufgabe zu inspirieren, habe ich für dich eine Liste von Werten zusammengestellt.

Liste Werte

Fairness, Gerechtigkeit, Offenheit, Mut, Zivilcourage, Loyalität, Aufrichtigkeit, Treue, Verantwortung, Authentizität, Nächstenliebe, Freundschaft, Vertrauen, Lebensfreude, Sanftmut, Gelassenheit, Achtsamkeit, Großzügigkeit, Reflexion, Disziplin, Weisheit, Bildung, Mitgefühl, Anstand, Zuwendung, Hilfsbereitschaft, Bescheidenheit, Transparenz, Demokratie, Toleranz, Einfühlungsvermögen, Verständnis, Friedfertigkeit, Wohlwollen, Verbindlichkeit, Liebe

Bitte zeichne deine Werte mit bunten Farben genau über den Kopf deines Sonnenkindes. Dieser Ort symbolisiert, dass die Werte »Kopfsache« sind, sie also vor allem deinen inneren Erwachsenen stärken (siehe Abbildung Buchinnendeckel Rückseite).

Auf die Stimmung kommt es an

Neue Glaubenssätze, höhere Werte, die Bewusstwerdung unserer
Stärken und Ressourcen sollen uns dabei helfen, das Schattenkind
zu heilen und das Sonnenkind zum Leben zu erwecken. Beides hat
sehr viel mit Gefühlen und Stimmungen zu tun. Denn letztlich nutzen uns alle guten Glaubenssätze und übergeordneten Werte für
sich genommen wenig, wenn die Stimmung mies ist. Zwar kann
man auch aus reinem Pflichtgefühl richtige Entscheidungen treffen,
aber das Leben lebt sich viel einfacher, wenn man es in »gehobener
Gestimmtheit« vollzieht – so drückt sich der Psychologe Jens Corsson in seinem Buch »Ich und die Anderen« aus. Corsson beschreibt
eingängig, wie sehr unsere Stimmung unsere Gedanken und Be-
wertungen beeinflusst. Im Zustand der gehobenen Gestimmtheit
bin ich freundlicher, humorvoller, gütiger und wohlwollender. Damit geht es also nicht allein mir selbst besser, sondern auch jenen,
die sich in meiner Gesellschaft befinden. Bin ich hingegen schlecht
drauf, dann reagiere ich schnell gereizt und aggressiv, oder ich ziehe
mich in mein Schneckenhaus zurück und mache dicht.

Im Grunde genommen sind wir ja ständig damit beschäftigt, unsere Stimmung irgendwie im Lot zu halten. Dies hängt eng mit unserem Lustempfinden zusammen: Wir wollen Unlust möglichst vermeiden und möglichst Lust gewinnen. Anders ausgedrückt: Wir
streben nach Glück. Die Wege zum Glück können sehr unterschiedlich sein, aber es gibt ein paar grundsätzliche Dinge, die für alle Menschen gelten. Das wussten auch schon die alten Griechen, die den
Begriff der »Eudaimonie« führten, was wörtlich übersetzt heißt: mit
einem guten Dämon verbunden. Eudaimonie wird auf Deutsch häufig mit »Glück« übersetzt (wobei die Gelehrten sich bezüglicher der
treffendsten Übersetzung nicht einig sind). Eudaimonie war für die
Griechen nicht etwas, was durch äußere Faktoren erreicht wurde,
sondern ein Zustand, der sich aus der richtigen Lebensweise ergab.
Die richtige Lebensweise beinhaltete unter anderem Selbstgenüg-

samkeit, Disziplin und Tugend. Die Eudaimonie ist somit vom Hed-
onismus zu unterscheiden – dem Genuss der Sinne. Sinnesfreuden
können kurzfristig Hochgefühle in uns auslösen, während die »richtige Lebensweise« zu einer ruhigeren, dafür aber beständigeren Form
des Glücks führt. Und damit waren Platon und seine Kollegen schon
genauso schlau wie wir heute. Denn bewegende neue Erkenntnisse
sind seitdem nicht hinzugekommen. Die neuere Hirnforschung be-
legt lediglich, dass die griechischen Philosophen im Großen und
Ganzen Recht hatten: Glück ist trainierbar und hängt ganz wesentlich
von unseren Einstellungen zum Leben ab. Nichts anderes sagen auch
die Buddhisten, wobei ihr Augenmerk weniger auf der Erlangung
von Glück liegt, sondern mehr auf dem Ziel, das Leiden zu beheben.
Auch die Buddhisten haben eine sehr klare Vorstellung vom richtigen
Leben, sie lehren den »edlen achtfachen Pfad der Erlösung«.

Für den wissenschaftlichen Beweis, dass Glück trainierbar ist,
hat der Hirnforscher Richard Davidson den Dalai Lama gebeten,
ihm zu Forschungszwecken acht Mönche aus seinem engsten Kreis
zur Verfügung zu stellen. Hierfür mussten sie sich in die enge Röh-
re eines lärmenden Magnetresonanztomographen (MRT) legen
und dort in eine tiefe Entspannung gehen, was sie auch unter dieser
schwierigen Bedingung tatsächlich schafften. Somit konnten die
Forscher dem Gehirn beim Meditieren zusehen. Die Befunde dürften den Dalai Lama kaum überrascht haben: Aktives Meditieren
verändert die Gehirnstruktur. Die Aktivität im linken Stirnhirn der
Mönche war sehr viel höher als bei der Vergleichsgruppe, die aus
150 Nichtbuddhisten bestand. Diese Gehirnregion beziehungsweise die Aktivität derselben korrespondiert mit guter Laune und Op-
timismus. So haben Optimisten einen aktiveren linken Frontalkor-
tex als Menschen, die sich meistens unglücklich fühlen. Diese
Region scheint für ein heiteres Gemüt und Gelassenheit zu sorgen,
über die glückliche Naturen und gut trainierte Buddhisten verfügen. Die Schlussfolgerung, die dieses Experiment zulässt, ist, dass
Glück eine Fertigkeit ist, die man wie einen Muskel trainieren kann.

Ich werde dir in diesem Buch noch viele Hilfen und Ideen an die Hand geben, wie man in den Zustand der gehobenen Gestimmtheit kommt und was zu einer »richtigen Lebensweise« beiträgt. Hierfür werden wir nicht nur mittels der Schatzstrategien neue Verhaltensweisen finden, sondern auch mithilfe unserer Fantasie und unseres Körpergedächtnisses ein neues Lebensgefühl installieren – das *Sonnenkindgefühl*.

Nutze deine Fantasie und dein Körpergedächtnis!

Bevor wir das Sonnenkindgefühl in dir hervorbringen wollen, gebe ich dir zunächst noch einmal ein paar Informationen für deinen inneren Erwachsenen: Wie ich bereits ausgeführt habe, unterscheidet unser Gehirn nicht besonders gut zwischen Realität und Vorstellung, weswegen die Vorstellung eine sehr wichtige Gehilfin auf dem Weg zur Veränderung ist. Unser Gehirn kann blitzschnell anhand von Bildern, Farben, Gerüchen, Tönen usw. Assoziationen knüpfen – positive wie negative. Das erlebst du ständig: Ein Anblick, eine Melodie, ein Duft können in dir ganze Vorstellungs- und Gefühlswelten triggern. Diese Fähigkeit des Gehirns werden wir uns zunutze machen, indem wir ganz gezielt positive Assoziationen gestalten, die dir im Alltag helfen, schnell in deinen Sonnenkindmodus umzuschalten. Zudem werden wir das Sonnenkind auch in deinem Körpergefühl verankern. Denn der Körper nimmt einen ganz wesentlichen Einfluss auf unsere Stimmungen. Die neurobiologische Forschung hat bewiesen, dass die Stimmung nicht nur unsere Körperhaltung beeinflusst, sondern die Körperhaltung auch unsere Stimmung. Wenn wir aufrecht gehen, fühlen wir uns tatsächlich selbstsicherer, als wenn wir mit eingezogenen Schultern und gesenktem Blick durch die Gegend laufen. Probiere das ruhig mal aus. Du kannst dich auch einmal hinstellen, deine Arme über den Kopf strecken und gen Himmel schauen und dabei versuchen, schlecht drauf zu sein. Umgekehrt kannst du auch den Kopf und die Schultern einziehen und auf den Boden starren und probieren, dich dabei richtig fröhlich zu fühlen. Beides wird dir schwerfallen.

Wie sehr Körperhaltungen unsere Stimmungen beeinflussen, hat unter anderem die US-amerikanische Sozialpsychologin Amy Cuddy erforscht. Sie hat zum Beispiel in Experimenten festgestellt, dass Frauen und Männer in einem Vorstellungsgespräch signifikant besser abschnitten, wenn sie vorher zwei Minuten in der sogenannten Machtposition verweilten. Hierfür mussten sie für diese Zeitspanne breitbeinig mit in die Hüften gestemmten Händen aufrecht stehen. Wenn du noch mehr zu diesem Thema wissen möchtest, dann höre dir den Vortrag von Amy Cuddy im Internet an.

Übung: Verankere dein Sonnenkind in dir

Mithilfe der folgenden Übung wollen wir das Sonnenkind ganz in deinem Gefühl, in deinem Geist und in deinem Körper verankern. Die Übung kannst du übrigens auch als *Spiel* bezeichnen, das hat das Sonnenkind nämlich noch viel lieber.*

Am besten stellst du dich für dieses Spiel aufrecht hin. Lege dein Blatt mit deinem Sonnenkind vor dich auf den Boden. Nimm bewusst deinen Körper wahr – wie geht es ihm? Dann richte bitte deine innere Aufmerksamkeit auf deinen Brust-Bauch-Raum – dem Sitz der Gefühle.

1. Lies dir deine positiven Glaubenssätze laut vor, und spüre in dich hinein. Wie fühlen sie sich an, wenn du sie dir leise vorsagst?

2. Rufe dir eine Situation in deinem Leben hervor, in der deine positiven Glaubenssätze bereits wahr waren beziehungsweise wahr sind. Dies kann im Beisammensein mit Freunden der Fall sein, bei der Arbeit, beim Sport oder im Urlaub. Vielleicht auch, wenn du

---

*   Du findest Sie auch als Fantasiereise »Die Sonnenkind-Trance« als Download.

Musik hörst oder dich in der Natur aufhältst. Du wirst mindestens eine Situation in deinem Leben erlebt haben, in der deine positiven Glaubenssätze sich richtig und stimmig angefühlt haben.

3. Dann gehe gedanklich zu deinen Ressourcen. Hole sie dir mit allen Sinnen – Sehen, Hören, Riechen, Schmecken – hervor, und spüre in dich hinein, wie sie dir Kraft spenden.

4. Dann wende dich deinen Stärken zu. Denke sie nicht nur, sondern fühle auch, was du in deinem Körper empfindest, wenn du sie dir leise vorsagst. Welche Empfindungen lösen sie in dir aus?

5. Gehe zu deinen Werten. Sage sie dir vor, und fühle in dich hinein, welche Resonanz, welche Empfindungen sie in deinem Körper auslösen. Spüre, wie sie dir Kraft oder auch Gelassenheit geben.

6. Fühle alles zusammen – wie spürt dein Körper das Sonnenkind?

Bewege dich in diesem inneren Zustand durch den Raum, und finde deine Sonnenkindhaltung. Spüre, wie dein ganzer Körper sich anfühlt, wenn du in diesem Zustand bist. Fühle ganz bewusst, wie dein Atem fließt, wenn du im Sonnenkindmodus bist. Finde eine kleine Geste, die dieses Sonnenkindgefühl ausdrückt. Lasse sie aus deinem Körper entstehen. Diese Geste hilft dir im Alltag sozusagen als Anker, dir diesen guten Zustand – wann immer du ihn benötigst – abzurufen. Eine Klientin öffnete spontan ihre Hand, sodass eine Art lockere Schale entstand. Diese entspannte Handhaltung wurde ihre Sonnenkindgeste.

Trage bitte die guten Gefühle in den Bauchraum deiner Sonnenkindschablone ein.

Zuschlag: Bleibe in dem guten inneren Zustand des Sonnenkindes. Und lasse dann aus diesem Gefühl heraus ein Bild für dieses Gefühl entstehen. Vielleicht siehst du das Meer, vielleicht eine schöne Landschaft, vielleicht einen Spielplatz oder ein Häuschen im Wald – lasse dir dein Bild einfach von deinem Sonnenkind schenken. Lasse dich überraschen, welches Geschenk es dir macht.

Notiere auch mit einem Stichwort das Bild, das du in deinem Sonnenkind gefunden hast.

Das Sonnenkind im Alltag

Deine – hoffentlich sehr bunte – Sonnenkindschablone ist der Zielzustand, an dem du dich orientieren kannst und der dir zunächst
äußerlichen, und wenn du ihn regelmäßig spielerisch stärkst, auch
innerlichen Halt gibt. Im nächsten Kapitel werden wir noch deine
Schatzstrategien finden.

Du kannst aber jetzt schon so oft wie möglich dein Sonnenkindgefühl hervorrufen, so wie wir es oben geübt haben. Wenn es
schnell gehen muss, dann kannst du dir auch einfach nur deine
neuen Glaubenssätze und/oder deine Werte vorsagen oder dich an
deine Stärken und Ressourcen erinnern. Vielleicht kommst du aber
auch über dein Vorstellungsbild am schnellsten in den Sonnenkindmodus. Spiele einfach mit den ganzen Inhalten. Hole dir, je
nachdem in welcher Situation du gerade steckst, jene Inhalte hervor, die du am meisten benötigst. Ganz wichtig ist, dass du immer
wieder kurz in dich hineinspürst und fühlst, welche körperliche Resonanz deine Glaubenssätze, deine Werte, dein Bild und deine Ressourcen in dir hervorrufen, damit das Sonnenkind sich in deinem
Körper verankert.

Auch dein Schattenkind darfst du natürlich nicht vergessen,
denn es wird dich immer wieder vereinnahmen: Schwupp – und
schon bist du wieder in deinen alten Gefühlen und Glaubenssätzen
gelandet. Dein innerer Erwachsener muss also ganz wachsam sein,
damit du dich rechtzeitig ertappst, wenn du in dein Schattenkind
abrutschst. Du kannst dann ganz bewusst auf dein Sonnenkind
umschalten oder auch erst einmal dein Schattenkind trösten. Du
kannst aber auch direkt in dein Erwachsenen-Ich umschalten, indem du dir mit dessen Hilfe ganz klarmachst, dass es sich um alte
Gefühle und Projektionen handelt, die mit deiner heutigen Realität
nicht übereinstimmen.

Zudem solltest du deinem Sonnenkind im Alltag viel Raum zur
Entfaltung gewähren. Dies kannst du tun, indem du dir einfach viel

mehr Spaß, Lebensfreude und Genuss erlaubst. Alles ist erlaubt, was deine Stimmung hebt und weder deiner Gesundheit noch einem anderen schadet. Frage einmal dein Sonnenkind, welche Ideen es hierzu hat – ihm wird bestimmt eine Menge einfallen.

Am besten fängst du deinen Tag schon mit ein paar kleinen Spielen an. Für die folgenden Spiele benötigst du keine fünf Minuten:

Lachen hilft ungeheuer. Lachen hilf sogar, wenn einem gar nicht nach Lachen zumute ist. Man hat festgestellt, dass auch künstlich hervorgerufenes Lachen sich positiv auf die Stimmung auswirkt. Das ist ja auch die zugrunde liegende Idee von Lach-Yoga. Als ich dies in einem meiner Seminare erzählte, meinte ein Teilnehmer: Lachen schadet meiner Depression! Genauso ist es. Also nimm dir doch morgens eine Minute Zeit und lache. Lache einfach. Du wirst überrascht sein, wenn dein zunächst künstliches Lachen in ein echtes Lachen, vielleicht sogar in einen Lachkrampf übergeht.

Und dann kannst du noch das folgende Spiel hinzufügen: Stelle dich mit gen Himmel gerichteten Armen hin, schaue in dieselbe Richtung und sage dir deine neuen Glaubenssätze und deine Werte auf. Wenn du willst, füge auch noch deine Stärken und Ressourcen hinzu.

Danach hüpfe noch ein bisschen und lasse alte Kinderbewegungen in dir auftauchen, wie Arme schlenkern, Popo wackeln, lange Nase machen usw.

Du kannst aber auch morgens schon ein kleines Gute-Laune-Work-out machen. Tanze zu deiner Musik oder springe Trampolin. Letzteres mache ich jeden Morgen (na ja, fast jeden). Die Hüpf-und Sprungbewegungen sind in unserem Kopf mit guter Laune assoziiert. Zudem ist das Trampolin ein ideales Trainingsgerät. Es kostet nicht viel, lässt sich schnell beiseiteräumen, und es ist herrlich niedrigschwellig, weil man zu Hause hüpfen kann.

Das Sonnenkindgefühl ist eine wunderbare Basis, um die folgenden Schatzstrategien anzuwenden. Umgekehrt helfen die Schatzstrategien aber auch, um in den Sonnenkindmodus zu kommen.

Schaukeln, Pferde streicheln

Von den Schutz- zu den Schatzstrategien

In den folgenden Abschnitten möchte ich dir Maßnahmen an die Hand geben, mit denen du deine Wahrnehmung, deine Gedanken und deine Gefühle so regulieren kannst, dass du dich möglichst oft in dem kraftvollen Zustand des Sonnenkindes aufhältst oder im Zustand deines vernünftigen, inneren Erwachsenen. Es wird immer wieder darum gehen, deine negativen Prägungen und Glaubenssätze und die damit einhergehenden Projektionen und Wahrnehmungsverzerrungen aufzulösen und sinnvolle Schutzstrategien einzuüben, die wir als die Schatzstrategien bezeichnen. Das Ziel ist, dass du insgesamt viel weniger Selbstschutz benötigst. Mit anderen Worten ausgedrückt: Ich will dir dabei helfen, dich selbst (noch mehr) zu mögen. Je mehr du nämlich zu dir selbst stehst, was dein Schattenkind mit einschließt, desto weniger musst du dich vor der Welt verstecken. Und je authentischer du dein Dasein vollziehst, desto glücklicher kannst du deine Beziehungen gestalten. Je mehr du zu dir selbst findest, desto besser wird es dir mit dir selbst und mit den anderen gehen – und anderen Menschen mit dir.

Ich werde dir also nicht erklären, wie du noch besser und schöner wirst, damit du endlich mit dir und der Welt zufrieden bist, sondern wie du dich selbst annehmen und auf eine angemessene Weise selbst behaupten kannst, um mit dir und deinem Schattenkind Frieden zu schließen und das Sonnenkind zum Lachen zu bringen.

Unser Glück und Unglück drehen sich um unsere Beziehungen

In unserem Leben dreht sich fast alles um unsere zwischenmenschlichen Beziehungen. Gute Beziehungen machen glücklich, schlechte unglücklich. Wem nutzt der größte Reichtum, wenn er sich einsam fühlt? Was bringt der größte Erfolg, wenn kein Mensch einem wirklich nahesteht? Ein tiefes Gefühl der Einsamkeit ist der schlimmste seelische Zustand, den ein Mensch erleiden kann. Wir haben eine große Sehnsucht, anerkannt zu sein und zu einer Gemeinschaft zu gehören. Unser Bindungswunsch ist, wie ich schon geschrieben habe, existenziell. Deswegen sind unsere Schutzstrategien auf unsere zwischenmenschlichen Beziehungen ausgerichtet: Sie sollen uns dazu verhelfen, anerkannt und gemocht zu werden, und verhindern, dass wir angegriffen und abgelehnt werden. Die ganze Welt funktioniert nach dem Erfolgsprinzip der Anerkennung. Wer Anerkennung will, muss besser, schöner, mächtiger, reicher oder einfach eben »ganz anders« als die anderen sein. Schwäche darf er hingegen nicht zeigen. Und infolgedessen laufen unsere Schutzstrategien darauf hinaus, dass wir nicht authentisch sind – beziehungsweise nur partiell authentisch. Mithilfe unserer Schutzstrategien zeigen wir nur unsere vermeintlich starken Seiten und verbergen unsere vermeintlich schwachen. Wir zeigen die Fassade, von der wir annehmen, dass sie uns liebenswert macht. Und hierdurch entfernen uns die Schutzstrategien eher von den anderen, als dass sie uns ihnen wirklich näher brächten. Denn Nähe entsteht nicht, indem wir perfekt sind und von anderen für unsere Leistungen bewundert werden. Sie entsteht auch nicht durch falsches Harmoniestreben, das in Unaufrichtigkeit mündet. Sie entsteht nicht durch Angriff und Attacke, nicht durch Rollenspiel und Tarnung, nicht durch Machtstreben und nicht durch Flucht und Rückzug. Echte Nähe entsteht allein durch *Authentizität, Offenheit* und *Empathie.*

Wenn du nun einwendest, dass du so viel Nähe ja gar nicht anstrebst und dich am wohlsten fühlst, wenn du Abstand zu den anderen hast, dann bist du im Modus deiner Schutzstrategie Rückzug. Denn auch genetisch bedingt introvertierte Menschen, die tatsächlich viel weniger Gesellschaft als Extravertierte benötigen, brauchen mindestens einen Menschen, dem sie sich wirklich nahe fühlen, um glücklich zu sein. Ein Mensch, der ihn mag oder sogar liebt, so wie er *wirklich* ist. Das ist schließlich das, wonach wir uns alle sehnen.

Deswegen zielen die Schatzstrategien darauf ab, wie du deine Beziehungen verbessern kannst, und nicht darauf, wie du erfolgreicher wirst. Du kannst zwar auch erfolgreicher werden, wenn du neue Schatzstrategien erwirbst, das ist dann jedoch lediglich eine Nebenwirkung des Umstands, dass du mehr zu dir selbst findest und dich besser selbst behaupten kannst. Die Schatzstrategien dienen nicht deinem *Idealselbst*, also der Wunschvorstellung, die du von dir hast, sondern sie dienen deinem *Realselbst*. Sie helfen dir also, zu dem zu stehen, was du bist. Und eigentlich wissen wir auch, dass das Realselbst uns anderen Menschen näher bringt als das Idealselbst. So fühlen wir uns selbst doch auch am wohlsten unter Menschen, die authentisch sind und die zu ihren Schwächen stehen. In der Gegenwart von Menschen, die irgendwie perfekt erscheinen, fühlen wir uns leicht minderwertig und unterlegen. Insofern sollte man sich immer wieder klarmachen, dass die perfekten Ideale zwar dazu taugen können, andere neidisch auf uns zu machen, aber nicht dazu, wirklich gemocht zu werden: Sympathisch ist, was Macken hat.

Die allermeisten Klienten, die zu mir kommen, suchen Hilfe, weil sie in irgendeiner Form Probleme mit ihren zwischenmenschlichen Beziehungen haben. Sei es mit ihrem Partner, mit Kollegen, mit Freunden, in der Familie oder mit allen. Den Beziehungsproblemen liegt immer ein Problem mit der Beziehung, die die Betroffenen zu sich selbst haben, zugrunde. Dies gilt auch für Probleme, die auf den ersten Blick nichts mit der Beziehung zu anderen zu tun haben, wie zum Beispiel depressive Verstimmungen oder Panikattacken. Auch hinter diesen stecken häufig Beziehungsprobleme, so wie wir es schon am Beispiel von Babsi unter dem Abschnitt »Verstehe dein Schattenkind« erfahren haben.

Beziehungsprobleme resultieren aus den Glaubenssätzen unseres Schattenkindes und seinen Schutzstrategien. Dies gilt sogar dann, wenn der andere tatsächlich mehr Schuld an der schwierigen Beziehung hat als man selbst, so, weil er beispielsweise unaufrichtig und intrigant ist. Denn dann muss man sich immer noch mit der Frage befassen, warum man auf diesen Menschen reingefallen ist. Oder warum man nicht von ihm loskommt. Oder warum man sich immer wieder über ihn ärgert. Oder warum man sich nicht besser von ihm abgrenzen kann. Also: Jede Beziehung kannst du auf deine eigenen Anteile hin hinterfragen. Aus jeder Beziehung kannst du auch etwas lernen. Man lernt sogar oft von jenen Menschen am meisten, die schwierig sind, weil sie uns an unsere Grenzen führen können. Der bekannte Psychologe Robert Betz bezeichnet sie als »Arschengel«, ein Ausdruck, den ich ziemlich lustig und zutreffend finde. Er besagt halt, dass sie Engel mit umgekehrten Vorzeichen sind – sie helfen einem nicht durch ihre Güte, sondern durch ihre Schwächen, besser zu uns selbst zu finden. Wenn wir als Schutzstrategie zum Beispiel nach Harmonie streben, können wir mithilfe eines »Arschengels« lernen, uns selbst zu behaupten. Wenn wir hingegen viel zu schnell aus der Fassung geraten, können wir in der Interaktion mit ihm trainieren, cool zu bleiben.

Wahrscheinlich hast du schon mindestens ein Mal erlebt, dass du von einem »Arschengel« total ungerecht beurteilt und falsch wahrgenommen wurdest. Das erzeugt Gefühle von Wut und Hilflosigkeit. Wenn jemand in mich etwas hineinprojiziert, was ich gar nicht getan, gesagt oder beabsichtigt habe, dann stehe ich meistens auf verlorenem Posten. Solche Situationen lassen sich normalerweise auch nicht durch Kommunikation regeln, weil der »Täter«, also der »Wahrnehmungsverzerrte«, hierfür seine Projektionen auflösen und sich selbst reflektieren müsste. Ist er hierzu jedoch nicht bereit und/oder nicht in der Lage, dann ist man machtlos. Besonders schlimm sind derartige Situationen ja immer, wenn man sich von seinem wahrnehmungsverzerrten Gegenüber in gewisser Weise als abhängig erlebt: weil er der Vorgesetzte, die Ehefrau oder ein Elternteil ist. Je tiefer das Gegenüber in seine eigene Wahrnehmungsverzerrung verstrickt ist und desto weniger es bereit ist, seine Ansichten infrage zu stellen, desto unwahrscheinlicher wird es, mit dieser Person zu einer Einigung zu kommen. Manchmal ist die einzig sinnvolle Lösung tatsächlich die Lösung von diesem Menschen, also den Kontakt abzubrechen oder, wenn dies nicht möglich ist, sich innerlich abzugrenzen.

Manchmal sind wir aber auch selbst der »Arschengel« für eine andere Person. So sind wir alle sowohl Opfer als auch Täter. Wir erleben, dass wir sehr ungerecht behandelt werden, und zugleich tun wir auch anderen Menschen durch unsere eigenen Wahrnehmungsverzerrungen Unrecht. Und sei es nur, weil wir ihr Leid ignorieren. Wenn wir also unsere Beziehungen verbessern möchten, müssen wir bei unserer Wahrnehmung ansetzen, die vor allem auch unsere Selbstwahrnehmung beinhaltet. Sobald wir nämlich aus dem Schattenkind heraus agieren, befinden wir uns nicht mehr auf Augenhöhe mit den anderen. Diese mutieren in unseren Augen schnell zu Angreifern, wenn wir uns ihnen unterlegen fühlen. Oder zu »Idioten«, wenn wir uns ihnen vermeintlich überlegen fühlen. Die Wahrnehmung ist also die Basisstation für unsere subjektive Wirklichkeit, deswegen werden wir uns ihr – wie auch schon bei den Schutzstrategien – zuerst zuwenden.

Ertappe dich!

Die Grundlage jeglicher Veränderung ist, dass man sich des Ist-Zustands bewusst wird und ihn erst einmal als Fakt akzeptiert. Diesen Ist-Zustand kann ich jedoch nur analysieren, wenn ich einen kleinen Abstand zu mir selbst einnehme, da ich mich ansonsten nicht in der Beobachterperspektive, sondern in der Feldperspektive befinde. Aus der Feldperspektive sehe ich die Welt da draußen, aber nicht mich selbst. Aus der Beobachterperspektive hingegen kann ich mich selbst von außen wahrnehmen. Was unser Schattenkind betrifft, so befinden wir uns meistens in der Feldperspektive. Wir glauben dann alles, was wir fühlen, sehen und denken. Wir *nehmen* unsere Gedanken und Gefühle für *wahr*. Diese Illusion der Feldperspektive funktioniert ja auch schon, wenn wir einen Film gucken: Obwohl wir wissen, dass es sich nur um eine Fiktion handelt, sind wir ängstlich-gespannt, ergriffen oder heiter – je nachdem, ob wir einen Krimi, ein Drama oder eine Komödie schauen. Wie viel schwerer ist es dann, uns von dem Film zu distanzieren, den uns unserer Schattenkind suggeriert? Selbst wenn wir um unser Schattenkind und seine Glaubenssätze wissen, sind wir häufig in seiner Realität gefangen. Das fällt mir auch bei meinen Klienten immer wieder auf: Eigentlich haben sie alles Wissen an der Hand, das sie für die Lösung ihrer persönlichen Probleme benötigen, aber sie vergessen es zwischendurch immer wieder. Dies hat meiner Meinung nach drei Gründe:

1. Der Erwachsene in uns kann nicht glauben, dass die Angelegenheit mit dem Schattenkind tatsächlich so ernst zu nehmen ist.
2. Wir sind so dermaßen daran gewöhnt, die Welt durch die Augen unserer Kindheitsprägungen zu sehen, dass es ganz schwer ist, an eine andere Wahrheit zu glauben.
3. Wir drücken uns davor, die Verantwortung für unser Fühlen und Denken zu übernehmen, vielmehr warten wir darauf, dass da draußen irgendetwas passiert, das uns erlöst.

Die Identifikation mit unserem Schattenkind findet also zumeist automatisch und dadurch unbemerkt vom Bewusstsein statt. So erzählte mir Christin (33 Jahre) von ihrem Ärger mit der Weitervermietung ihrer Wohnung. Ihr Vermieter hatte hierfür einen Makler beauftragt. Zum vereinbarten Termin erschien der Makler mit einer halben Stunde Verspätung und mit 15 Interessenten. Christin war total sauer wegen der Verspätung und der vielen Leute, die der Makler nicht angekündigt hatte. Sie hatte mit viel weniger Personen gerechnet. Mit zusammengebissenen Zähnen führte sie die Interessenten durch die Wohnung und geriet, als diese verschwunden waren, mit dem Makler in einen haltlosen Streit. Christin erzählte mir diese Situation als ein Beispiel dafür, dass sie so leicht von »guter Laune« in »schlechte Laune« kippen könne und dann in ihren Wutgefühlen verhaftet bleibe. Obwohl Christin in der Psychotherapie schon viel mit ihrem Schattenkind gearbeitet hatte, war ihr in dieser Situation nicht bewusst, dass es eben dieses gewesen war, das so wütend agiert hatte. Als wir in der Therapiesitzung das Geschehen im Hinblick auf ihr Schattenkind analysierten, stellte sie verblüfft fest, dass es an dem Wutausbruch beteiligt gewesen war. So hatte der Umstand, dass der Makler zu spät gekommen war und unangekündigt 15 Personen mitbracht hatte, eine alte Überzeugung in Christin getriggert, die sinngemäß lautet: »Der meint wohl, mit mir kann er das machen …!« Dahinter versteckten sich Glaubenssätze wie »Ich bin nicht wichtig« und »Ich bin klein«. Auf diese hatte sie mit ihrer Schutzstrategie *Angriff und Attacke* reagiert. Es war also nicht »die Situation«, die Christin zu ihren Gefühlen und Handlungen veranlasste, sondern ihre *Interpretation* der Situation, die aufgrund der Wahrnehmungsverzerrungen ihres Schattenkindes erfolgte. Hätte sie das Verhalten des Maklers nicht so persönlich genommen, dann wäre sie gelassen geblieben.

Und so wie Christin geht es uns allen: Wir erkennen oft nicht, wenn wir in unserem alten Muster gefangen sind, weil es uns so vertraut ist. Wir kommen gar nicht auf die Idee, dass wir die Situation auch anders wahrnehmen könnten. Hierfür noch ein Beispiel aus meiner Praxis: Leo (24 Jahre) erzählte mir, er sei wieder mit seiner Freundin zusammengekommen. Diesmal wolle er »alles richtig machen«. Ich fragte ihn, ob er denn mit ihr über die Probleme, die sie in der Vergangenheit gehabt hätten, offen spreche, was er verneinte: Er habe den Eindruck, *sie* wolle das nicht, sie wolle einfach nur die gute Zeit mit ihm genießen und die Probleme von früher verdrängen. Leo bemerkte nicht, wie stark er mit seinem Schattenkind identifiziert war. Aufgrund seiner Glaubenssätze, die unter anderem lauten: »Ich genüge nicht« und: »Ich darf nicht ich sein«, ist eine seiner wichtigsten Selbstschutzstrategien die *Anpassung*. Sprich: Er versucht alle Erwartungen, die er in seine Freundin hineinfantasiert, zu erfüllen. Und wenn er das Gefühl hat, sie wolle nicht über ihre früheren Probleme sprechen, dann vermeidet er dies eben. Er nimmt seine Freundin also ganz aus der kindlichen Perspektive wahr und versucht ein »artiger Junge« zu sein und »alles richtig« zu machen. Damit ihm dies gelingt, hat er seine inneren Antennen ständig auf Empfang, um *intuitiv* zu erraten, was seine Freundin von ihm erwartet. Seine Angst vor Zurückweisung und seine Sicht auf seine Partnerin sind so selbstverständlich und so normal für ihn, dass er häufig gar nicht bemerkt, wenn er mit seinem Schattenkind identifiziert ist.

Übrigens sind es meistens die Gefühle, die uns darauf hinweisen, dass wir gerade aus unserem Schattenkind heraus agieren. So hätte Christin sich bei ihren Wutgefühlen ertappen können und Leo bei seiner Verlustangst.

Sei dir also bewusst, dass dein Schattenkind deine Wahrnehmung, dein Denken und deine Gefühle in ganz vielen Situationen, auch scheinbar banalen, bestimmt. Und noch einmal: Wenn du deine Probleme lösen und dich weiterentwickeln willst, dann ist es ganz wichtig, dass du Verantwortung für dich übernimmst und *aktiv* mit deinem neuen Wissen an dir arbeitest, denn dies ist wiederum die Voraussetzung dafür, dass du dich ertappst, wenn du wieder mit deinem Schattenkind identifiziert bist. Du kannst schließlich nur das verändern, dessen du dir selbst bewusst bist.

Unterscheide zwischen Tatsache und Interpretation!

Wenn du dich also dabei ertappst, dass du dich gerade wieder einmal im Modus des Schattenkindes befindest und dich entsprechend mies fühlst, dann gehe einen Schritt zurück, analysiere die Situation mit etwas Abstand, und frage dich, was deine *Interpretation* der Situation ist. Schalte also auf dein Erwachsenen-Ich um, und versuche ganz bewusst, die Brille zu erkennen, durch die du die Welt mit den Augen deines Schattenkindes siehst. Denn es sind in der Regel immer diese Interpretationen, auf die wir reagieren, und nicht die »objektive Realität«. Dies gilt übrigens auch, wenn wir die Welt eher positiv verzerrt wahrnehmen. So können wir uns die Dinge auch schönreden, um uns vor schmerzvollen Einsichten zu beschützen. Abgesehen davon können auch der innere Erwachsene und das Sonnenkind die Lage falsch einschätzen. Aber häufig machen die Wahrnehmungsverzerrungen, die aus unserem Schattenkind resultieren, uns die meisten Probleme, weswegen ich auf diese näher eingehen möchte.

Vielen Menschen ist gar nicht bewusst, wie stark ihre Wahrnehmung subjektiv eingefärbt ist durch die Interpretationen, die sie ständig unbewusst vornehmen. Wenn Person A beispielsweise denkt »Warum grinst der mich denn so blöd an!«, dann kommt sie normalerweise nicht darauf zu hinterfragen, ob Person B sie *wirklich* blöde angrinst (sprich: sich über sie lustig macht) oder ob es sich vielleicht um ein nettes Lächeln handelt. Ein wesentlicher Bestandteil meiner psychotherapeutischen Arbeit besteht darin, mit meinen Klienten konkrete Situationen im Hinblick auf ihre subjektive Interpretation der Wirklichkeit hin zu analysieren. Menschen, die mit ihrem Schattenkind identifiziert sind, also unter einem labilen Selbstwertgefühl leiden, weisen in der Regel eine starke Neigung auf, anderen Menschen schlechte Absichten zu unterstellen. Selbst wenn sie ein Kompliment bekommen, meinen sie entweder ihr Gegenüber wolle sie manipulieren oder schlichtweg »verarschen«. Sie können einfach nicht glauben, dass ein anderer Mensch sie sehr viel positiver beurteilt, als sie es selbst tun. Und wenn es ihnen doch widerfährt, dann leben sie in der beständigen Angst aufzufliegen, sprich: Sie befürchten, der andere könnte irgendwann bemerken, wie sie *wirklich* sind. Nur eines passiert in der Regel nicht: dass sie ihre eigenen negativen Glaubenssätze hinterfragen und auf die Idee kommen, dass *sie* vielleicht diejenigen sind, die sich irren.

Allerdings gibt es auch jene, als eher »naiv« zu bezeichnenden Naturen, die die Welt und ihre Beziehungen etwas verklärt wahrnehmen. Die Betroffenen haben als Schutzstrategien zumeist Harmoniestreben entwickelt und Glaubenssätze wie: »Ich bleibe Kind«. Sie reden sich die Dinge schön, weil sie große Angst vor der Wahrheit haben, die sie in die unangenehme Lage brächte, sich aktiv zur Wehr setzen zu müssen. Eine Eigenschaft von sehr harmonieliebenden Menschen ist nämlich nicht nur, dass sie Konflikte gern vermeiden, sondern dass sie diese manchmal noch nicht einmal wahrnehmen. Falls du zu jenen gehörst, die zu gutgläubig und naiv sind, dann überlege dir entsprechend, wie du das Verhalten deines Interaktionspartners unter strengeren Gesichtspunkten beurteilen würdest. Versuche besonders kritisch zu sein. Versuch mithilfe deines inneren Erwachsenen die Dinge möglichst nüchtern zu sehen. Ertappe dich, sobald du wieder anfängst, Entschuldigungen für den anderen zu suchen und Verständnis für ihn an Stellen aufzubringen, die dich eigentlich vehement stören.

Übung: Realitätscheck

Die folgende Übung soll dir dabei helfen, deine Interpretation der Wirklichkeit zu erfassen und zu verändern. Hierfür ein Beispiel, das du selbstverständlich mit deinen eigenen Inhalten bearbeitest.

Die konkrete Situation ist (Trigger): Meine Chefin macht mich auf einen Fehler aufmerksam.

Mein Schattenkind meint (Glaubenssätze): Ich genüge nicht. Ich muss perfekt sein! Ich darf keine Fehler machen!

Meine Interpretation: Meine Chefin meint, ich sei mit dem Job überfordert und überlegt, mich zu ersetzen.

Mein Gefühl: Ich schäme mich und habe Angst.

Meine Schutzstrategie: Perfektions- und Kontrollstreben: Ich strenge mich noch mehr an, kontrolliere alles haargenau und mache Überstunden.

Mein Sonnenkind meint (positive Glaubenssätze): Ich darf Fehler machen! Ich genüge!

Meine Interpretation der Situation: Meine Chefin ist mit meiner Leistung zufrieden, auch wenn ich mal einen Fehler mache.

Der Erwachsene sagt (Argumente): Du verstehst viel von deinem Fach. Du bildest dich regelmäßig fort. Deine Chefin und deine Kollegen machen auch manchmal einen Fehler. Dein Schattenkind reagiert viel zu sensibel auf Kritik.

Gefühl: Ich bleibe gelassen.

Meine Schatzstrategie: Ich lerne aus dem Fehler und begegne mir und anderen Menschen, die auch nicht perfekt sind, mit Wohlwollen und Verständnis.

Finde eine gute Balance zwischen Reflexion und Ablenkung!

Wir haben jetzt verstanden, dass unsere Interpretation der Wirklichkeit maßgeblich bestimmt, was wir fühlen und wie wir handeln. Es gelingt uns jedoch nicht immer, uns rechtzeitig zu ertappen und unsere verzerrte Wahrnehmung zu korrigieren und dann von Schattenkind- auf Sonnenkindmodus umzuschalten. Dann kann es uns passieren, dass wir in den negativen Gefühlszuständen des

Schattenkindes versacken. Normalerweise verstärken wir dann unsere Schutzstrategien nach dem Motto: mehr desgleichen. Hierdurch reiten wir uns jedoch noch tiefer in das Problem hinein: Wenn wir also zu *Rückzug* neigen, vergraben wir uns in unsere vier Wände; reagieren wir als Schutzstrategie schnell *zickig,* werden wir aggressiv; streben wir nach *Perfektion,* strengen wir uns noch mehr an usw. Teufelskreisartig kommen wir immer schlechter drauf. Wir sind dann so stark mit unserem Schattenkind identifiziert, dass wir keinen Ausstieg mehr finden.

Wenn du es also nicht schaffst, deine Wahrnehmung zu korrigieren, indem du dich rechtzeitig dabei ertappst, dass du gerade dabei bist, in dein altes Muster zu verfallen, dann kann eine andere Strategie helfen, aus diesem Zustand auszusteigen: Ablenkung. Ablenkung heißt, dass ich meine Aufmerksamkeit nicht auf meine Gefühle und Probleme richte, sondern auf die Außenwelt. Wenn ich mich völlig auf das, was da draußen passiert beziehungsweise auf eine Tätigkeit konzentriere, nehme ich mich selbst nicht wahr, dann bin ich selbstvergessen. In diesem Zustand spüre ich keine Schmerzen – weder körperlich noch seelisch. Deswegen ist Ablenkung auch ein zentraler Bestandteil bei der Psychotherapie für Patienten mit chronischen Schmerzen – wenn man leidenschaftlich tanzt, spürt man keine schmerzenden Füße. Immer wenn unsere Aufmerksamkeit ganz gefesselt ist, können wir in den Zustand der Selbstvergessenheit gelangen. Hierdurch können sich belastende Gefühle ganz zurückziehen. Durch Ablenkung gerätst du automatisch in eine bessere Stimmung, was dir einen inneren Abstand zu deinem Problem verschafft. *PIANO*

Die folgende Situation hast du bestimmt schon einmal erlebt: Du ärgerst dich maßlos über Person X, von der du dich missverstanden und ungerecht behandelt fühlst. Deine Gedanken kreisen um dieses Problem, du steigerst dich hinein und wirst immer wütender. Dann bist du für einige Zeit abgelenkt, weil du dich beispielsweise voll auf deine Arbeit konzentrieren musst. Durch die Ablenkung gerät dein Ärger in den Hintergrund, du beruhigst dich. Nun kannst du dein Problem mit X aus einer viel gelasseneren Stimmung heraus betrachten. Du hast innerlich Abstand gewonnen. Durch den Abstand verändert sich auch deine Interpretation der Situation. Du kannst jetzt auch deinen Anteil an dem Geschehen erkennen. Vielleicht stellst du auch fest, dass du aus einer Mücke einen Elefanten gemacht hast. Oder du findest eine Lösung für das Problem mit X. Vielleicht ist dir die ganze Sache aber auch gar nicht mehr so wichtig, und du denkst: »Schwamm drüber.«

Möglicherweise fragst du dich jetzt: »Was denn nun? Soll ich mich selbst aufmerksam beobachten oder ablenken?« Meine Antwort ist: Es besteht ein großer Unterschied, ob ich mich so weit im Blick habe, dass ich mich selbst gut reflektieren und gegebenenfalls rechtzeitig ertappen kann, oder ob ich in meinen Gefühlen versumpfe und in meinen Gedanken ständig und – fruchtlos – um mich selbst kreise. Wenn ich mich in meine negativen Gefühle hineinsteigere, dann bringt mich das nicht weiter. Deshalb gilt: Sich selbst zu beobachten ist wichtig. Aber wenn man Gefahr läuft, sich in seinen Schattenkindgefühlen und Glaubenssätzen zu verstricken, lohnt es sich, sich erst einmal abzulenken. Meine Gefühle und Probleme kann ich besser reflektieren, wenn ich einen kleinen Abstand dazu einlege.

Mein Rat: Halte immer mal wieder inne, und spüre, was in dir vorgeht, und dann gehe mit deiner Aufmerksamkeit wieder in die Außenwelt, und nimm wahr, was um dich herum geschieht, und konzentriere dich auf dein Tun. Finde also eine gute Balance zwischen deiner Selbstaufmerksamkeit und deiner Aufmerksamkeit für deine Umgebung. Falls du unter einem ganz akuten Problem leidest, das deine Aufmerksamkeit ständig beansprucht, dann gebe ich dir den Tipp, dich eine halbe Stunde täglich ganz intensiv damit zu befassen, und zwar schriftlich. Dann weiß dein innerer Erwachsener, dass im Zweifelsfall alles auf dem Zettel steht und er sich für den Rest des Tages anderen Dingen zuwenden kann. Um dir dabei zu helfen, gedanklich nicht immer wieder zu deinem Problem zurückzukehren, kannst du dir ein Gummiband ans Armgelenk machen. Immer wenn du dich bei deinem Problem ertappst, schnippst du dich selbst mit dem Gummi und lenkst deine Aufmerksamkeit wieder auf dein Tun.

Sei dir selbst gegenüber ehrlich!

Wie gesagt, heißt Selbstannahme nicht, dass ich alles toll an mir finde. Selbstannahme heißt, dass ich mich mit meinen Stärken und Schwächen akzeptiere. Ich will auch nicht von Selbstliebe sprechen. Liebe ist so ein großes Wort. Es reicht, dass man gern lebt. Denn dann ist man dafür, dass es einen gibt.

In welchem Umfang ich mich selbst akzeptieren kann, hängt von dem Ausmaß meiner Selbsterkenntnis ab. Schließlich kann ich nur das akzeptieren, was ich wahrnehme, was mir bewusst ist. Wenn ich aber nur akzeptieren kann, was ich gut an mir finde, dann kann ich immer nur einen Teil von mir akzeptieren. Den anderen Teil muss ich irgendwie ausblenden, verdrängen. Viele Menschen machen deswegen einen kleinen Schlenker um ihre Selbsterkenntnis: Sie fokussieren auf Schwächen, die vergleichsweise harmlos oder sogar gar keine sind, aber Schwächen, die tatsächlich einer näheren Betrachtung wert wären, schieben sie gern an den Rand ihres Bewusstseins. Ich hatte mal eine bildschöne Klientin, die ungelogen im Erstgespräch eine Stunde lang heulte, weil sie sich so hässlich fand. Dies ist zwar ein drastisches Beispiel für eine Wahrnehmungsverzerrung, taugt aber zur Veranschaulichung: So war die Schwäche dieser Klientin ja mitnichten ihr Äußeres, sondern ihre ausgeprägte Neigung zu Hysterie, also einer völlig überzogenen Reaktion. Und so wie die Klientin sich auf einem völlig falschen Dampfer befand, so geht es uns allen – mal mehr und mal weniger.

Wenn ich aus Angst vor schmerzhaften Einsichten die Augen verschließe, beschütze ich mich zwar genau vor diesen Einsichten, kann mich aber auch nicht weiterentwickeln. Wenn ich mir also selbst beispielsweise nicht eingestehe, dass ich aus Angst vor dem Scheitern vor wichtigen Entscheidungen davonlaufe, dann werde ich auf der Stelle treten. Wenn ich mir selbst nicht eingestehe, dass ich auf eine bestimmte Person furchtbar neidisch bin, dann werde ich dieses Gefühl nicht auf eine gesunde Weise auflösen können. Wenn ich mir nicht eingestehe, wo die Grenze meiner Begabung liegt, dann werde ich nie mit meinen Leistungen zufrieden sein.

Ich möchte dich ermuntern, dir selbst gegenüber möglichst ehrlich zu sein. Dafür kann es auch helfen, wenn du einmal einen guten Freund um eine ehrliche Einschätzung bittest, denn oft ist es ja nicht leicht, sich selbst objektiv wahrzunehmen. Die ehrliche Selbsterkenntnis kann etwas ungeheuer Erlösendes haben, weil sie Angst reduziert. In dem Moment, wo ich mir zum Beispiel eingestehe, dass meine Begabung nicht zur Verwirklichung meiner Träume reicht, brauche ich keine Angst mehr vor diesem Eingeständnis zu haben. Ich kann mich entspannen und mir zugestehen: Ja, so ist das. Und dann kann ich meine Zukunftspläne realistischer gestalten.

Unterschwellig arbeitet häufig eine diffuse Angst vor bestimmten Wahrheiten in uns. So lange wir jedoch vor dieser Wahrheit, vor dieser Erkenntnis davonlaufen, so lange bleibt die Angst bestehen, und wir entwickeln uns nicht weiter. Halte ich jedoch inne und gestehe mir ein: Ja, so ist es!, dann kann sich die Angst auflösen und vielleicht einer gewissen Trauer weichen. Hierdurch kann Raum für Neues entstehen. Entweder indem ich meinen Wünschen eine neue Richtung verleihe, mich also einer anderen Tätigkeit zuwende, die mir vielleicht mehr liegt. Oder indem ich einfach akzeptiere, dass mein Talent zwar nicht für Höhenflüge taugt, aber dennoch ausreichend ist, um zu befriedigenden Resultaten zu gelangen. Oder indem ich beschließe, mein Defizit an Talent durch Fleiß wettzumachen. In jedem Fall kann ich erst durch die realistische Selbsteinschätzung meine Ziele und mein Handeln so regulieren, dass ich am Ende viel zufriedener bin, als wenn ich aus lauter Angst vor der Selbsterkenntnis ständig in die falsche Richtung laufe.

Wenn wir uns mit unseren Schwächen befassen, dann ist ja das schlimmste Eingeständnis, zu dem wir gelangen können, jenes von Schuld. Schuldgefühle sind kaum zu ertragen. Dabei kann es etwas ungeheuer Erlösendes haben, sich einzugestehen, wo man sich schuldig gemacht hat. Einfach zu sagen: »Ja, das war daneben!«, »Ja, da habe ich mich schuldig gemacht!«, »Ja, so würde ich das nie wieder machen!« Denn nur wenn ich mich für mein Handeln verantworte, kann ich auch für meine Opfer Gerechtigkeit herstellen. Nur wenn ich mir meine Fehler eingestehe, kann ich mich bei den Betroffenen entschuldigen. Nicht selten sind dies ja die Menschen, die uns am nächsten stehen. Wenn du dich ertappen solltest, dass dir gewisse Dinge leidtun, die du gesagt, gemacht oder auch unterlassen hast, dann denke einmal darüber nach, dich bei den Betroffenen zu entschuldigen. Viele erwachsene Kinder sind sehr erlöst, wenn ihre Eltern einfach mal einräumen: »Es tut uns leid. Wir waren damals überfordert und würden heute ganz anders handeln!« Oft bleiben Dauerwunden im Schattenkind bestehen, weil die eigenen Eltern nie die Verantwortung für ihre Fehler übernehmen, sondern sich rechtfertigen oder die Dinge einfach abstreiten. Vielleicht wünschst du dir selbst dringend, deine Eltern oder ein Elternteil würde sich einmal bei dir entschuldigen für das, was schiefgelaufen ist.

Falls du selbst erwachsene Kinder hast und bei aufrichtiger Selbstkritik zu dem Ergebnis kommst, einiges falsch gemacht zu haben, dann entschuldige dich bei ihnen dafür. Diese Entschuldigung kann ein Neuanfang in eurer Beziehung sein. Hast du hingegen noch minderjährige Kinder, dann prüfe ganz genau, wie dein Schattenkind möglicherweise in deine Erziehung hineinwirkt, und versuche, so selbstaufmerksam und reflektiert wie möglich zu handeln.

Aber auch wenn du rückblickend reflektierst, dass du einem alten Freund oder Arbeitskollegen Unrecht getan hast, dann entschuldige dich einfach dafür. Auch wenn das Geschehen viele Jahre her ist. Denn umgekehrt kennst du bestimmt auch Situationen, wo du das Opfer gewesen bist – wo jemand dir Unrecht getan hat. Stelle dir vor, dieser Mensch würde sich endlich einmal bei dir entschuldigen. Wie gut würde das tun!

Übung: Bejahendes Annehmen der Wirklichkeit

Diese Übung ist eigentlich eine innere Haltung, zu der ich dich ermuntern möchte. Sie kommt aus der buddhistischen Meditationslehre, mit der ich zugegebenermaßen nur oberflächlich vertraut bin. Ich weiß aber, dass ein Grundstein der meditativen Übungen ist, das, was ist, zu bejahen und anzunehmen. Ich denke, man kann diese einfache Idee in sein Leben übernehmen, ohne hierfür tief in die buddhistische Lehre eintauchen zu müssen. Die Idee des Ja-Sagens ist psychisch sehr eingängig. Wie gesagt, kann die Abwehr von schmerzhaften Einsichten eine chronische, unterschwellige Angst erzeugen. Die Abwehr von Angst kostet jedoch mehr Energie, als die Angst zu akzeptieren. Und so verhält es sich mit allen anderen negativen Gefühlen: Trauer, Hilflosigkeit, Wut, Scham – sie lösen sich am schnellsten auf, wenn ich sie akzeptiere.

Wenn ich von Angst spreche, dann spreche ich vom Schattenkind. Wenn wir unser Schattenkind annehmen und damit unsere Ängste, unsere Unterlegenheits- und Schamgefühle, unsere Trauer und Hilflosigkeit annehmen, dann fühlt es sich verstanden und kann sich allmählich beruhigen. Hierfür reicht es oft schon, dass man sich im Alltag immer wieder sagt: *Ja, so ist das.* Egal ob ich zum Zahnarzt muss, an einen Konflikt mit einem Freund denke, im Stau stehe, die Kinder nerven, den Zug verpasse usw. Sage dir immer wieder: »Ja, so ist das.« Am besten verbindest du diesen Satz mit deiner Atmung, indem du tief ein- und ausatmest und dir innerlich sagst: »Ja, so ist das.« Mache dies immer wieder, du wirst sehen, wie beruhigend und erlösend dies ist.

Gefühle sind immer flüchtige Zustände. Bei unseren Glücksgefühlen wissen wir das. Wenn wir uns sehr freuen, dann wissen wir schon im Voraus, dass diese Freude nicht ewig währt. Bei belastenden Gefühlen meinen wir hingegen manchmal, die gingen nie wieder weg. Bei Liebeskummer zum Beispiel oder bei Angst.

Ich erinnere dich deswegen noch einmal an die Übung, die ich bereits unter »Wie man aus negativen Gefühlen aussteigt« beschrieben habe: Konzentriere dich auf den körperlichen Ausdruck deines belastenden Gefühls. Wenn du zum Beispiel traurig bist, dann fokussiere darauf, wie dein Körper die Trauer spürt. Vielleicht ist es ein Kloß im Hals? Oder ein Drücken auf der Brust? Konzentriere dich ausschließlich auf dieses Gefühl, und blende alle Bilder, die du zu deiner Traurigkeit im Kopf hast, aus. Wenn du also traurig bist, weil deine Freundin Schluss gemacht hat, dann verbanne jegliches Bild von ihr aus deinem Kopf, und spüre einzig und allein das körperlich traurige Gefühl. Bleibe dabei. Du wirst sehen, es löst sich schnell auf. Entsprechend kannst du mit allen anderen belastenden Gefühlen verfahren. Diese Übung entstammt der sogenannten Sedona-Methode© nach Lester Levenson, einem sehr pragmatischen Ansatz, um mit Gefühlen umzugehen.

Übe dich in Wohlwollen!

Die Unzulänglichkeit, die das Schattenkind in uns häufig verspürt, hat nicht nur Auswirkungen auf unser eigenes Wohlbefinden, sondern auch auf unsere Einstellung und unser Verhalten gegenüber anderen Menschen. Aus der Perspektive des Schattenkindes mutiert der andere schnell zum Feind. Bereits in meinem Buch »Leben kann auch einfach sein!« hatte ich ausgeführt, dass Selbstunsichere ihr Leben zumeist aus der Defensive vollziehen, das heißt, sie sind ständig besorgt, in eine unterlegene Position zu geraten und attackiert zu werden. Wer jedoch mit seiner Selbstverteidigung beschäftigt ist, kann nicht gleichzeitig Mitleid für den Angreifer aufbringen. Die Folge ist, dass es ihm an Wohlwollen für den vermeintlich Stärkeren fehlt. Wohlwollen kann ich nämlich nur aufbringen, wenn ich mich mit meinen Mitmenschen auf Augenhöhe befinde. Fühle ich mich hingegen unterlegen, dann gehe ich nicht nur mit mir selbst streng ins Gericht, sondern auch mit den anderen. Zwar mag ich die vermeintlich stärkeren Mitmenschen für gewisse Eigenschaften bewundern und bilde mir ein, ich ginge nur mit mir selbst so streng um, aber wenn man ganz ehrlich zu sich ist, stimmt das so nicht ganz. Schadenfreude und Neid sind allzu menschliche Eigenschaften und richten sich normalerweise immer auf Menschen, die wir als überlegen wahrnehmen. Das Schattenkind kann schrecklich kleinlich und argwöhnisch agieren. Deswegen dient es der Gemeinschaft, wenn ich mich möglichst oft im Zustand des Sonnenkindes oder des inneren Erwachsenen befinde. Das hebt meine Stimmung, und entsprechend nehme ich meine Mitmenschen wohlwollender wahr. Wahrnehmung und Stimmung stehen in einer beständigen Wechselwirkung. Wenn ich gut drauf bin und meinen Mitmenschen wohlwollend begegne, dann fühlen diese sich in meiner Gesellschaft wohl. Es entsteht eine positive Dynamik. Es ist viel entspannender, andere Menschen mit Wohlwollen zu betrachten, als in sprungbereiter Wachsamkeit auf den nächsten Angriff zu lauern. Je angespannter und gestresster ich mich hingegen fühle, desto schneller bin ich geneigt, diese Gefühle auch auf meine Mitmenschen zu projizieren und hierdurch eine negative Dynamik anzustoßen.

Wohlwollen gegenüber anderen Menschen kann ich also leichter aufbringen, wenn ich mich im Modus des Sonnenkindes befinde. Wenn ich hingegen mit mir selbst kleinlich und autoaggressiv umgehe, dann fällt es mir umso schwerer, anderen Menschen gegenüber großzügig zu sein. Deswegen ist es ganz wichtig, für mich selbst zu sorgen und die Verantwortung für mein Wohlbefinden zu übernehmen. Das kannst du tun, indem du für dein Schattenkind Verständnis aufbringst und es immer wieder tröstest, so wie wir das in dem Abschnitt »Tröste dein Schattenkind« geübt haben. Zugleich trainiere dich darin, aktiv in den Modus des Sonnenkindes umzuschalten. Sorge dafür, dass du in eine gute Stimmung kommst. Sieh es als deine Pflicht an, möglichst viel Spaß am Leben zu haben und es zu genießen. Hierauf gehe ich noch unter dem Abschnitt »Genieße dein Leben« näher ein.

Wohlwollen ist aber auch eine innere Haltung, zu der ich mich entschließen kann. Viele Menschen, die mit ihrem Schattenkind identifiziert sind, bestehen geradezu darauf, anderen Menschen mit Misstrauen zu begegnen. Argwohn und Misstrauen zählen zu ihren Schutzstrategien, und gerade weil sie so stark mit ihrem Schattenkind identifiziert sind, glauben sie auch ganz fest an das, was sie vermeintlich wahrnehmen und denken, sprich: Die Welt und die Menschen sind egoistisch und böse. Um Missverständnissen vorzubeugen: Ich will nicht behaupten, dass die Menschen grundsätzlich gut seien. Ein unreflektiert naives Menschenbild ist ebenso problematisch wie notorischer Argwohn. Aber mit einer grundsätzlich misstrauischen Haltung, der es an Wohlwollen mangelt, tragen wir selbst mit dazu bei, dass die Welt ein bisschen schlechter wird. Außerdem lässt sich die pessimistisch-misstrauische Haltung, der Mensch sei grundsätzlich egoistisch, auch wissenschaftlich nicht untermauern, wie ich es bereits unter dem Abschnitt »Wie Werte uns helfen können« beschrieben habe. Zur Erinnerung: Die moderne Hirnforschung hat erwiesen, dass wir Menschen darauf ausgerichtet sind zu kooperieren und dass Geben uns glücklich macht. Für eine wohlwollende Einstellung sprechen also auch vernünftige Argumente.

Wenn du dich dabei ertappst, dass du gerade dabei bist, einen Freund, Kollegen, Verwandten oder deinen Partner recht kleinlich und negativ zu beurteilen, dann tritt bewusst einen Schritt zurück und versuche dieselbe Situation von einem wohlwollenderen Standpunkt aus zu analysieren. Bereits unter dem Abschnitt »Genetisch bedingt schlecht gelaunt« hatte ich ausgeführt, dass es leider in unseren Genen liegt, verstärkt auf negative Ereignisse zu achten und diese auch höher zu bewerten. Ich erinnere: Eine negative Interaktion mit einem Freund kann 100 positive in den Hintergrund treten lassen. Bevor du also zu dem Ergebnis kommst, dass Person X aus niederen Motiven handelt, prüfe mithilfe deines Erwachsenen-Ichs, ob das *wirklich* so ist, und bedenke, wie viel Gutes du schon mit diesem Menschen erlebt hast. Überlege gründlich, ob deine Interpretation der Situation stichhaltig ist. Oft ist man viel zu schnell bereit, anderen schlechte Absichten zu unterstellen, selbst wenn es sich um langjährige Freunde handelt. Ein vergessener Geburtstag, eine kleine Kritik oder eine »falsche« Reaktion können bei manchen Menschen schon so viel Enttäuschung auslösen, dass sie an der Freundschaft zweifeln. Eine wohlwollende Einstellung hingegen beinhaltet, dass man anderen Menschen – genau wie sich selbst – zugesteht,

- grundsätzlich lieber Gutes als Schlechtes tun zu wollen und
- trotzdem manchmal Fehler zu machen;
- vergesslich zu sein, auch wenn es sich um den Geburtstag des besten Freundes handelt;
- ängstlich und deswegen nicht immer ehrlich zu sein;
- die Folgen der eigenen Taten nicht immer exakt zu kalkulieren;
- ab und zu einfach keinen Bock zu haben;
- manchmal gedankenlos zu handeln;
- manchmal schlecht drauf zu sein;
- sich zu oft im Schattenkindmodus zu befinden.

Bedenke: Schwierige Menschen haben auch sehr verletzte Schattenkinder.

Keine menschliche Beziehung ist perfekt. Wir machen alle Fehler und irren uns. Deswegen behandle deine eigene Unzulänglichkeit und die anderer Menschen mit bestmöglichem Großmut. Aggression und Kleinlichkeit schaden in erster Linie dir selbst – sie ziehen deine Stimmung herunter und belasten deine zwischenmenschlichen Beziehungen. Apropos Stimmung: Humor kann uns dabei helfen, unsere Beziehungen mit mehr Leichtigkeit und Wohlwollen zu gestalten. In diesem Sinne: Ich habe keine Macken, es handelt sich um Special Effects!

Lobe deinen Nächsten, so wie dich selbst!

Wohlwollen beinhaltet auch, dass ich meinen Mitmenschen auch einmal ein Lob ausspreche beziehungsweise ihnen ein Kompliment mache. Auch damit tun sich einige schwer, wenn sie mit ihrem Schattenkind identifiziert sind. In diesem inneren Zustand gefangen, neigen sie zu Neid, der sie Lob, wenn überhaupt, nur sehr sparsam aussprechen lässt.

Manche Menschen sind aber auch zu gehemmt, als dass ihnen ein Lob über die Lippen käme. Sowohl loben als auch selbst gelobt zu werden, ist ihnen peinlich. Sie sind es von der Kindheit her nicht gewohnt. »Nicht gemeckert, ist genug gelobt« ist ja so ein Spruch, mit dem viele groß geworden sind. Manche meinen auch etwas selbstgerecht, sie hätten halt sehr hohe Maßstäbe – sowohl bei den anderen als auch gegenüber sich selbst, weswegen sie selten lobten.

Egal aus welchem Grund es manchen Menschen schwerfällt, andere zu loben oder ein ehrliches Kompliment auszusprechen, ich empfehle ihnen, sich diesbezüglich in Großzügigkeit zu üben. Falls du dich angesprochen fühlst, versuche einmal sowohl mit dir als auch mit deinen Mitmenschen generöser zu sein. Klopfe dir öfter auf die Schulter für das, was du gut machst, gratuliere dir zu deinem Aussehen und deinen Besitztümern, und lobe dich für deine guten Taten. Fange den Tag am besten mit Eigenlob an, das im Übrigen herrlich duftet. Lobe dich, so oft es geht. Das hebt deine Stimmung und reduziert deine Neidgefühle, sofern du unter ihnen leidest. Du kannst es auch einfach mal mit Dankbarkeit versuchen: Sei dankbar für alles, was gut läuft in deinem Leben. Und sei dankbar für alles, was du hast und was dir nur allzu oft selbstverständlich erscheint. Übe dich ganz bewusst darin, deinen Blick auf das Gute an dir und deinem Leben zu richten. Das ganze Gejammer um die eigenen vermeintlichen Schwächen und Defizite verleitet nämlich zu Undankbarkeit. Durch Eigenlob und Dankbarkeit tankst du Anerkennung für dich auf und kannst dann auch wieder etwas abgeben.

Lobe deinen Ehepartner, deine Kinder, deine Arbeitskollegen, deinen Vorgesetzten, deine Freunde und Menschen auf der Straße. Die US-Amerikaner sind ja ziemlich locker, fremden Menschen ein Lob auszusprechen: »I like your dress!«, bekommt man da zum Beispiel einfach von einer Kassiererin im Supermarkt zu hören. Ich mag diese nette, offene Art. Wir Deutschen sind ja vergleichsweise etwas gehemmt und verkrampft, obwohl das in den letzten Jahren auch schon besser geworden ist. (Und jetzt komme mir bitte nicht mit dem Einwand: »Die Amis sind ja so oberflächlich.« Eine Verkäuferin in einem deutschen Supermarkt beweist nicht per se mehr Tiefgang, wenn sie nicht lobt.)

Wir sehnen uns alle nach Anerkennung. Anstatt passiv darauf zu warten, dass du diese erhältst, beginne aktiv damit, sie zu spenden. Apropos »spenden« – sei nicht nur großzügig mit deiner Anerkennung, sondern auch finanziell. Geiz ist eine ganz furchtbare Eigenschaft, unter der leider viel zu viele leiden. Falls du zu jenen gehörst, die sich ungeheuer schwertun, großzügig zu sein, dann untersuche dich genau auf deine Glaubenssätze, und analysiere deinen Geiz als Schutzstrategie. Glaub mir, dein Geiz macht dich weder glücklich, noch trägt er zu mehr Sicherheit in deinem Leben bei. Im Gegenteil: Je mehr du abgibst, desto mehr wirst du bekommen. Du wirst sehen, wie sich deine Laune und deine Beziehungen verbessern, wenn du andere Menschen in jeder Hinsicht großzügig behandelst.

Gut ist gut genug!

Wie wir bisher erfahren haben, verwenden die meisten Menschen unheimlich viel Energie darauf, ihr Schattenkind mit seinen negativen Glaubenssätzen in irgendeiner Form mundtot zu machen. Viele wollen es durch Perfektionsstreben zum Schweigen bringen. Ich wiederhole: Die Glaubenssätze sind eine negative Illusion. Sie sind falsch und sagen lediglich etwas über die partielle Überforderung deiner Eltern aus. Aber durch die Wahl deiner Schutzstrategien machst du tatsächlich auch Fehler. Wenn du nach Perfektion strebst, dann bist du zu stark mit der Frage beschäftigt, welchen Eindruck du hinterlässt, und zu wenig mit der Frage, was tatsächlich sinnvoll ist.

Um deinen inneren Erwachsenen zu stärken, kannst du dir einige selbstkritische Fragen vorlegen: Aus welchem Motiv willst du perfekt sein? Geht es dir wirklich allein um die Sache? Oder geht es darum, möglichst keine Angriffsfläche zu bieten? Oder willst du bewundert werden? Tritt bitte einen Schritt zurück, und betrachte dein Verhalten von außen. Für wen, außer für dich selbst, ist es wichtig, dass du perfekte Arbeit ablieferst, perfekt aussiehst oder eine perfekte Gastgeberin bist? Zu wie viel Prozent geht es letztlich nur um dich selbst? Was könntest du mit der verbleibenden Energie und Zeit machen, wenn du von deinen Perfektionsansprüchen zurücktreten würdest und es dir ausreichte, deine Sache »nur« *gut* zu machen? Was würdest du mit der übrigen Zeit tun? Hast du vielleicht Angst vor Langeweile oder schmerzhaften Erinnerungen? Oder verdrängst du akute Probleme, indem du dich in die Arbeit flüchtest? Viele Menschen rennen vor ihren Problemen davon, indem sie sich möglichst beschäftigt halten. Sobald Ruhe einkehrt, klopfen Ängste und Sorgen an.

Stärke dein Erwachsenen-Ich, indem du dir überlegst, vor welchen Problemen du eventuell flüchtest. Frage dich, ob deine Schutzstrategie dir nicht mehr Probleme beschert als sie beseitigt? So sind

Perfektionisten häufig gestresst. Sie belasten mit ihrem Stress nicht nur sich selbst, sondern auch ihre Beziehungen. Bedenke, dass du durch die hohen Ansprüche, die du an dich selbst stellst, vielleicht auch zu streng mit deinen Nächsten umgehst. Außerdem kommt durch deinen Ehrgeiz deine Lebensfreude zu kurz. Behalte im Auge, dass du gefährdeter bist, ein Burn-out zu erleiden, als Menschen, die die Dinge etwas gelassener angehen.

Und dann frage dich, wer davon profitieren könnte, wenn du weniger Zeit in deine Perfektion investieren würdest. Deine Familie, deine Freunde, eine Hilfsorganisation? Oder einfach auch du selbst, weil du mehr Freude und Spaß in deinem Leben hättest?

Versuche dein Perfektionsstreben also durch die Frage nach dem Sinn zu relativieren. Nimm dein Schattenkind an die Hand, und erkläre ihm immer wieder liebevoll und geduldig, dass es, so wie es ist, genügt und dass es Fehler machen darf. Und stärke deinen inneren Erwachsenen, indem du deine Angstszenarien zu Ende denkst: Würdest du *wirklich* deinen Job verlieren, wenn du weniger arbeiten würdest? Falls ja, überlege dir, ob das den ganzen Stress wert ist oder ob es Möglichkeiten einer beruflichen Veränderung gibt.

Überlege dir, ob deine Beziehungen *wirklich* besser werden, wenn du möglichst der perfekte Freund oder der perfekte Liebhaber bist. Und was heißt hier überhaupt perfekt? Denke über deine Wertmaßstäbe nach. Wäre es nicht viel »perfekter« als die Schönste, der Beste und die Tollste zu sein, wenn du möglichst ehrlich und offen wärst? Ich meine, perfekt wäre es doch, wenn man weiß, woran man mit dir ist, und dass man sich auf dich verlassen kann. Super wäre es, wenn du dein Handeln nicht so sehr an deinen Erfolgschancen ausrichten würdest, sondern eher an der Frage, was du selbst für richtig hältst. Wie wäre es, wenn du dir vornimmst, anstatt perfekt zu sein, einfach mehr du selbst zu sein? Wenn du dir vornimmst, möglichst oft im Zustand deines Sonnenkindes zu sein? Wenn du dir vornimmst, möglichst entspannt zu sein?

Mach dem erwachsenen Anteil in dir zwei Dinge bewusst:

1. Durch die Brille des Schattenkindes ist die Welt eine Projektion. Eine negativ verzerrte Wirklichkeit.

2. Es gibt so viel sinnvollere Dinge zu tun, als perfekt zu sein, zum Beispiel anständig zu handeln und: mein Leben zu genießen.

Genieße dein Leben!

Viele Menschen, die in den Schutzstrategien ihres Schattenkindes gefangen sind, trauen sich nicht, ihr Leben zu genießen. Sie gönnen sich einfach zu wenig. Sie verausgaben sich in ihrer Arbeit und ihren Pflichten und meinen, sie dürften erst genießen, wenn sie alles erledigt hätten. Aber irgendwie gibt es immer etwas zu tun. Ihr Schattenkind verspürt so etwas wie eine Grundschuld, nämlich die Schuld, »nicht zu genügen«. Entsprechend sind sie überzeugt, keine Lebensfreude zu verdienen beziehungsweise vollziehen sie ihr Dasein so beschwerlich, dass kein Raum für Freude bleibt. Sie fühlen sich schuldig, wenn sie nicht arbeiten. Vor allem denjenigen, zu deren Schutzstrategien »Kontrollstreben« und »Perfektionsstreben« zählen, fällt es schwer, einfach mal loszulassen.

Aus Sicht des inneren Erwachsenen gibt es jedoch überhaupt kein vernünftiges Argument dafür, sein Leben nicht zu genießen. »Wem soll das schlechte Leben nutzen?«, fragte mein Vater immer, und ich liebe diesen Spruch. Bedenke bitte, dass Lebensfreude und Genuss dich in eine gute Stimmung versetzen. Sie bringen dein Sonnenkind zum Vorschein. Deswegen sollte es geradezu deine Pflicht sein, möglichst oft dafür zu sorgen, dass es dir gut geht und du dein Leben genießt. Dies erfordert allerdings eine gute Zeiteinteilung. Denn Genuss erfordert Zeit. Menschen, die zum Beispiel unter »Schieberitis« leiden, die also wichtige Aufgaben ständig vor sich herschieben, können oft genauso schlecht wie die Kontrollfreaks genießen, weil sie nämlich ebenso wie diese das schlechte Gewissen drückt. Der Unterschied zwischen beiden ist, dass die Schieberitis-Infizierten *zu Recht* Gewissensbisse haben, denn sie schieben notwendige Aufgaben vor sich her, während die Kontrolletis auch nebensächliche Aufgaben möglichst perfekt erledigen wollen und deswegen unnötige Schuldgefühle mit sich herumschleppen. Hilfreiche Tipps gegen Schieberitis findest du unter dem Abschnitt »Sieben Schritte gegen Schieberitis« auf Seite 264.

Ein gutes Essen und ein guter Wein können zutiefst glücklich machen. Das gilt natürlich auch für eine Wanderung in der Natur, für Musik oder guten Sex. Was man unter Genuss versteht, hat selbstverständlich auch etwas mit den persönlichen Vorlieben zu tun. Kein Genuss ist hingegen keine Lösung. Also erlaube dir bitte, dein Leben so oft es geht zu genießen.

Manche Menschen wissen aber gar nicht, wie man genießt, so ungeübt sind sie darin. Sie überfordern sich notorisch und sind meistens gestresst und schlecht gelaunt. Andere benötigen einen »guten« Grund, wie zum Beispiel Kopfschmerzen, um sich eine kleine Pause zu erlauben. Ihr Sonnenkind findet das höchst bedauerlich, aber es wird nicht zurate gezogen. Dabei hätte es eine Menge Ideen, wie man großen Spaß haben könnte. Du müsstest ihm nur einmal dein Ohr schenken. Es weiß wahrscheinlich auf Anhieb, woran es richtig Freude hätte, wenn es sich frei entfalten dürfte.

Falls du also dazu neigst, dich ständig zu verausgaben, dann erkläre deinem Schattenkind ungefähr Folgendes: »Mein armer Schatz, wir müssen uns nicht immer krummlegen, um uns wertvoll zu fühlen. Du bist wertvoll, auch wenn du dich mal ausruhst. Du brauchst die Pausen, um wieder neue Energie zu schöpfen. Wenn wir uns völlig verausgaben und irgendwann gar nichts mehr geht, dann nutzt das wirklich keinem etwas. Wir dürfen uns Freizeit gönnen und uns entspannen. Wir dürfen das Leben genießen und es uns richtig gut gehen lassen. Wenn wir unsere Batterien nämlich mal richtig aufgeladen haben, dann können wir auch wieder reinpowern.«

Spaß und Genuss haben übrigens auch etwas mit Schönheit zu tun. Schau dich einmal in deiner Umgebung um, und frage dich, ob du in deiner Wohnung oder an deinem Arbeitsplatz genügend Erholung für dein Auge findest. Sorge für schöne Anblicke, die dich glücklich machen. Wenn du mit diesem Buch dabei bist, eine innere Renovierung vorzunehmen, dann kannst du das auch äußerlich, in deiner Umgebung tun. Es sind manchmal Kleinigkeiten, die Freude bereiten, wie eine schöne Blume auf dem Schreibtisch. Auch Düfte können glücklich machen: Ich habe zum Beispiel immer ein Fläschchen Rosenöl dabei. Wenn ich eine kleine Aufmunterung brauche, parfümiere ich mich damit. Übernimm die Verantwortung dafür, dass es dir gut geht. Sorge für dich.

In psychosomatischen Kliniken gibt es seit einigen Jahren die sogenannte Genusstherapie, weil viele Menschen erst einmal wieder genießen lernen müssen. Genuss hat sehr viel mit Bewusstheit zu tun. Schließlich muss ich meine fünf Sinne einschalten, wenn ich genießen möchte. Wenn ich hingegen unachtsam bin, kann ich nicht genießen. Wenn ich mein Essen hinunterschlinge, dann merke ich gar nicht richtig, was ich zu mir nehme. Bei der Genusstherapie werden entsprechend die Sinne geschärft. Die Teilnehmer werden angeleitet, genau zu beschreiben, was sie wahrnehmen, wenn sie ein Stück Schokolade essen oder eine Rose betrachten. Hierdurch lernen sie bewusstes Genießen. Die Genusstherapie kannst du mühelos in deinen Alltag einbauen. Du musst hierfür nur zwei Dinge tun:

1. Sorge für Genuss, indem du öfter tust, was dir guttut.
2. Sei mit deiner Aufmerksamkeit und deinen fünf Sinnen ganz bei der Sache. Im Hier und Jetzt.

Eine weitere gute Maßnahme, um mehr Bewusstsein für Schönheit und Genuss zu bekommen, sind auch Spaziergänge, bei denen du ganz aufmerksam auf Schönheit achtest. Stell dir vor, du hättest einen

Fotoapparat dabei, oder nimm tatsächlich einen mit, und suche nach schönen Motiven. Halte deine Aufmerksamkeit in der äußeren Umgebung. Das ist gar nicht so leicht, entspannt aber den Geist ungemein, weil man dann völlig von sich abgelenkt ist. Ich trainiere dies oft bewusst beim Spazierengehen, weil ich zu jenen gehöre, die schnell in ihre innere Gedankenwelt abrutschen und dann nicht mehr wahrnehmen, was um sie herum geschieht. Aber der Anblick von schönen Blumen und schöner Natur kann mich sehr glücklich machen.

Sei authentisch anstatt lieb Kind!

Menschen, die Harmoniestreben als Schutzstrategie gelernt haben, möchten es allen recht machen. Das haben sie schon als Kind trainiert, um die Anerkennung ihrer Eltern zu erhalten oder wenigstens nicht bestraft zu werden. Sie können sich ganz schlecht von den Wünschen und Bedürfnissen ihrer Mitmenschen abgrenzen und fühlen sich für deren Wohlergehen verantwortlich. Wenn ihr Gegenüber schlecht gelaunt ist, fragen sie sich schuldbewusst, was sie falsch gemacht haben beziehungsweise was sie tun könnten, damit es dem anderen wieder besser geht. Durch die beständige Aufmerksamkeit, die sie auf die tatsächlichen oder vermeintlichen Bedürfnisse ihres Gegenübers richten, vernachlässigen sie ihre eigenen Wünsche. Das geht auf die Dauer natürlich nicht gut, denn letztlich wollen auch sie zu ihrem Recht kommen. Weil sie ihre Wünsche jedoch selten formulieren, und wenn, dann recht leise, haben sie ständig das Gefühl, zu kurz zu kommen. Dies verübeln sie zwar auch sich selbst, aber noch mehr ihrem scheinbar dominanten Gegenüber, wie ich bereits unter dem Abschnitt »Selbstschutz: Harmonie und Anpassung« geschrieben habe. Denn so wie sie stets bemüht sind zu erahnen, was der andere möchte, so erwarten sie auch von diesem, dass er ihre Wünsche errät. Tut er dies nicht, sind sie schnell beleidigt.

Harmoniestreber übernehmen zu wenig Verantwortung für sich selbst, weil sie ständig um das Wohlergehen ihres Gegenübers besorgt sind. Sie wollen alles richtig machen und niemanden verletzen. Wenn sie aber ganz ehrlich zu sich sind, dann geht es nicht so sehr um den anderen, sondern um ihr Schattenkind, das Angst vor Ablehnung hat. Wenn sie nämlich offener zu ihren Bedürfnissen stünden, dann könnten sie ja anecken. Um dies zu vermeiden, passen sie sich den vermeintlichen Erwartungen ihres Gegenübers an und hoffen, dass dieser es ihnen »dankt«, indem er umgekehrt auch ihre Bedürfnisse errät.

Wenn du zu jenen gehörst, auf die der obige Absatz zutrifft, dann mache dir im ersten Schritt mithilfe deines inneren Erwachsenen bewusst, dass ihr in eurem Kindheitsfilm gefangen seid. Um deinen Eltern zu gefallen, hast du dich bestmöglich angepasst, vielleicht weil sie sehr streng oder gar kühl waren. Vielleicht waren sie aber auch ganz lieb, aber selbst sehr harmonieliebend und konfliktscheu. Hierdurch hattest du kein gutes Vorbild, wie man sich selbst behauptet.

Als Kind warst du jedenfalls von deinen Eltern abhängig. Erkläre deinem Schattenkind liebevoll, dass die Zeiten vorbei sind und ihr heute selbst für euer Glück verantwortlich seid. Du musst lernen, noch viel mehr für dich selbst zu sorgen. Übernimm die Verantwortung für dein Wohlbefinden. Sag, was du willst und was du nicht willst. Das bedeutet mitnichten, dass du hierdurch egoistischer würdest. Im Gegenteil: Wenn du offen zu dir und deinen Wünschen stehst, dann weiß der andere, woran er mit dir ist, und ihr könnt fair miteinander verhandeln. Das ist viel besser, als wenn du mal wieder schmollst, weil dein Gegenüber deine Wünsche nicht erahnt hat. Mache dir immer wieder bewusst, dass deine zurückhaltende Art von den anderen Menschen erfordert, dass sie sich *deinen Kopf* zerbrechen müssen, wenn sie wissen wollen, was in dir vorgeht und was du willst. Das ist für die anderen auf die Dauer sehr anstrengend. Außerdem haben sie das Gefühl, nicht so richtig zu wissen, woran sie mit dir sind. Es würde sie also sehr entlasten, wenn du offener und authentischer zu dir stehen würdest. Indem du Verantwortung für dich selbst übernimmst, müssen sie das nämlich nicht tun, indem sie sich ständig besorgt erkundigen, ob das denn auch *wirklich* für dich okay ist, wenn man das jetzt so und nicht anders macht.

Genauso wichtig ist es, dass du mehr zu deiner Meinung stehst. Wenn du es nämlich allen recht machen willst, machst du es letztlich keinem recht, weil du für nichts richtig geradestehst und man sich letztlich nicht auf dich verlassen kann. Du musst nicht Everybody's Darling sein – wichtiger ist, dass du dein Rückgrat stärkst und auch mal gegen den Strom schwimmst, wenn es um eine wichtige Sache und deine Werte geht. Mache dir bewusst, dass Zivilcourage, Aufrichtigkeit und Gerechtigkeit im Zweifelsfall wichtiger sind als deine Sorge, dass du dich unbeliebt machen könntest. Vielleicht finden dich manche Leute nicht so sympathisch, wenn du deine Meinung vertrittst, aber das finden sie auch nicht, wenn du sie nicht vertrittst. Wie gesagt, wissen sie nämlich oft gar nicht, woran sie mit dir sind, und finden dich vielleicht auch ein bisschen langweilig. Insofern kannst du dich entspannen – du wirst es sowieso nie allen recht machen können. Also bilde dir eine eigene Meinung und eigene Maßstäbe. Mache dir immer wieder bewusst, dass es nicht darum geht, dich beliebt zu machen, sondern darum, gemäß deiner Werte richtig zu handeln.

Vielleicht meinst du: »Das bringt doch sowieso nichts!« Das ist der Lieblingssatz von Konfliktscheuen. Aber erstens bringt es oft mehr, als du denkst, wenn man den Mund aufmacht. Und zweitens sollte man sein Handeln nicht nur nach seinen Erfolgschancen ausrichten. Wenn du zum Beispiel einen guten Freund darauf hinweist, dass er dich mit einem bestimmten Verhalten sehr gekränkt hat, dann gibst du ihm und der Freundschaft hierdurch eine Chance. Nämlich die Chance, dass ihr euch durch ein klärendes Gespräch wieder näherkommt. Du hast somit alles in deiner Verantwortung

Stehende getan, um die Beziehung zu verbessern. Und darauf kommt es an. Wie der andere damit umgeht, liegt hingegen nicht in deiner Verantwortung.

Vielleicht hast du das Problem, dass du selbst gar nicht so genau weißt, was du willst und was du denkst? Du bist vielleicht so trainiert darin, auf die anderen zu achten, dass dein Draht zu deinem Innenleben verkümmert ist? Dann horche immer wieder in dich hinein und frage dich: »Was fühle ich?« Und: »Was ist meine Meinung?« Du kannst auch trainieren, wie du deine Meinung vertrittst, indem du mit einem imaginären Gegenüber diskutierst und Argumente austauschst. Und natürlich kannst du das auch im wirklichen Leben trainieren. Ertappe dich, wenn du wieder reflexartig dabei bist, deine Meinung und/oder deine Bedürfnisse zu unterdrücken, um gemocht zu werden. Dann wechsele in den Modus des Sonnenkindes und rede. Du wirst dich wundern, wie viel leichter dein Leben wird, wenn du ehrlicher und offener wirst. Deine Beziehungen werden hierdurch viel unkomplizierter. Denn erst wenn du authentisch bist und die Verantwortung für dich übernimmst, kann *echte* Harmonie und Nähe entstehen.

Werde konfliktfähig und gestalte deine Beziehungen

Menschen, die ihr Schattenkind beschützen, indem sie sich anpassen und nach Harmonie streben, lassen sich eher von Widerfahrnissen und Zufällen lenken, als dass sie sich Ziele setzten und Hindernisse aus dem Weg räumten. Für Ziele bräuchten sie eine klare Vision, die ihnen häufig fehlt, weil sie sich ihr Leben lang nach den anderen anstatt nach sich selbst gerichtet haben. Ein weiterer Grund für ihre Passivität hinsichtlich ihrer Lebens- und Beziehungsgestaltung ist ihre Konfliktscheu. Sie leben in der Illusion ihres Schattenkindes, dass sie Beziehungen über sich ergehen lassen müssten, anstatt dass sie Einfluss auf sie nehmen könnten. Sie agieren nicht, sie *reagieren*. Ihre Anpassung geht auf Kosten einer gesunden Selbstbehauptung. Oft sind die Betroffenen so gewöhnt daran, sich ihrem Gegenüber artig anzupassen, dass ihnen noch nicht einmal die *Idee* kommt, dass sie ihre eigenen Ansichten oder Bedürfnisse aussprechen könnten. Ich staune immer wieder, was für einen geringen Impuls manche Menschen verspüren, sich einfach einmal zur Wehr zu setzen. Wie ich bereits unter dem Abschnitt »Schutzstrategie Harmoniestreben« geschrieben habe, besteht die Selbstbehauptung von Konfliktscheuen oft im passiven Widerstand, der nicht selten im Rückzug, Flucht oder Kontaktabbruch mündet.

Es gibt aber noch einen Grund, warum die Betroffenen so zögerlich sind, ein gutes Wort in eigener Sache einzulegen: Sie sind sich unsicher, ob sie ein *Recht* auf ihre Meinung und Wünsche haben. Sie sind nicht besonders geübt im Argumentieren. Weil sie den anderen normalerweise als überlegen wahrnehmen, billigen sie ihm per se mehr Rechte und mehr Kompetenz als sich selbst zu. Sie müssen also unbedingt an ihrer *Standpunktsicherheit* arbeiten.

Viele Menschen trauen sich nicht zu argumentieren, weil sie besorgt sind, in eine unterlegene Position zu geraten, dann halten sie lieber gleich den Mund. Viele denken in Kategorien wie »gewinnen – verlieren« und »überlegen – unterlegen«. Ihre Schutzstrategien sind defensiv, um ihr Schattenkind vermeintlich zu beschützen. Die Sorge, in eine unterlegene Position zu kommen, treibt übrigens nicht nur die Harmoniebeflissenen um, sondern auch die sogenannten Zicken, deren Schutzstrategie »Angriff und Attacke« ist. Sie betreiben lediglich die Flucht nach vorn, indem sie häufig mit Kanonen auf Spatzen schießen.

Falls du zu den eher konfliktscheuen Naturen gehörst, dann betrachte die Sache einmal vom Standpunkt des inneren Erwachsenen aus. Mache dir also ganz bewusst, dass es nicht ums Gewinnen oder Verlieren geht. Du gerätst nicht in eine unterlegene Position, wenn dein Gegenüber die besseren Argumente hat. Dann sagst du einfach: »Da hast du Recht«, und bleibst dabei ganz souverän. Lege dir eine innere Haltung zu, dass es *um die Sache* und nicht um deine Performance geht. Vor allem mache dir mit deinem erwachsenen Verstand bewusst, dass es völlig okay ist, wenn du einfach sagst, was du willst oder welche Meinung du vertrittst. In den meisten Fällen kommt es überhaupt nicht zu einem Konflikt. In den meisten Fällen verübelt es dir auch keiner, wenn du einfach mal Nein sagst, aber dazu noch mehr später. Zunächst einmal möchte ich dir ein paar Regeln zur Konfliktlösung an die Hand geben.

Übung: Konflikttraining

Für diese Übung denkst du bitte an einen schwelenden Konflikt, den du mit einer Person hast – entweder, weil ihr euch deswegen schon einmal in der Wolle hattet oder weil du dich noch nie getraut hast, dieser Person offen deine Meinung mitzuteilen.

1. Gehe bitte ganz bewusst in den Zustand deines Sonnenkindes. Hole dir deine neuen Glaubenssätze, deine Stärken und Werte hervor, und spüre ganz bewusst, welche guten Gefühle dies in dir auslöst. Versuche also in eine möglichst gute Stimmung zu kommen. Falls dir dies nicht so gut gelingt, dann schalte auf dein Erwachsenen-Ich um, um die Situation möglichst emotionsfrei zu betrachten.
2. Mache dir bewusst, dass auch dein Konfliktpartner ein Schattenkind in sich trägt und ihr auf Augenhöhe seid. Versuche Wohlwollen für ihn oder sie aufzubringen.
3. Prüfe selbstehrlich deine Beziehung zu deinem Konfliktpartner: Fühlst du dich ihm unterlegen? Oder überlegen? Bist du manchmal neidisch auf ihn? Oder schaust du auf ihn herab? Prüfe, ob du aus Gründen, die in dir selbst liegen, ihn negativ verzerrt wahrnimmst. Versuche also ganz selbstaufmerksam deine eige-

nen Anteile an der Situation zu erkennen. An dieser Stelle kann es sehr sinnvoll sein, wenn du die Übung Realitätscheck auf Seite 189 und/oder die Übung »Die drei Positionen der Wahrnehmung« auf Seite 154 noch einmal machst.

4. Halte den inneren Zustand des Sonnenkindes oder des inneren Erwachsenen, und überlege dir – am besten schriftlich – welche Argumente für deinen Standpunkt sprechen. Bedenke auch, welche Argumente dein Konfliktpartner hat. Du kannst hierfür auch gern Dritte zu Rate ziehen. Welche Argumente fallen ihnen für die eine oder andere Seite ein? Wenn du alle Argumente gesammelt hast, prüfe, ob dein Konfliktpartner vielleicht Recht haben könnte. Falls ja, dann sage ihm oder ihr das, dann ist euer Konflikt gelöst. Falls nein, geht weiter zu Schritt 5.

5. Stelle aktiv eine Situation her, in der du mit deinem Konfliktpartner über dein Anliegen reden möchtest. Warte nicht darauf, dass sich diese »irgendwie ergibt«. Trage dein Anliegen freundlich vor, und beziehe dich auf deine Argumente.

6. *Höre genau zu*, was dein Gegenüber zu dem Thema zu sagen hat. Gehe auf seine Argumente ein, nimm sie ernst. Mache dir ganz bewusst: Es geht nicht ums Gewinnen und Verlieren, sondern um die Sache. Hat dein Gegenüber bessere Argumente, die dir spontan einleuchten, dann sage einfach, dass er oder sie Recht hat. Damit bleibst du vollkommen souverän, und euer Problem ist gelöst. Hat er oder sie hingegen keine besseren Argumente, kannst du bei deinem Standpunkt verbleiben oder noch besser: Ihr handelt einen Kompromiss aus.

Du musst dich nicht strikt an diese Reihenfolge halten, sie ist lediglich ein Musterbeispiel dafür, wie man sich auf eine notwendige Aussprache oder Auseinandersetzung vorbereiten kann. Unten zeige ich noch anhand eines konkreten Beispiels, wie man dies im Alltag umsetzen kann.

Bitte denke immer daran, dass man alles, auch schwierige Probleme, im Zustand einer guten Stimmung und des Sonnenkindes ansprechen kann. Es geht keine Information verloren, wenn du etwas freundlich formulierst. Wenn du deinem Gegenüber grundsätzlich Wohlwollen und Respekt entgegenbringst, kannst du alles ansprechen. Und halte dir immer vor Augen: Dem anderen Recht zu geben, wenn er Recht hat, macht dich souverän *und* sympathisch. Beharrst du hingegen stur auf schlechten Argumenten, bist du weder souverän noch sympathisch. *Argumente, Wohlwollen und Einsicht sind die Grundpfeiler jeglicher Verständigung.*

Hier ein Beispiel für eine gelungene Konfliktlösung: Lara und Jörg sind Arbeitskollegen. Lara findet, dass Jörg ihr in Meetings zu häufig über den Mund fährt. Weil sie jedoch schüchtern und konfliktscheu ist, setzt sie sich nicht spontan zur Wehr. Als er ihr kürzlich wieder das Wort abschnitt, spürte Lara, dass sie etwas unternehmen muss. Sie war echt sauer.

1. Um sich erst einmal etwas zu beruhigen, sucht sie nach Ablenkung. Sie nimmt sich deswegen eine Arbeit vor, bei der sie sich sehr konzentrieren muss. Hierdurch gewinnt sie genügend Abstand, um auf den Modus ihres inneren Erwachsenen zu wechseln (sie hätte theoretisch auch in ihr Sonnenkind wechseln können, aber dazu war ihre Wut zu akut).

2. Nachdem sie sich beruhigt hat, analysiert sie ihren eigenen Anteil an der Situation: Sie gesteht sich ein, dass sie sich von Jörg zu schnell die Butter vom Brot nehmen lässt, weil sie sich nicht wehrt und insofern zu wenig Verantwortung für sich übernimmt. Sie ertappt sich dabei, dass sie mit ihrem Schattenkind identifiziert ist, wenn Jörg sie unterbricht und ihre Glaubenssätze »Ich bin nicht klug«, »Ich genüge nicht« und »Ich muss lieb und artig sein« sie dann lähmen. Sie reflektiert, dass sie Jörg aufgrund ihrer Glaubenssätze unterstellt, er nehme sie nicht ernst und habe keinen Respekt vor ihr.

3. Nun hat sie sich so weit beruhigt, dass sie bewusst in den Zustand des Sonnenkindes wechseln kann. Im Sonnenkindmodus versucht sie, Jörgs Verhalten mit Wohlwollen zu analysieren. Von hier aus wird ihr bewusst, dass Jörg nicht nur ihr, sondern auch anderen Kollegen und Kolleginnen ins Wort fällt. Sie holt sich vor Augen, dass Jörg ansonsten ein netter Kollege ist. Hierdurch kommt sie zu dem Ergebnis, dass Jörg sich nicht aus mangelndem Respekt ihr gegenüber so verhält, sondern weil er impulsiv und temperamentvoll ist. Sie bezieht also sein Verhalten nicht mehr auf sich und ihre vermeintliche Unterlegenheit, sondern belässt es bei ihm (neue und positive Interpretation der Wirklichkeit).

4. Durch diese Einsichten ist sie nun wieder mit Jörg auf Augenhöhe. Nun überlegt Lara, ob sie überhaupt ein Recht hat, Jörg auf sein Verhalten anzusprechen, oder ob das vielleicht kleinlich und nörglerisch wäre. Schließlich meint er es wahrscheinlich ja gar nicht böse. Sie könnte auch einfach mutiger werden und energischer darauf bestehen, dass sie ausreden möchte. Aber eigentlich, so überlegt sie, wäre es netter, mit Jörg einmal *gemeinsam* über die Situation zu reden.

5. Also überlegt sie sich Argumente, die für und gegen ein offenes Wort sprachen. Pro: Es ist gut, mich mit Jörg mal darüber auszutauschen, nur hierdurch kann ich erfahren, wie er die Sache sieht. Es ist fair gegenüber Jörg, ihn darauf aufmerksam zu machen, dass er mit seinem Verhalten – wahrscheinlich nicht nur bei mir – aneckt. Je früher ich das thematisiere, desto ruhiger und gelassener kann ich bleiben.
    Kontra: Jörg könnte mir die Kritik verübeln. Vielleicht sieht er auch nicht ein, dass sein Verhalten nicht okay ist. Pro: Ich kann meine Einschätzung an ganz konkreten Beispielen belegen. Wenn Jörg diese abstreitet, dann hat er ein Problem, mit Kritik umzugehen. Das ist dann schließlich nicht mein Fehler, und es war einen Versuch wert.

6. Lara beschließt also, mit Jörg zu reden, und fragt ihn deshalb am nächsten Tag, ob er mit ihr die Mittagspause verbringen möchte, was er freudig bejaht. Beim Essen erklärt Lara Jörg freundlich, wie sie sich fühlt, wenn er ihr in den Sitzungen einfach das Wort abschneidet. Jörg versteht ihre Kritik auf Anhieb, entschuldigt sich und gelobt Besserung. Er sagt, er wisse um diese Schwäche, er sei einfach manchmal zu impulsiv, meine es aber bestimmt nicht böse oder gar respektlos. Er verspricht, sich mehr zu disziplinieren. Zudem verabreden sie, dass Lara, falls Jörg doch mal wieder zu stürmisch ist, sich das Wort einfach wieder zurückholt.

Ein Austausch von Argumenten war durch Jörgs spontane Einsicht nicht notwendig. Weil Lara das Problem thematisiert hat, hat Jörg die Chance zu einer Stellungnahme bekommen und konnte hierdurch Laras Vermutung, dass er aus überschäumendem Temperament und nicht aus mangelndem Respekt dazwischenredet, bestätigen. Das Gespräch hat sie somit einander nähergebracht.

Der potenzielle Konflikt, der zwischen Lara und Jörg hätte entstehen können, hat sich durch Laras Besonnenheit und Selbstreflexion und durch Jörgs offene Selbstkritik in Luft aufgelöst. Wenn jedoch mindestens ein Gesprächspartner unreflektiert und stark in seinen Schutzstrategien gefangen ist, dann wird das Gespräch wahrscheinlich scheitern. Hierum geht es im nächsten Abschnitt.

Erkenne, wann du loslassen musst!

Leider gibt es auch Situationen, in denen du mit guten Argumenten nicht weiterkommst, auch wenn der andere keine besseren hat. So steht man auf verlorenem Posten, wenn der Gesprächspartner seine verzerrte Wahrnehmung und seine Projektionen über einen stülpt. Aber gerade deshalb ist es wichtig, dass du übst, in Argumenten zu denken, damit du besser unterscheiden kannst, wer von euch beiden denn nun spinnt. Oft besteht ja das Problem darin, dass man sich nicht sicher ist, ob man die Lage überhaupt richtig einschätzt. Du benötigst also eine klare Sicht, um dich nicht mit einem »Arschengel« sinnlos zu verstricken. Denn in solchen Fällen macht Reden keinen Sinn. Da hilft nur eine äußerliche – oder wenigstens innerliche – Abgrenzung. Diese kann durchaus auch im Zustand der gehobenen Gestimmtheit vollzogen werden. An dieser Stelle möchte ich noch einmal Jens Corssen zitieren, der die folgende Formulierung für eine Trennung vorschlug: »Du bist ein leuchtender Stern, aber dein Verhalten ist ungünstig, und weil du leider an deinem Verhalten dranhängst, muss ich mich jetzt von dir trennen.«

Aber auch eine freundliche Abgrenzung kann nur gelingen, wenn man die Lage richtig einschätzt – also erkennt, wann Argumentieren sinnlos ist. Nun fragst du dich wahrscheinlich, woran du das erkennen kannst. Ein wesentliches Kriterium ist, wie geneigt dein Gegenüber ist, auf deine Argumente einzugehen. Hört er oder sie dir wirklich zu? Fühlst du dich verstanden? Und ganz wichtig: Wie *konkret* sind die Argumente deines Konfliktpartners? Wenn dein Konfliktpartner dich beispielsweise kritisiert, dann muss er auch in der Lage sein, diese Kritik an deinem konkreten Verhalten festzumachen. Wenn er dir beispielsweise vorwirft, dass du immer so dominant wärst, dann muss er dir anhand konkreter Beispiele diese Einschätzung erläutern. So könnte es ja durchaus sein, dass er aufgrund seiner eigenen Unterlegenheitsgefühle eine gewisse Dominanz in dich hineinprojiziert. Und diesen Schuh musst du dir nicht anziehen. Wenn dein Gesprächspartner nicht in der Lage ist, seine Kritik durch konkrete und nachvollziehbare Beispiele zu untermauern, dann ist er im Unrecht. Und zwar schon allein deshalb, weil er dir konkrete Beispiele schuldet, wenn er dich kritisiert. Hat er hingegen Recht, dann weißt du das normalerweise auch selbst. Dann gibt es nur einen Weg: Entschuldige dich, und gelobe Besserung! Das Dümmste, was man machen kann, ist, eine berechtigte

Kritik abzustreiten. In diesem Fall könnte dein Gesprächspartner nämlich zu der Einschätzung kommen, dass es wenig Sinn macht, mit dir ein offenes Wort zu reden, weil du nicht kritikfähig bist. Mache dir immer wieder bewusst: Ein Fehler ist keine Schande. Die Schande ist, ihn abzustreiten.

Es kann aber auch sein, dass dein Gesprächspartner dir Beispiele für seine Kritik bringt, die nicht auf Tatsachen, sondern auf seiner Interpretation der Wirklichkeit beruhen. Hier ist es also ganz wichtig, dass du Interpretation und Fakt auseinanderhältst. Dies möchte ich am obigen Beispiel von Lara und Jörg noch einmal erläutern: *Fakt* ist, dass Jörg Lara öfter unterbrochen hat und ihr ins Wort gefallen ist. Hierbei handelt es sich um ein konkretes, auch durch Dritte beobachtbares Verhalten. Die *Interpretation* von Lara hätte sein können: Jörg ist respektlos und ein Macho. Dies war ja auch tatsächlich ihre erste Einschätzung gewesen. Wäre Lara nun nicht so reflektiert gewesen, dann hätte sie Jörg genau dieses Verhalten vorwerfen können – entweder laut und deutlich, dann hätte er zumindest noch die Chance zu einer Stellungnahme gehabt. Oder sie hätte ihren Ärger für sich behalten können, ohne Jörg eine Chance einzuräumen. In diesem Fall hätte Lara sich von Jörg distanziert und ihrem Ärger über ihn vielleicht bei Kollegen Luft gemacht. Laras Fehlinterpretation und Konfliktscheu hätten im schlimmsten Fall der Beginn einer Mobbingkampagne werden können. Jörg, der vermeintlich »dominante Täter«, wäre somit zum Opfer geworden.

Wenn dein Gegenüber also nicht in der Lage ist, dir nachvollziehbare Argumente zu nennen, die über Unterstellungen, also seine subjektive Interpretation der vermeintlichen Wirklichkeit, hinausgehen, dann ist an der Sache etwas faul. Vor allem dann, wenn dein Gegenüber auf seiner falschen Einschätzung besteht. Wenn Jörg also in einem offenen Gespräch Lara beteuert hätte, dass er sich bestimmt nicht respektlos verhalten wollte, sondern einfach nur sein »vorlautes Mundwerk« manchmal mit ihm durchgehe, dann hätte Lara gut daran getan, ihm dies zu glauben, vor allem dann, wenn sie keine weiteren Fakten für ihre Interpretation vorbringen kann. Sei also immer auf der Hut vor deinen eigenen Interpretationen wie auch jenen deines Gesprächspartners.

Im Übrigen gehören – entgegen der landläufigen Annahme – nicht immer zwei dazu, wenn eine Beziehung nicht funktioniert. Wenn ein psychisch Gesunder zum Beispiel – bildhaft gesprochen – mit einem ausgeprägten Narzissten in einem Boot sitzt, dann wird es kentern. Das ist ein psychologisches Naturgesetz. Der psychisch Gesunde kann die Beziehung nicht retten – er scheitert an der verzerrten Wahrnehmung des Narzissten. In diesen Fällen wird die Möglichkeit der Kommunikation von psychologischen Laien auch stark überschätzt: Wenn einer der Kommunikationspartner in einer starken Wahrnehmungsverzerrung seines Schattenkindes gefangen ist, dann helfen auch die besten Worte nichts. Vor Machtmenschen kann man sich nur schützen, indem man ihnen bestmöglich aus dem Weg geht – oder eine Revolution startet.

Wenn dein Gegenüber dich also ohne nachvollziehbare Fakten, sondern nur so aus seinem »Bauchgefühl« in eine falsche Schublade steckt und auf dieser Wahrnehmung beharrt, dann weißt du, dass er im Unrecht ist. Du kannst versuchen, ihm dies begreiflich zu machen. Aber bitte nicht zu oft. Hüte dich davor, dich in eine *Rechtfertigungsorgie* hineinzusteigern. Setze irgendwann einen Punkt. Hier hast du nämlich genau die Situation, bei der du aufgrund der Sturheit und mangelnden Reflexionsfähigkeit deines Gesprächspartners auf verlorenem Posten stehst. Dein Gegenüber beschützt sein Schattenkind wahrscheinlich durch Machtstreben, das heißt, er muss Recht behalten und kann sich nicht so weit auf einen Kontakt zu dir einlassen, dass er dir wirklich zuhört. Seine Empathie ist aufgrund seiner Schutzstrategie begrenzt – zumindest in dieser Situation. Und dies bringt uns zu einer der wertvollsten Schatzstrategien im zwischenmenschlichen Miteinander: dem Einfühlungsvermögen.

Übe dich in Empathie!

Empathie bedeutet, dass ich mich in einen anderen Menschen ein-fühlen kann. Wenn ich jedoch stark mit mir selbst und meinen Pro-blemen beschäftigt bin, dann verliere ich die Bedürfnisse meines Gegenübers leicht aus dem Auge. Das kennt jeder: Wenn man selbst gerade unter körperlichen oder seelischen Schmerzen leidet, dann fällt es einem schwer, sich auf etwas anderes zu konzentrieren. Der gesamte Organismus verlangt danach, dass zunächst die Schmer-zen gestillt werden. Folglich können wir uns am besten auf unser Gegenüber empathisch einstellen, wenn unsere eigenen Bedürfnis-se so weit gestillt sind, dass sie nicht unsere Aufmerksamkeit bean-spruchen. Manche Partner geraten deswegen in einen dauerhaften Clinch: Sie erwarten vom anderen, dass dieser zunächst ihre Be-dürfnisse nach Aufmerksamkeit und Verständnis stillt, bevor sie Empathie für seine Bedürfnisse aufbringen können. Im Kampf um das Verständnis für sich selbst geht ihnen die Empathie für den Partner verloren. Auch dies ist übrigens ein gutes Argument für den inneren Erwachsenen, gut für sich zu sorgen: Je mehr ich nämlich mein Glück selbst in die Hand nehme, desto entspannter kann ich mich meinem Partner und anderen Menschen zuwenden.

Ganz besonders schwierig ist es, für einen potenziellen oder tat-sächlichen Angreifer Empathie zu empfinden. Das hat die Natur auch so eingerichtet: Wenn ich mein Leben verteidigen muss, darf ich kein Mitgefühl für den Feind aufbringen. Das Problem in unse-rer zivilen Welt ist lediglich, dass der vermeintliche Angreifer manchmal gar keiner ist. Beziehungsweise dass es sich um den eige-nen Partner handelt. Wie du inzwischen weißt, fantasieren wir oft Feinde, wo keine sind, wenn wir uns im Zustand der Angst und Unsicherheit befinden, also mit unserem Schattenkind identifiziert sind. Empathie gelingt also immer dann am besten, wenn ich mich sicher fühle. Im Zustand der Selbst-Sicherheit kann ich mich mei-nen Gesprächspartner öffnen und mich in ihn einfühlen.

Wie ich jedoch schon im Abschnitt »Wenigfühler und Problem-
verdränger« geschrieben habe, gibt es noch einen weiteren Grund,
warum es manchen Menschen schwerfällt, sich in andere einzufühlen: Diese haben einen schlechten Draht zu ihren eigenen
Gefühlen. Häufig sind es Männer, die stark im rationalen Denken
verhaftet sind. Sofern ein wenig empathischer Mensch seinem Gesprächspartner jedoch mit Wohlwollen und Interesse begegnet,
kann trotzdem ein konstruktives Gespräch entstehen. Denn dieser
kann zumindest kopfmäßig verstehen, worum es dem anderen
geht. Ein wohlwollender, aber wenig empathischer Gesprächspartner kann manchmal sogar gerade aufgrund seiner rationalen Her-
angehensweise hilfreich sein.

Weitaus problematischer als ein kopflastiger, aber zugewandter
Gesprächspartner ist der erste Fall, nämlich, wenn ein Mensch mit
seinem Schattenkind identifiziert ist und sich als vermeintliches
Opfer eines vermeintlich Stärkeren wähnt. Diese Wahrnehmungsverzerrung kann zu einer gewissen Gnadenlosigkeit führen, in der
das vermeintliche Opfer nur Mitleid für sich selbst aufbringt.

Besonders krass ist dies oft bei Paarkonflikten zu beobachten.
Hierzu ein kleines Fallbeispiel aus meiner Praxis: Linda und Jonathan waren seit fast 20 Jahren ein Ehepaar, als sie zu mir in die
Sprechstunde kamen. Sie suchten meinen Rat wegen sexueller Probleme. Jonathan hatte seit vielen Jahren keine Lust, mit Linda zu
schlafen, was sie sehr kränkte. Auch in früheren Jahren war ihr
Sexleben durch lange Phasen der Lustlosigkeit aufseiten Jonathans
gekennzeichnet gewesen. Im psychotherapeutischen Gespräch
stellte ich fest, dass Jonathan – sobald es auf dieses Thema kam –
komplett und vollständig in sein Schattenkind abrutschte. Sobald es
um seine Unlust ging, mutierte Linda in Jonathans Augen innerhalb von Millisekunden zur Feindin, und er wurde ganz starr und
abweisend. Seine feindselige Wahrnehmungsverzerrung Lindas re-
sultierte aus seinen Glaubenssätzen »Ich bin für dein Glück verantwortlich«, »Ich bin schuld« und »Ich muss deine Erwartungen er-

füllen«. Sein Schattenkind nahm Linda als überlegen wahr. Es projizierte in Linda seine kühle und zurückweisende Mutter. Entsprechend machte Jonathan sich unheimlich Druck, Linda in jeder Hinsicht glücklich zu machen. Hierzu zählte auch, dass er oft Ja sagte, obwohl er Nein meinte. Seine Schutzstrategien waren Harmoniestreben, Anpassung und Rollenspiel. Folglich übernahm er in der Beziehung zu wenig Verantwortung für sein eigenes Wohlbefinden. Seine Bedürfnisse kamen zu kurz. Wie das so oft der Fall ist, verübelte er dies seiner Frau als der scheinbar Stärkeren mehr als sich selbst. Hierfür bestrafte er sie passiv-aggressiv durch Rückzug und sexuelle Verweigerung. Die dahinterliegende (unbewusste) Defensivhaltung lautete: »Wenigstens im Bett mache ich, was ich will!« Sein Schattenkind stemmte sich also dagegen, Lindas erotische Erwartungen (auch noch) zu erfüllen. Mit seiner Frau zu schlafen wäre nur eine weitere Pflicht gewesen. Gerade weil er sich also so verantwortlich für das Wohlbefinden seiner Frau fühlte, verweigerte er ihr die Erfüllung ihrer Wünsche – ein häufig zu beobachtendes Paradoxon. Wenn Linda sich ihm nähern wollte, sah er nicht ihre Bedürfnisse nach Nähe, sondern nahm sie als fordernd, übergriffig und vereinnahmend wahr. Für Lindas Bedürfnisse nach Nähe und Angenommensein fehlte ihm jegliche Empathie. Deswegen konnte er auch nicht mitfühlen, dass seine Verweigerung für Linda kränkend und verletzend ist. Noch vermochte er zu erkennen, dass seine Frau sich in einer ohnmächtigen Situation befand: Sie hatte keine Chance, ihm näherzukommen, egal was sie machte. Er kannte in diesem Punkt kein Erbarmen. Erst als Jonathan seine Perspektive wechselte und hierdurch aus seiner Opferhaltung herauskam, konnte er Mitgefühl und Empathie für Linda aufbringen. Hierdurch konnte wieder Nähe zwischen ihnen entstehen, die sich auch auf ihr Sexleben positiv auswirkte.

Wenn du dich also dabei ertappst, dass du stark in deiner Sicht eines Problems mit einem anderen Menschen gefangen bist, dann versuche einmal ganz bewusst einen Abstand zu deinen Gefühlen herzustellen und in dein Erwachsenen-Ich einzusteigen. Gehe in die Beobachterposition – hierfür kannst du dir euch zum Beispiel auf einer Theaterbühne vorstellen (beziehungsweise mache die Übung »Drei Positionen der Wahrnehmung« auf S. 154). Versuche mit diesem inneren Abstand die Dynamik eures Problems zu verstehen. Worum geht es euch? Sehr häufig geht es um die Themen Anerkennung (Jeder fühlt sich vom anderen zu wenig gewürdigt.), Gerechtigkeit (Jeder fühlt sich vom anderen ungerecht behandelt.) und als Folge: um Kränkung. Versuche also einmal ganz bewusst, nicht nur deine Kränkung zu spüren, sondern auch jene deines Gesprächspartners. Versetze dich also in ihn hinein, und fühle, wie es ihm mit dir geht. Welche Sorgen, Ängste, Kränkungen löst dein Verhalten bei ihm aus? Versuche, sein Schattenkind zu verstehen. Durch diesen Akt des empathischen Verstehens kannst du vielleicht einen ganz neuen Zugang zu eurem Problem bekommen.

Bedenke bitte immer: Alles, was innerhalb deiner Kontrolle liegt, kannst du leicht verändern. Den anderen hingegen nicht. Wenn du also eine Chance siehst, über die Brücke der Empathie auf den anderen zuzugehen, dann tue das. Warte nicht darauf, dass er oder sie den ersten Schritt macht. Auf den anderen zuzugehen, ist immer ein Zeichen von Größe und keines von Schwäche.

Höre zu!

Eine der größten Tugenden ist die Fähigkeit, einem anderen Menschen wirklich zuzuhören. Zuhören ist die Brücke zur Empathie. Vielen Menschen fällt dies jedoch schwer. Sie schweifen schnell in ihren Gedanken ab und landen bei sich selbst. Zudem habe ich den Eindruck, dass es mit unserer Zuhörkultur zunehmend bergab geht. In der Generation meiner Eltern konnten die Menschen noch mühelos ein gemeinsames Tischgespräch mit bis zu zwölf Personen führen. Heute scheitert das schon oft bei vier Personen, weil dazwischengequatscht, Nebengespräche angefangen oder mit dem Handy herumgespielt wird.

Zuhören kann man trainieren, indem man dies aktiv betreibt. Hierbei geht es nicht nur um eine Gesprächstechnik, sondern auch um eine innere *Haltung*. So nämlich, sich *wirklich* dafür zu interessieren, was der andere sagt. Um aufnahmefähig zu sein, ist es im ersten Schritt notwendig, dass man seine eigenen Sorgen und Gedanken eine Zeit lang beiseiteschiebt. Hierfür kannst du dir vorstellen, dass du diese einfach in einen Tresor packst, den du verschließt. Da du selbst der Inhaber des Schlüssels bist, hast du die Gewissheit, dass du ihn jederzeit wieder aufmachen kannst. Deine Sorgen und selbstbezogenen Gedanken sind dort also sicher aufgehoben. Ich erinnere daran, dass das beständige Kreisen um sich selbst zumeist ein Versuch ist, Kontrolle über seine Probleme zu bekommen. Wenn die eigenen Probleme jedoch für die Zeit des Zuhörens sicher im Tresor abgelegt sind, dann kann man sich entspannen und seine Aufmerksamkeit ganz dem Gegenüber widmen. Die Fokussierung auf den Gesprächspartner kann auch in einen Zustand der heilsamen Selbstvergessenheit führen.

Die meisten Menschen neigen dazu, bei gewissen Stichworten – entweder nur in Gedanken oder auch verbal – bei sich selbst zu landen. Also Regel Nr. 1: Bleibe mit deiner Aufmerksamkeit bei deinem Gegenüber. Kommen dir selbstbezogene Gedanken, dann verbanne sie sofort wieder in den Tresor, und lenke deine Aufmerksamkeit erneut auf deinen Gesprächspartner. Viele Menschen kommen nämlich ganz schnell auf sich selbst zu sprechen: Da will man gerade von seiner Italienreise berichten, und schwupp übernimmt der andere das Wort und schwelgt in seinen eigenen Reiseerinnerungen. Das nervt doch, oder? (Nur ein kleiner Tipp am Rande: Auch in solch kleinen Situationen kannst du in dein Leben eingreifen und dir das Wort und die Aufmerksamkeit wieder zurückholen. Sage ruhig: »Jetzt hör doch bitte erst einmal zu. Ich wollte doch gerade etwas erzählen!«)

Im zweiten Schritt versuchst du, das Gesagte mit deinen Worten auf den Punkt zu bringen. Hierdurch stellst du sicher, dass du auch wirklich verstanden hast, was der andere meint. Diesen Vorgang nennt man *Reformulieren* – man formuliert also mit eigenen Worten das Gesagte neu. Hierzu ein Beispiel:

Anita: »Also in letzter Zeit, ich weiß nicht ... da bin ich oft total k. o. Morgens der Job, abends noch die Kinder mit ihren Ansprüchen. Ich habe ja auch keinen, der mir hilft. Und mein Chef macht auch ständig Druck. Ich bin dann oft so gereizt und pflaume die Kinder an und jeden, der mir querkommt. Ich brauche einfach mal Urlaub.«

Bernd: »Du bist also echt erschöpft.«

Anita: »Ja, total.«

Durch diese Reformulierung fühlt Anita sich gut verstanden und ermuntert fortzufahren. Zudem bietet sie die Chance einer direkten Klärung, falls Bernd Anita falsch verstanden hätte. Das erscheint dir jetzt wahrscheinlich ziemlich banal, aber unser Verständnis scheitert oft schon an kleinen Dingen. Bedenke immer, dass wir ganz schnell geneigt sind, Gesagtes zu *interpretieren* und damit auch schnell danebenliegen können, vor allem, wenn wir mit den Ohren unseres Schattenkindes hören. Wenn Bernd zum Beispiel nicht ein guter Freund oder der Arbeitskollege von Anita wäre, sondern ihr Lebensgefährte, dann könnte er geneigt sein, ihre Worte als persönliche Kritik aufzufassen. Er würde dann vielleicht »hören«: »Ich tue nicht genügend für sie!«

Im günstigen Fall würde er seine Interpretation überprüfen, indem er bei Anita freundlich nachfragte: »Du meinst, ich sollte dir mehr helfen?« Durch diese Frage hätte Anita eine Chance, Bernds Interpretation entweder zu bestätigen oder zu korrigieren. Vor allem aber wäre sie darüber informiert, dass Bernd sich indirekt von ihr kritisiert fühlt, und sie könnte entsprechend darauf eingehen. Im ungünstigen Fall würde Bernd seine Interpretation für sich behalten und direkt zum Gegenangriff starten, indem er ihr beispielsweise auflistete, was *er* alles um die Ohren hat. Hierdurch wiederum könnte Anita sich kritisiert und übergangen fühlen, und ein Streit könnte Fahrt aufnehmen.

Reformulieren ist schwierig und einfach zugleich. Einfach weil man die Qualität seiner Kommunikation mit dieser – an sich leicht zu verstehenden – Methode sehr verbessern kann. Schwierig, weil es nicht leicht ist, das Gesagte auf den Punkt zu bringen. Hierzu noch ein Beispiel:

Jana: »Also neulich mailte mich Sandra an, weil sie wissen wollte, wer das Catering auf meiner Geburtstagsparty gemacht hat. Ich habe sie daraufhin gefragt, ob sie eine Party plane, was sie verneinte. Heute fragt mich der Peter, ob ich auch auf Sandras Sommerfest eingeladen sei.«

Richard: »Da fühlst du dich echt verarscht!«

Jana: »Genau!«

Reformulierungen, die den Punkt genau treffen, bringen den Sprechenden eine kleine Einsicht weiter. So wurde Jana auch erst durch Richards Zusammenfassung so richtig klar, dass sie sich durch Sandras Taktieren tatsächlich »verarscht« fühlt. Aber auch Reformulierungen, mit denen man danebenliegt, können den Gesprächspartner weiterbringen. Denn auch bei einer unzutreffenden Reformulierung muss der Sprecher kurz überlegen, was er denn tatsächlich sagen wollte, was bei ihm auch zu einer Klärung seiner Gedanken und Gefühle führen kann. In jedem Fall hat der Sprecher das Gefühl, das sein Gegenüber ihn wirklich verstehen will.

Hierfür ist auch die Einleitung »*Verstehe ich dich richtig, ...*« sehr wertschätzend. So zum Beispiel: »Verstehe ich dich richtig, dass dir die Sache XY mächtig gegen den Strich geht?« Durch diese Einleitung fühlt sich der Sprecher stets eingeladen, den Zuhörer korrigieren zu dürfen, wenn er sich falsch verstanden fühlt. Außerdem verstärkt sie das Gefühl, dass der andere ernsthaft Anteil an einem nimmt.

Du hast bestimmt schon mehr als einmal erlebt, dass du dich völlig falsch verstanden gefühlt hast, weil dein Gesprächspartner auf seiner Sicht der Dinge beharrte. Vielleicht hast du dich dann unheimlich – und vergeblich – abgerackert, ihm dein Anliegen zu erklären. Reformulierungen, vor allem mit der Einleitung *» Verstehe ich dich richtig, …«*, sind das genaue Gegenteil von solch nervtötenden verbalen Machtkämpfen.

Das Reformulieren ist übrigens eine Methode aus der *Gesprächspsychotherapie*, deren Gründervater der US-amerikanische Psychotherapeut Carl Rogers war. Ich selbst habe eine Ausbildung in Gesprächspsychotherapie absolviert, und ein wesentlicher Teil meiner Arbeit besteht aus Reformulierungen. Du kannst das Reformulieren in jedem Gespräch üben, das du führst. Um den Umfang des Buches nicht zu sprengen, bin ich hierauf nur kurz eingegangen. Wenn du dein Wissen zum »Aktiven Zuhören« vertiefen willst, dann gibt es hierzu einige Ratgeber.

Setze gesunde Grenzen

Menschen, die nach Harmonie streben und sich den Bedürfnissen ihrer Mitmenschen anpassen, sind oft auch sehr hilfsbereit. Wenn sie jedoch als Schutzstrategie ein Helfersyndrom aufweisen, dann gehen sie oft weit über ihre eigenen seelischen und körperlichen Grenzen hinaus, um andere aus ihrer Misere zu befreien. Manchmal drängen sie sogar ihre Hilfe den anderen etwas auf. Sie brauchen die (scheinbar) hilfsbedürftige Person, um ihr Selbstwertgefühl zu stabilisieren. Hierbei vernachlässigen sie ihre eigenen Bedürfnisse. Anstatt sich also um sich selbst zu kümmern, kümmern sie sich lieber um den anderen. Sie erhoffen sich im Gegenzug von diesem Dankbarkeit und Anerkennung. Ihr Schattenkind meint, es habe Anerkennung nur verdient, wenn es sich nützlich macht.

Wenn du schon einmal geflogen bist, dann weißt du, dass vor dem Start Sicherheitsvorschriften für einen Notfall vorgestellt werden. Für den Notfall, dass der Druck in der Kabine nachlässt, fallen Sauerstoffmasken aus der Decke. Und wem soll man zuerst eine Sauerstoffmaske aufsetzen? Genau: sich selbst! Denn nur wenn man selbst genug Luft zum Atmen hat, kann man sich um andere Mitreisende kümmern. Man kann keine Verantwortung für andere übernehmen, wenn man nicht hinreichend für sich selbst sorgt.

Falls du unter einem Helfersyndrom leidest, solltest du deinem Schattenkind bewusst machen, dass es sich nicht für andere aufopfern muss, um seinen Wert zu steigern. Dein innerer Erwachsener sollte die Verantwortung für deine Gefühle und Bedürfnisse übernehmen, indem er aktiv dafür sorgt, dass sie erfüllt werden. Warte nicht darauf, dass deine Mitmenschen beziehungsweise deine Hilfeempfänger sich um dich sorgen. Es ist wichtig, dass du dir selbst mehr Beachtung schenkst. Das bedeutet nicht, dass du rücksichtslos und egoistisch werden sollst. Natürlich ist deine Hilfsbereitschaft auch eine schöne Eigenschaft. Du darfst sie ruhig behalten. Je selbstsicherer du jedoch wirst, desto besser kannst du unterscheiden, wer deine Hilfe wirklich benötigt und wer nicht.

Sorge dafür, dass deine Balance zwischen Selbstsorge und Fremdsorge besser ausgeglichen ist. Hierfür ist es im ersten Schritt wichtig, dass du dir ein Recht zur Selbstfürsorge und Selbstbehauptung überhaupt zugestehst. Denn viele verunsicherte Menschen zweifeln ständig an ihrer »rechtlichen Situation«. Nimm dein Schattenkind auf den Schoß, und erkläre ihm, dass du ganz froh bist, dass es da ist. Sage ihm, dass es nicht kämpfen muss, um willkommen zu sein. Erkläre ihm immer wieder, dass ihr heute groß seid und die Welt da draußen nicht wie Mama und Papa ist. Erkläre ihm, dass der innere Erwachsene fortan besser für es sorgen und die Führung übernehmen wird.

Wahrscheinlich weißt du selbst häufig gar nicht so genau, was du eigentlich willst, weil du schon immer stärker mit den Wünschen anderer Menschen beschäftigt warst als mit deinen eigenen. Trainiere also, auf deine Bedürfnisse zu achten, wie ich es schon in dem

Abschnitt »Was kann ich tun, wenn ich wenig fühlen kann« auf Seite 84 beschrieben habe. Rücke dich stärker in den Fokus deiner Wahrnehmung. Achte auch auf deinen Körper. Viele Menschen, deren Schattenkind sehr verunsichert ist, haben sich nämlich angewöhnt, sich selbst kaum noch zu spüren, was auch für die Wahrnehmung des eigenen Körpers gilt. Im übernächsten Abschnitt stelle ich dir deswegen konkrete Übungen für den Körper vor.

Versuche auch, im Kontakt mit anderen Menschen ganz bewusst zu spüren, wie du dich mit ihnen fühlst. Unterdrücke deinen Impuls, die Wünsche und Bedürfnisse deines Gegenübers zu erraten. Und vor allem: Mache den Mund auf, und sage, was du willst, und sage, was du nicht willst! Übernimm die Verantwortung für dich. Mute deinem Gesprächspartner nicht zu, deine Gedanken erraten zu müssen.

Wenn du dich abhängig in einer Beziehung gefangen fühlst mit einem Menschen, der sich nicht verändert, egal wie sehr du versuchst, ihm zu helfen, dann mache dir ganz bewusst, dass es nur scheinbar um den anderen geht. Er ist eine Projektionsfläche für dein Schattenkind, das unbedingt seine Anerkennung erlangen will! Es will sich unbedingt durch diesen Menschen beweisen, dass es doch etwas wert ist. Bedenke, dass dein Wert nicht vom Verhalten deines Partners bestimmt wird. Befreie dich aus deiner Konditionierung des »gespiegelten Selbstwertempfindens«, die ich auf Seite 42 beschrieben habe. Wenn du schon länger der Anerkennung deines Partners hinterherläufst, dann gib endlich die Hoffnung auf, dass er sich ändert, und fange an, dich selbst anzuerkennen. Hierfür überlege dir, wie du dich, unabhängig von der Partnerschaft, selbst erfüllen kannst. Es ist ganz wichtig, dass du dein Glück in deine Hand nimmst. Fange ein neues Hobby an, oder vertiefe ein altes. Triff dich häufiger mit deinen Freunden. Unternimm eine berufliche Fortbildung. Gönne dir Wellness. Tue alles dafür, dass du glücklicher und zufriedener wirst, und warte nicht darauf, dass dein Partner sich verändert.

Es ist möglich, dass du unter passiver Bindungsangst leidest. Das würde bedeuten, dass du dir immer wieder Partner aussuchst, die sich nicht wirklich auf dich einlassen beziehungsweise wenn sie es tun, du sie dann nicht mehr so interessant findest. Beschäftige dich also auch mit diesem Thema. Bücher hierzu findest du im Anhang oder auf meiner Webseite www.bindungsangst.com. Lenke also deine Energie und Aufmerksamkeit auf dich selbst. Hierdurch bekommst du einen gesunden Abstand zu deiner unglücklichen Beziehung und kümmerst dich um den einzigen Menschen, auf den du direkt Einfluss nehmen kannst. Im Grunde genommen braucht dein innerer Erwachsener seine ausgeprägte Hilfsbereitschaft nur auf sich selbst, also auf sein Schattenkind zu richten. Je besser du für dich selbst sorgst, desto mehr laden sich deine Batterien auf. Im Endeffekt wirst du dich hierdurch auf eine viel bessere Weise in diese Welt einbringen können.

Exkurs: Das Schattenkind und das Burn-out

Ein Burn-out kann immer dann entstehen, wenn ein Mensch sich unheimlich anstrengt, aber der Erfolg ausbleibt. Der Erfolg kann in Form einer mangelnden Wertschätzung durch Vorgesetzte und Kollegen ausbleiben und/oder indem die eigenen Bemühungen nicht zu dem gewünschten Ergebnis führen. Deswegen sind soziale Berufe besonders Burn-out-gefährdet. So rennen zum Beispiel Menschen, die in Pflegeberufen arbeiten, häufig einem viel zu eng getakteten Stundenplan hinterher und haben trotz ihrer Bemühungen ständig das Gefühl, dass ihre Patienten zu kurz kommen. Aber auch Manager, Sportler, Beamte, Angestellte und Studenten berichten zunehmend von dem Gefühl, ausgebrannt und total erschöpft zu sein. Dass die Diagnose Burn-out immer häufiger gestellt wird, liegt sicherlich zum einen daran, dass Ärzte und Psychologen für deren Anzeichen sensibler geworden sind. Zum anderen aber auch daran, dass der Arbeitsdruck in den letzten Jahrzehnten enorm gestiegen ist. In vielen Branchen müssen die Beschäftigten in immer kürzerer Zeit immer mehr leisten.

Das Burn-out ist eine Form der Depression – die sogenannte *Erschöpfungsdepression*. Der Begriff Burn-out hat sich jedoch etabliert, weil er salonfähiger ist. Es fällt den Betroffenen leichter, sich ein Burn-out als eine Depression einzugestehen. Depression ist in den Köpfen der meisten Menschen mit »psychisch krank« und »persönlichem Versagen« verknüpft. Burn-out klingt irgendwie besser.

Neben schwierigen Arbeitsbedingungen gibt es auch persönliche Voraussetzungen, die ein Burn-out begünstigen. So haben die Schattenkinder von Burn-out-Betroffenen sehr häufig die Schutzstrategie »Perfektionsstreben«. Indem sie ihre Arbeit nicht nur gut, sondern perfekt machen wollen, sind sie geneigt, sich in Details zu verrennen. Burn-out-Kandidaten sind nicht selten Workaholics. Ein typisches Symptom von Arbeitssucht ist, dass die Betroffenen Wichtiges von Unwichtigem nicht mehr unterscheiden können: Irgendwann ist es in ihren Augen genauso wichtig, sich abends die Kleidung für den nächsten Tag herauszulegen wie den Jahresabschlussbericht vorzubereiten. Sie wollen einfach alles in den Griff bekommen. Ich erinnere, dass Perfektions- und Kontrollstreben quasi Geschwister sind.

Menschen, die in ein Burn-out schlittern, weisen jedoch nicht nur eine Kombination aus schwierigen Arbeitsbedingungen und Perfektionsstreben auf, sondern sie bringen noch zwei weitere Eigenschaften mit, die sie für dieses Leiden prädestinieren: Erstens haben sie wenig Gespür für die Grenzen ihrer persönlichen Belastbarkeit, und zweitens können sie sich schlecht gegen die Ansprüche ihrer Umgebung abgrenzen.

Das Schattenkind von Burn-outlern ist ganz in seinem Selbstschutz der Anpassung gefangen. Das heißt, es bemüht sich so sehr, alles richtig und gut zu machen, um Lob und Anerkennung zu erhalten oder wenigstens Strafe zu vermeiden, dass es am Ende gar kein Gefühl mehr für sich selbst hat. Ein ganz wichtiger Bestandteil der Psychotherapie bei Burn-out-Klienten ist deswegen, dass sie wieder anfangen, sich selbst zu spüren. Dies geschieht über Übungen, die die Selbstaufmerksamkeit fördern. Wie ich schon mehrfach betont habe, sind Menschen, deren Selbstschutz im Wesentlichen Anpassungsstrategien umfasst, zu stark auf die Bedürfnisse ihrer Umgebung fokussiert und verlieren hierdurch ihre eigenen Bedürfnisse aus den Augen. Es ist also ganz wichtig, dass der Betroffene lernt, seine eigenen Bedürfnisse wahrzunehmen. Hierfür kann dir die Übung im nächsten Abschnitt helfen.

Im zweiten Schritt geht es darum, für die eigenen Bedürfnisse die Verantwortung zu übernehmen, indem die Klienten lernen, ausreichend für sich selbst zu sorgen. Hierfür müssen sie lernen, sich selbst zu behaupten. So wäre das Burn-out ja nicht entstanden, wenn die Betroffenen im Vorfeld Anforderungen verweigert hätten. Am Arbeitsplatz hat man, genau wie im Privatleben, das Recht, Nein zu sagen. Auf dieses gehe ich noch unter dem Abschnitt »Lerne, Nein zu sagen« genauer ein.

Wenn du also ein Burn-out vermeiden willst, übe dich in Selbstachtsamkeit, entwickle ein Gefühl für die Grenzen deiner Belastbarkeit, und lerne, dich selbst zu behaupten. Hierfür helfen dir viele Übungen in diesem Buch. Außerdem prüfe mit deinem kritischen, erwachsenen Verstand deine Arbeitsbedingungen. Frage dich, wofür du dir ständig so sehr den A... aufreißt. Frage dich, ob das *wirklich* notwendig ist. Frage dich, ob du im Zweifelsfall nicht lieber den Job wechseln möchtest. Ganz wichtig ist, dass du einen kleinen Abstand einlegst zu deinem Schattenkind und seinen Schutzstrategien und deine Situation von außen betrachtest. Wie du weißt, bin ich ein großer Fan von Argumenten. Versuche also, die ganze Situation in vernünftigen Argumenten zu überdenken. Mache dir also ein möglichst realistisches Bild von deiner Arbeitsleistung – betrachte hierbei sowohl deine Stärken als auch deine Schwächen genauer.

Überprüfe mit Argumenten, wann deine persönliche Leistungsgrenze erreicht ist. Hierfür kann es sehr hilfreich sein, sich mit Kollegen oder auch dem Vorgesetzten über die eigene Leistung und die objektiven Anforderungen zu unterhalten. Überprüfe auch deine inneren Motive genau: Was treibt dich derartig an? Sind es wirklich nur die äußeren Anforderungen, oder ist dein Schattenkind mit seinen Ängsten, zu versagen und abgelehnt zu werden, in hohem Maße beteiligt? Vermutlich ja.

Wenn du deine rationale Analyse abgeschlossen hast, dann nimm dein Schattenkind auf den Schoß, und erkläre ihm in etwa Folgendes: »Oje, du armer Schatz, du strengst dich immer so doll an, alles richtig und gut zu machen. Dabei kannst du bald gar nicht mehr. Aber schau mal, es reicht, wenn du deine Sache gut machst. Du musst dir nicht ständig selbst etwas beweisen. Das mit Mama und Papa war damals nicht einfach. Du hast dir immer so viel Mühe gegeben, sie stolz und glücklich zu machen. Aber heute ist das doch vorbei. Wir sind heute groß und können für uns selbst sorgen. Und du genügst! Du bist vollkommen in Ordnung so, wie du ist. Du darfst dich ruhig einmal ausruhen und dir Pausen gönnen. Unser Wert hängt nicht von unserer Arbeitsleistung ab. Außerdem werden wir öfter einmal Nein sagen und uns nur noch so viel Arbeit zumuten, wie wir auch bewältigen können. Ich, dein innerer Erwachsener, werde fortan die Verantwortung für dich übernehmen. Ich werde dich vor Überforderung beschützen, indem ich nicht mehr alle Aufgaben annehme. Es nutzt ja auch keinem etwas, wenn wir irgendwann zusammenbrechen. Und bedenke, du armer Schatz, wir dürfen uns auch schon ausruhen, bevor wir zusammenbrechen. Es ist sogar unsere Pflicht, dafür zu sorgen, dass es uns gut geht. Denn nur so bleiben wir unserer Firma und unserer Familie auch lange erhalten ….«

Die folgende Übung soll dich dabei unterstützen, dich selbst noch stärker zu spüren. Sie ist allerdings nicht nur für Burn-out-Kandidaten geeignet, sondern für jeden, der seinem Körper mehr Achtsamkeit schenken möchte.

Übung: Auflösen von Gefühlen

Diese Übung kannst du im Stehen, Sitzen oder Liegen durchführen. Sie ist in abgewandelter Form der Sedona-Methode© nach Levenson entlehnt.

1. Schließe die Augen, und nimm wahr, wie du dich jetzt fühlst ... Spüre, wie sich dein Körper anfühlt ... Achte auf deine Atmung ... Schicke deine innere Aufmerksamkeit durch deinen ganzen Körper ... Stelle einfach nur fest, wie er sich fühlt. Spüre, wo es Verspannungen gibt ... Schicke deine Aufmerksamkeit zu den Körperteilen, die sich verspannt und verkrampft anfühlen ... Lockere sie, indem du deinen Atem dort hinschickst und bewusst loslässt.

2. Denke an ein Problem, das du loslassen möchtest ... Spüre, wie es sich im Körper anfühlt ... Drückt es? Zieht es? Klopft das Herz? Stockt der Atem? Nimm es wahr, und heiße es willkommen.

3. Verstärke dein Problemgefühl, indem du dir vorstellst, wie du deine Schutzstrategie verstärkst. Wenn deine Schutzstrategie Perfektionsstreben ist, stelle dir vor, wie du alles noch perfekter und besser machst ... Wenn du deinem Problem durch Rückzug und Verdrängen begegnest, dann stelle dir vor, wie du dich total zurückziehst und gar nichts mehr machst ... Löst du dein Problem durch Angriff und Attacke, stelle dir vor, dass du noch aggressiver wirst ... Spüre, wie dein Körper sich anfühlt, wenn du deine Schutzstrategie verstärkst. Wird der Druck auf der Brust stärker? Zieht es noch mehr in der Magengegend? Fängst du an zu schwitzen?

4. Nun atme in dieses Gefühl hinein, und lasse die Bilder zu deinem Problem aus deinem Kopf verschwinden. Verbanne sie. Nimm einzig und allein das Körpergefühl wahr. Atme so lange zu den Stellen deines Körpers, in denen deine Gefühle sitzen, bis das Körpergefühl verschwunden ist. Spüre nach, wie sich das anfühlt.

Sei im Alltag achtsam für deinen Körper – spüre, wenn er wieder in deinen Schattenkindmodus beziehungsweise in deinen Problemmodus hineingeht. Atme dorthin, und löse das Gefühl auf einer rein körperlichen Ebene auf. Danach kannst du noch bewusst auf dein Sonnenkind umschalten, so wie wir es unter dem Abschnitt »Verankere dein Sonnenkind im Körper« gelernt haben.

Lerne, Nein zu sagen!

Eines der größten Probleme von Menschen, deren Schattenkind meint, nicht zu genügen, ist, dass sie schlecht Nein sagen können. Sie haben Angst, die Erwartungen ihrer Mitmenschen zu enttäuschen. Sie wollen es allen recht machen. Die Angst ihres Schattenkindes, auf Ablehnung zu stoßen, ist für sie handlungsleitend. Das Schattenkind meint, wenn es alles richtig macht, dann genügt es vielleicht doch. Das Problem ist, wie bei allen Anpassungsstrategien, dass die Bewertung dessen, was richtig und was falsch ist, nicht nach den abgewogenen Argumenten des Erwachsenen-Ichs vorgenommen wird, sondern danach, *was die anderen über einen denken*.

Ich möchte noch einmal auf die Projektion zu sprechen kommen, die in diesen Fällen häufig stattfindet: Ich fantasiere in den Kopf meines Gegenübers die Enttäuschung, die sich bei diesem meiner Meinung nach einstellen würde, wenn ich Nein sage. Um dies zu verhindern, sage ich in vorauseilendem Gehorsam Ja, wenn es zum Beispiel darum geht, eine freiwillige Aufgabe zu übernehmen. Also melde ich mich, wenn im Verein, in der Nachbarschaft oder in der Schule der Kinder eine ehrenamtliche Aufgabe übernommen werden soll. Und tue dies auch, wenn ich bereits mit meinem Alltagsprogramm überfordert bin. Der ganze Aufwand wird betrieben, um das arme Schattenkind zu beruhigen. Das Problem ist, dass in der Realität des Schattenkindes ein Nein zu Sanktionen oder gar zum Ausschluss aus der Gesellschaft führt. Das stimmt aber nicht. Klienten, die lernen, öfter Nein zu sagen, berichten mir regelmäßig mit einem gewissen Erstaunen, dass ihre Mitmenschen gar kein Problem damit haben, wenn sie dies tun oder mal nicht freiwillig den Finger heben. Außerdem erzählen sie mir, dass ihr Energielevel viel besser ist, seitdem sie mehr Verantwortung für ihre Wünsche übernehmen, indem sie halt auch einmal eine Bitte ablehnen. Dies wiederum führt – wer hätte es gedacht? – zu einer besseren Stimmung. Und wie wir ja gelernt haben, ist eine gute Stimmung die beste Voraussetzung dafür, ein guter Mensch zu sein. Wenn man gut gestimmt ist und das Energielevel stimmt, dann kann man übrigens mit einem guten Gefühl dem anderen auch einmal einen Gefallen tun. Ich möchte noch einmal betonen, dass es hier nicht darum geht, dass du egoistischer wirst, sondern darum, dass du besser für dich sorgst. Viele Menschen, die in ihrem Selbstschutz gefangen sind, sind nämlich meistens gestresst, erschöpft und schlecht gelaunt. Das heißt, sie können weder mit einem guten Gefühl Ja noch mit einem guten Gefühl Nein sagen.

Wenn du dir also öfter unsicher bist, ob du ein Recht hast, eine Bitte abzulehnen, beziehungsweise befürchtest, dass der Bittsteller sehr enttäuscht sein könnte, wenn du es tust, dann versuche mithilfe deines inneren Erwachsenen in vernünftigen Argumenten zu denken. Überdenke also mal die Frage, mit welchem Recht der Bittsteller ärgerlich oder enttäuscht sein sollte, anstatt immer nur auf der Frage herumzukauen, ob *du* ein Recht hast, Nein zu sagen. Wenn dich also deine Nachbarin bittet, einen Kuchen für das Grillfest mitzubringen, und du keine Zeit oder null Bock hast zum Kuchenbacken, dann sage ihr das offen und frage, ob du einen anderen Beitrag leisten könntest. Mit welchem Recht sollte sie dir das verübeln, welche Argumente sprechen dafür? Und mit welchem Recht sollte dein Partner oder deine Partnerin böse sein, wenn du mehr zu deinen Wünschen und Bedürfnissen stehst? Bedenke bitte, dass man einen Gefallen, den man zähneknirschend ausführt, häufig dem Bittsteller verübelt und die Beziehung zu diesem hierdurch mehr strapaziert, als wenn man ehrlich Nein sagt. Bedenke, dass du auch einen Kompromiss aushandeln kannst. Denk daran: Heute bist du groß und kannst deine Beziehungen mitgestalten!

Vertraue dir selbst und dem Leben!

Kontrolle ist die Antwort auf Angst. Und weil Angst grundlegend zum Leben dazugehört, weisen wir alle ein hohes Bedürfnis auf, Kontrolle auf uns und unsere Umgebung auszuüben. Bei manchen Menschen ist der Wunsch nach Kontrolle jedoch besonders stark ausgeprägt, sie benötigen sehr viel Kontrolle, um sich sicher zu fühlen. Ihr Schattenkind meint nämlich, dass es ohnmächtig und ausgeliefert sei. Es hat unheimlich große Angst, loszulassen und zu vertrauen, weil es kein Vertrauen in sich selbst hat. Falls du dich angesprochen fühlst, dann sollte dein innerer Erwachsener sich die Frage vorlegen, was im schlimmsten Fall eigentlich passieren kann. Denn häufig wird diese Frage nicht zu Ende gedacht, sondern aus der diffusen Angst des Schattenkindes heraus agiert. Frage dich also einmal, was denn tatsächlich passieren kann, wenn du dich etwas mehr entspannst und dir selbst und dem Fluss des Lebens mehr vertraust? Denke das Szenario, das dich so erschreckt, bis zu Ende durch. Gehe bis zum Äußersten deiner Fantasien, und frage dich immer wieder: Und dann? Blicke dem schlimmsten Albtraum ins Auge, und frage dich, ob er *wirklich* so schlimm ist oder ob man nicht auch aus dieser Situation noch etwas machen könnte.

Wenn du dein Schreckensszenario durchgefühlt und durchdacht hast, dann stelle ganz bewusst einen Abstand zu deinem ängstlichen Schattenkind her, und erkläre ihm aus der Position des inneren Erwachsenen sinngemäß (mit deinen Inhalten) Folgendes: »Oje, du armes Kind, bist noch ganz gebeutelt von früher. Das mit Mama und Papa war wirklich nicht einfach – du hattest einfach keine Chance, dich zu behaupten, und hattest immer das Gefühl, nicht zu genügen. Aber heute sind wir groß, und alles, wovor du solche Angst hast, ist sehr unwahrscheinlich. So können wir uns jederzeit Hilfe holen. Außerdem können wir uns wehren. Und wir haben auch viel gelernt und können viel. Und bedenke immer: Heute sind wir frei und dürfen einen eigenen Willen haben. Was soll uns denn groß passieren? Schlimmstenfalls leben wir von Hartz-IV und damit immer noch besser als viele Menschen auf der Welt. Schlimmstenfalls trennt sich (Name des Partners) von uns, aber auch das werden wir überleben.«

Bedenke immer: Deine Ängste sind Projektionen. Die meisten Dinge, vor denen wir Angst haben, treten nie ein. Oder, wenn sie eintreten, werden wir damit auch irgendwie fertig. Menschen, deren Schattenkind viel von Ängsten geplagt ist, müssen sich unbedingt abgewöhnen, alles zu glauben, was sie denken. Bedenke, wie oft deine Ängste dich schon in die Irre geleitet haben. Wie oft kam es viel besser, als du befürchtet hast? Oder es kam viel schlimmer, als du gedacht hast. Wenn deine Angststimme, also dein Schattenkind, ein Berater in deiner Firma wäre, dann hättest du es aufgrund seiner vielen Fehlprognosen schon längst fristlos entlassen. Der Punkt ist, dass wir einfach viele Dinge in unserem Leben nicht kontrollieren können und mit unseren Prognosen – im Guten wie im Schlechten – oft danebenliegen. Insofern mache dir immer wieder klar, dass die großen Dinge sowieso nicht in deiner Hand liegen. Je mehr du dich jedoch verkrampfst, festhalten und kontrollieren willst, desto anstrengender wird es für dich und deine Mitmenschen.

Menschen mit der Schutzstrategie Kontrollstreben haben oft ein übertriebenes Pflichtgefühl. In übersteigerter Form kann dies zu krankheitswertigen Zwangshandlungen oder Zwangsgedanken führen. In leichterer Ausprägung verfolgen die Betroffenen extrem disziplinierte Routinen, unter denen sie selbst leiden. Kontrolle aufzugeben ist schwierig, weil die Betroffenen genau das tun müssten, was sie am wenigsten können: vertrauen.

He who has faith can move mountains

Prov.

Wie lernt man aber zu vertrauen? Wenn ich nicht sehr gläubig bin und mein Schicksal in Gottes Hand lege, dann benötige ich ein gutes Selbstvertrauen, um mich dem Leben gewachsen zu fühlen. Je mehr ich mir nämlich selbst vertraue, desto höher ist meine innere Gewissheit, Niederlagen einstecken und diese überleben zu können. Mein Kontrollstreben soll mich ja schließlich vor den negativen Gefühlen beschützen, die sich einstellen, wenn ich einen Fehler mache. Wenn ich also mehr loslassen möchte, muss ich lernen, negative Gefühle auszuhalten. Die bereits viel zitierte Frustrationstoleranz ist mal wieder gefragt. Erst wenn ich mir zutraue, eine Frustration auszuhalten, ist mein Kopf frei für den Gedanken, dass ich wahrscheinlich Erfolg haben werde beziehungsweise dass mir wahrscheinlich nichts zustößt.

Angst resultiert aus der Multiplikation von »Auftretenswahrscheinlichkeit x Katastrophenfaktor«. Menschen, die beispielsweise unter Flugangst leiden, wissen zwar, dass die Auftretenswahrscheinlichkeit sehr gering ist, weil aber der Katastrophenfaktor so groß ist im Falle eines Absturzes, macht ihnen das Fliegen furchtbar Angst. Wenn ein Mensch unheimliche Angst hat zu scheitern, dann hält er die Auftretenswahrscheinlichkeit *und* den Katastrophenfaktor für hoch. Sein Schattenkind meint also erstens, dass es wahrscheinlich versagt, und zweitens, dass es dies nicht überleben würde. An beiden Hebeln kann man ansetzen, um sich Abhilfe zu verschaffen: Hierfür benötigt das Schattenkind Trost und Unterstützung für seine negativen Glaubenssätze. Wie immer geht es also darum, die eigenen Projektionen aufzulösen. Wie das geht, haben wir schon gelernt. Tröste dein Schattenkind, und erkläre ihm die Welt. Zudem stärke dein Sonnenkind und dein Erwachsenen-Ich. Der innere Erwachsene wird, wie immer, durch Argumente gestärkt.

Ein wichtiges Argument für den inneren Erwachsenen könnte in diesem Zusammenhang sein, sich einfach nicht so wichtig zu nehmen. Wenn wir uns nämlich unseren Versagensängsten hingeben, nehmen wir uns oft viel zu wichtig. Wenn das Erwachsenen-Ich jedoch einen kleinen Abstand zum Schattenkind herstellt, sich also in die dritte Position der Wahrnehmung begibt, dann wird er feststellen, dass das eigene Versagen im Verhältnis zum Weltgeschehen völlig bedeutungslos ist. Das Problem ist nämlich, dass unsere Ängste uns dazu verleiten, uns für den Mittelpunkt der Welt zu halten. Das mag zwar paradox klingen, so meint man, gerade aufgrund seiner Ängste wäre man sehr bescheiden und zurückhaltend. Das stimmt auch in gewissem Maße, aber die Angst um sich selbst macht per se egozentrisch, weil man ständig auf sich selbst fokussiert. Deswegen kann es sehr entspannend und heilsam sein, wenn man sich – und sein potenzielles Versagen – immer wieder in seiner Bedeutung relativiert.

Vielleicht geht dein Wunsch nach Kontrolle jedoch auch so weit, dass du ein hohes Machtbedürfnis hast? Vielleicht musst du immer die Oberhand behalten und immer im Recht sein? Dann hinterfrage bitte die Motive deines Handelns: Worum geht es dir *wirklich*? Mache dir klar, dass es nicht immer nur ums Siegen und Verlieren geht, sondern oft andere Werte wichtiger sind wie Verständnis, Kooperation, Freundschaft oder Respekt. Apropos Respekt: Das könnte ein wunder Punkt von dir sein. Überprüfe dich, ob du vielleicht mehr Respekt von anderen einforderst, als du ihnen selbst entgegenbringst. Möglicherweise beharrst du darauf, dass man dich sehr respektvoll behandelt, und bemerkst dabei oft gar nicht, wie stark du andere hierdurch zwingst, sich deinen Vorstellungen anzupassen. Mache dir bewusst, dass du durch deine Machtansprüche andere Menschen nötigst, sich ständig nach dir zu richten und du ihnen hierdurch den Respekt schuldig bleibst, den du für dich einforderst. Achte deswegen darauf, dass du auf *Augenhöhe* mit deinen Mitmenschen bleibst. Sobald du nämlich in deinem Schattenkind feststeckst, verlierst du die Augenhöhe und kämpfst umso mehr um dein Recht und willst unbedingt in eine überlegene Position gelangen. Dann mache dir mit deinem erwachsenen Verstand bewusst, dass du heute groß bist und die Welt da draußen nicht »Mama und Papa« ist. Du bist frei, und keiner hat Macht über dich. Deine Machtkämpfe bereiten dir weitaus mehr Probleme mit deinen Mitmenschen, als dass sie dir helfen würden. Heute bist du erwachsen und autark. Und deswegen kannst du auch einfach einmal loslassen und Kontrolle abgeben. Eigentlich sehnst du dich auch danach, die Dinge geschehen zu lassen und zu vertrauen.

Um Vertrauen und Loslassen zu lernen, kann es für dich auch hilfreich sein, Entspannungsübungen und Meditation zu erlernen. Sei aber geduldig mit dir, wenn du hierfür länger üben musst, denn deine hohen Ansprüche an dich selbst verleiten dich häufig auch zur Ungeduld, wenn dir etwas nicht auf Anhieb gelingt. Übungen zum »achtsamen Loslassen« haben ihren Ursprung in der buddhistischen Meditationslehre. Ich empfehle dir, falls dich das anspricht, dir hierfür ein Buch oder eine CD anzuschaffen, mit der du diese Thematik vertiefen kannst.

Reguliere deine Gefühle!

Wenn wir in unserem Schattenkind gefangen sind, dann sind es ja nicht die Glaubenssätze für sich genommen, die uns zu schaffen machen, sondern die leidvollen Gefühle, die mit diesem Zustand einhergehen. Bei den meisten Menschen steht ein bestimmtes Gefühl im Vordergrund, das immer wieder auftaucht und das sozusagen ihr Thema ist. Bei manchen ist dies ein Gefühl der Verlassenheit und Einsamkeit. Bei anderen Unsicherheit und Scham. Manche leiden unter überwertigen Schuldgefühlen, andere unter Angstzuständen. Einige plagt die Eifersucht, andere die Trägheit. Nicht wenige Menschen werden regelmäßig von depressiven Verstimmungen heimgesucht.

Wenn diese Gefühle und Stimmungen bereits ein Stadium großer Intensität erreicht haben, dann ist es schwierig, sie noch zu regulieren. In der Hirnforschung hat man herausgefunden, dass alle massiven Erregungszustände – egal ob es sich um gute oder negative Gefühle handelt – den Zugriff auf unser Lösungswissen blockieren. Deswegen ist es so wichtig, dass man in einem möglichst frühen Stadium erkennt, wann der innere Erwachsene eingreifen muss. Dies möchte ich noch einmal anhand eines kleinen Beispiels aus meiner Praxis illustrieren:

Susi (32 Jahre) leidet unter massiver Unsicherheit und Selbstzweifeln. In einer Sitzung erzählte sie mir, dass sie einen ganzen Abend lang zugeschaut habe, wie ihr Schwarm mit einer anderen tanzt. Das Wochenende habe sie daraufhin total depressiv im Bett verbracht. Wenn sie in diesem Gefühl gefangen sei, finde sie keinen »Exit«, so Susi. Dass ihr Schwarm sie an jenem Abend hat links liegen lassen und eine andere zum Tanzen vorzog, hat stark an ihrem Selbstwertgefühl genagt, was ihre Depression auslöste. Diesen psychischen Absturz hätte sie vermeiden können, wenn sie zu einem frühen Zeitpunkt für sich gesorgt hätte. Dies wäre ihr gelungen, wenn sie sich frühzeitig dabei ertappt hätte, dass sie gerade in ihrem Schattenkind gefangen ist, dessen Glaubenssätze unter anderem lauten: »Ich bin schuld!« Und: »Ich bin lästig!« Dann hätte sie dieses trösten und ihm erklären können, dass sein Wert völlig unangetastet davon ist, mit wem dieser Mann tanzt. Ihre innere Erwachsene hätte dem Kind dann erläutern können, dass es gerade in der Falle des »gespiegelten Selbstwertempfindens« (s. S. 42) festhängt. Außerdem hätte die Erwachsene dem Kind vorgehalten, dass es sich immer wieder in Männer verguckt, die sehr launisch und schwierig sind (es gab natürlich eine Vorgeschichte) und dieser Typ es überhaupt nicht wert ist, sich den Abend versauen zu lassen. Schließlich hätte die Erwachsene entweder dafür gesorgt, dass sie sich den Abend mit anderen Tänzern amüsiert oder dass sie das Lokal verlässt und kurzfristig etwas anderes unternimmt. Vielleicht hätte sie sich dann noch mit einer Freundin getroffen oder wäre in ihre Stammkneipe gegangen, um sich bei einem Schwätzchen mit alten Bekannten abzulenken und aufzuheitern. Das Problem war also, dass Susi (mal wieder) nicht rechtzeitig bemerkt hat, dass sie an jenem Abend völlig mit ihrem Schattenkind identifiziert war und die Situation hat einfach über sich ergehen lassen, anstatt einzugreifen und für sich zu sorgen.

Wenn du deine Gefühle regulieren beziehungsweise bestimmte Gefühle vermeiden möchtest, dann musst du frühzeitig für dich sorgen. Wenn dein Schattenkind zum Beispiel zu Gefühlen der Verlassenheit und Einsamkeit neigt und du gerade Single bist, dann sieh zu, dass du gewisse Trigger für dieses Gefühl vermeidest, indem du zum Beispiel dafür sorgst, dass du sonntags genügend vorhast, um nicht in das Loch der Einsamkeit zu fallen.

Neigst du zu Eifersucht, dann sorge für dich, indem du dir ganz bewusst Strategien zurechtlegst, mit denen du dieses Gefühl regulieren kannst. Wenn du und dein Partner zum Beispiel auf eine Party eingeladen seid, dann wappne dein Schattenkind im Voraus auf Situationen, in denen deine Eifersucht dich anfallen könnte. Überlege dir, auf welche Weise dein Erwachsenen-Ich die Führung behalten kann. Identifiziere im Voraus die Trigger, die auftauchen könnten, und lege dir Verhaltensstrategien zurecht.

Meistens schlittern wir in leidvolle Gefühlszustände hinein, weil wir uns nicht auf kritische Situationen vorbereiten und/oder uns nicht rechtzeitig ertappen, wenn das Schattenkind das Ruder übernimmt. Manche Gefühlszustände kann man gut regulieren, indem man deren Trigger erkennt und diese vermeidet, so beispielsweise, wenn ich mir eine Sucht abgewöhnen will und folglich dafür sorge, dass ich mit der Substanz möglichst gar nicht in Berührung komme. Für die meisten Gefühlszustände ist es jedoch sinnvoller, die Trigger nicht zu vermeiden, was oft auch gar nicht möglich ist, sondern sich Strategien zurechtzulegen, um mit ihnen umzugehen. Dies möchte ich im Folgenden am Beispiel von Menschen erklären, deren Schutzstrategie »Angriff und Attacke« ist, denn diese neigen häufig unter scheinbar nicht zu kontrollierenden Wutgefühlen.

Exkurs: Das impulsive Schattenkind

Bei impulsiv veranlagten Menschen liegt eine sehr schnelle Reiz-Reaktion-Verknüpfung vor. Das heißt, die Zeitspanne zwischen dem wutauslösenden Trigger und der Reaktion ist extrem kurz. Du erinnerst dich bestimmt an Michael vom Anfang dieses Buches, der wegen der vergessenen Wurst an die Decke ging. Er ist ein ganz typisches Beispiel für einen Menschen mit dieser Schutzstrategie.

Wenn es dir ähnlich wie Michael geht, dann identifiziere einmal die wahren Auslöser für deine Wut. So ging es Michael ja auch nur scheinbar um die Wurst. Tatsächlich wurde seine Wut aus der Kränkung seines Schattenkindes getriggert, das die Glaubenssätze »Ich komme zu kurz« und »Meine Wünsche werden nicht beachtet« aufwies. Michaels Wut generierte sich also aus seiner Interpretation der Wirklichkeit. Gerade wenn man zu impulsiven Wutausbrüchen neigt, ist es besonders wichtig, dass man seine Trigger kennt, weil genau hier die Prävention schon ansetzen muss. Wut muss man im Frühstadium abfangen beziehungsweise sie gar nicht erst aufkommen lassen. Bist du nämlich erst im Blutrausch angelangt, dann gibt es kaum noch ein Zurück. Sind wir jedoch vorbereitet, indem wir unsere Trigger kennen, dann hat der innere Erwachsene die beste Chance, noch besonnen zu reagieren. Wenn du also weißt, dass deine Eltern, deine Kollegin oder deine pubertierenden Kinder dich schnell auf die Palme bringen, dann kannst du dich wappnen, indem du dir mithilfe deines inneren Erwachsenen klarmachst, welche Tasten sie bei dir drücken und indem du dir im Voraus überlegst, auf welche Weise du reagieren möchtest. Um deine Trigger zu finden, machst du am besten noch einmal die Übung »Realitätscheck« auf Seite 189. Werde dir der Zusammenhänge zwischen dem objektiven Geschehen und deiner subjektiven Wahrnehmung bewusst. Vermutlich kannst du unterschiedliche Situationen, die dich in Wut versetzt haben, auf deine negativen Glaubenssätze beziehungsweise auf die Verletzungen deines Schattenkindes reduzieren.

Ein Fallbeispiel: Markus (32 Jahre) hatte eine sehr schwere Kindheit. Beide Eltern waren alkoholkrank und gewalttätig. Angesichts seiner Kindheit war es erstaunlich, wie gut er im Leben zurechtkam. Nur mit seiner Impulsivität handelte er sich immer wieder Probleme ein. Sein Schattenkind reagierte äußerst empfindlich, wenn es in irgendeiner Form meinte, es würde ihm nicht genügend Respekt entgegenbracht. Hierfür konnte schon ein (vermeintlich) schräger Blick in der Kneipe genügen. Sofort fühlte Markus sich provoziert und meinte, man würde sich über ihn lustig machen. Er ging dann direkt zum verbalen Angriff über, der nicht selten in Handgreiflichkeiten endete. Als Markus die Bekanntschaft mit seinem Schattenkind machte, identifizierte er eine Menge negativer Glaubenssätze. Einer der wichtigsten war: »Ich bin ohnmächtig!« Gefühle der Ohnmacht und Hilflosigkeit waren der Nährboden für seine impulsive Wut. Dies ist übrigens bei vielen Menschen der Fall, die zu »Angriff und Attacke« neigen. Schließlich hat Aggression den lebensgeschichtlichen Sinn, sich genau aus diesem Zustand zu befreien.

Um seine Wut zu regulieren, musste Markus lernen, sein Schattenkind liebevoll an die Hand zu nehmen und im Erwachsenen-Ich, also auf Augenhöhe mit dem vermeintlichen Provokateur zu bleiben. Hierfür halfen ihm viele der Übungen, die ich dir auch schon in diesem Buch vorgestellt habe. Was ihm zudem sehr geholfen hat, war das Einüben von sogenannten *Antwortstrategien*, auf die ich im übernächsten Abschnitt näher eingehen möchte. Antwortstrategien reduzieren das Gefühl der subjektiven Hilflosigkeit und können einem deswegen zu einer gewissen Gelassenheit verhelfen. Apropos Gelassenheit: Man wird ja nicht nur aus einem unterlegenen Gefühl heraus wütend, sondern man kann auch aus einer überlegenen Position seiner Aggression freien Lauf lassen. So toben tagtäglich Vorgesetzte ihren Frust bei Untergebenen aus, Eltern bei ihren Kindern, Lehrer an ihren Schülern usw. Und natürlich gehen auch Menschen aufeinander los, die sich durchaus auf Augenhöhe fühlen. Wut kommt nämlich häufig dann auf, wenn es nicht so läuft, wie man es gern hätte. Dafür reicht es, dass man sich vom Partner falsch verstanden fühlt oder dass er die Geschirrspülmaschine nicht ausgeräumt hat. Wut ist eine Reaktion auf Kontrollverlust. Hier spielt Ungeduld auch eine große Rolle – sie ist sozusagen die kleine Schwester der Wut. Impulsive Menschen sind in der Regel ungeduldig. ABER Impulsivität ist kein reines Widerfahrnis, kein Naturgesetz und auch kein Schicksalsschlag. Man hat durchaus Einfluss auf seine Impulsivität, wie jeder Mensch mit dieser Veranlagung sich selbstkritisch eingestehen muss. Jedem Wutanfall geht nämlich ein winzig kleiner Moment der freien Entscheidung voraus. Dies ist auch der Grund, warum ein Hitzkopf sich durchaus bei seinem Chef zusammennehmen kann, bei seiner Familie – scheinbar – aber nicht. Tatsächlich hat eine Klientin mir einmal erzählt, dass sie ihre Wutanfälle durch einen einzigen Satz in den Griff bekommen hat, den ich (völlig unbewusst von dessen durchschlagender Wirkung) einmal fallen ließ: »Dann lassen Sie es doch einfach bleiben!«

Die Kuhmeditation

Wut lässt sich übrigens auch hervorragend durch Humor auflösen. In diesem Sinne möchte ich dir die folgende kleine Geschichte erzählen: Mit meiner Freundin Helena, die auch Psychotherapeutin ist, war ich auf einem meiner Seminare, wo sie mir als Kotrainerin half. Wir saßen abends gemütlich beisammen, als sie mich aus heiterem Himmel aufforderte, mal wie eine Kuh zu gucken. Ich sagte: »Mach ich nicht!« »Doch, mach mal«, beharrte sie. Na gut, der dämliche Blick gelang mir ein paar Sekunden, dann musste ich lachen. Helena, die in Ostfriesland praktiziert, erläuterte daraufhin, sie mache mit ihren Klienten manchmal die *Kuhmeditation*. Die Ostfriesen könnten damit eine Menge anfangen, weil die Gegend schließlich mehr Kühe als Einwohner habe, so Helena. Wenn ihr

Klient dann wie eine Kuh gucke, Helena machte das in diesem Moment nach, dann bitte sie ihn darum, jetzt mal richtig wütend zu werden. Dann sage der Klient: »Geht nicht.« Und sie: »Eben!« Man könne nicht wie eine Kuh gucken und gleichzeitig wütend sein, erklärte Helena. Kühe gucken total entspannt und treudoof – das lasse sich nicht mit Wut vereinbaren. Helena empfiehlt deswegen Klienten, die häufig gereizt und schlecht drauf sind, täglich eine zehnminütige Kuhmeditation. Ich möchte mich hiermit dieser Empfehlung anschließen.

Für deinen inneren Erwachsenen zur Erinnerung: Unsere Körperhaltung und unsere Mimik haben einen Einfluss auf unsere Stimmung. Ein total entspannter Gesichtsausdruck (Kuhblick) lässt sich physiologisch schlecht mit Wut verbinden.

Übung: Eine kleine Lektion in Sachen Schlagfertigkeit

Wenn du die Kuhmeditation noch nicht so virtuos beherrschst, dass du tiefenentspannt jeden Angriff einfach an dir abperlen lassen kannst, dann können dir Antwortstrategien dabei helfen, souverän zu bleiben. Hierbei handelt es sich um vorbereitete Fertigantworten, die immer irgendwie passen. Matthias Nölke spricht in seinem Buch »Schlagfertigkeit« von sogenannten *Instantsätzen* in Anlehnung an Instantsuppe oder Instantkaffee. Der Satz ist vorgefertigt, und man kann ihn sofort anwenden – der geistige Aufwand geht gegen null. Müsste man sich hingegen erst eine schlagfertige Antwort überlegen, dann ist der Moment zumeist schon verpasst.

Im Großen und Ganzen gibt es zwei Situationen, bei denen man gern eine schlagfertige Antwort parat hätte:

1. Kleine, aber nicht böse gemeinte Sticheleien unter Freunden und Kollegen. Diese sind harmlos, und man kann sie auch mit einem Lachen durchwinken.

2. Offen oder unterschwellig aggressive Angriffe, die erheblich ärgerlicher und/oder verletzender sind.

Mit den folgenden Instantsätzen kann man praktisch allen tatsächlichen und vermeintlichen Frechheiten begegnen:

- Hast du gerade etwas gesagt?
- Würdest du das bitte einmal rückwärts sagen?
- Ich passe mich gern meiner Umgebung an.
- Wenn ich deine Meinung hören will, dann werde ich sie dir mitteilen.
- Das sagt ja gerade der/die Richtige.
- Das ist für meinen eckigen Kopf zu rund.

Die letzte Antwort zählt, laut Nölke, zu den sogenannten *Nonsenssätzen*. Dies sind Antworten, die eigentlich gar keinen Sinn ergeben und deswegen dem Angreifer den Boden unter den Füßen entziehen. So muss dieser nämlich einen Moment nachdenken, um dann festzustellen, dass er gerade veräppelt wurde. Ebenso verhält es sich mit den sogenannten *Nullsätzen*. Diese machen im Gesprächskontext null Sinn und führen den Angriff dadurch ad absurdum. Nölke spricht auch von *absurdem Theater*. Hierfür ist es wichtig, dass du ganz ernst bleibst und in Mimik und Stimmlage scheinbar auf das Gesagte eingehst, dann aber etwas völlig Abwegiges zum Besten gibst, zum Beispiel: »Im Frühjahr ernten die Bauern den Spargel!« Oder: »Am Bart des Törichten lernt der Barbier rasieren.« Letzteres ist eines der sinnlosen Sprichwörter, von denen du dir auch einen Stapel zurechtlegen kannst. Hierfür kannst du auch bereits bestehende Sprichwörter verfälschen, beispielsweise: »Der Krug geht so lange zum Brunnen, bis er bricht.« Diese Sätze bewirken Verwirrung, und hierdurch kann die übliche Angriff-Gegenangriff-Spirale unterbrochen werden. Im besten Fall fangen beide an zu lachen.

Eine gute Technik, um dem Angriff die Schärfe zu nehmen und etwas Humor in die Situation zu bringen, ist, wenn man das Gesagte noch übertreibt. Wenn dir also vorgeworfen wird, dass du dich dumm anstellst, dann brauchst du lediglich zu entgegnen: »Ich kann noch viel dümmer.« Oder: »Schlecht kochen kann ich auch.«

Stelle dir Situationen vor, die für dich schwierig zu handhaben sind, und überlege dir in aller Ruhe einige Fertigantworten, die du dann aus dem Hut ziehen kannst. Das Wissen darum, dass du im Zweifelsfall die richtige Antwort parat hast, lässt dich stärker fühlen und reduziert Unsicherheit.

Ein sehr guter Instantsatz ist übrigens auch: »Da hast du Recht!« Der passt auch auf Beleidigungen, weil er dem Angreifer zu verstehen gibt, dass man megasouverän ist. So souverän, dass man seinen Angriff gar nicht ernst nimmt.

Du darfst enttäuschen!

Menschen, zu deren Schutzstrategien zählt, dass sie Kind bleiben, trauen sich nicht, die Verantwortung für ihre Lebensentscheidungen zu übernehmen. Mit der Sorge, etwas falsch zu machen, geht einher, dass sie bestenfalls diffuse Vorstellungen davon haben, was sie eigentlich wollen. Sie haben sich ihr Leben lang in Anpassung trainiert, und hierdurch ist die Entwicklung ihrer autonomen Fähigkeiten, zu denen freie Willensentscheidungen gehören, zu kurz gekommen. Folglich sind sie nicht geübt darin, auf eigenen Füßen zu stehen. Ihr Schattenkind meint, es brauche eine starke Hand, die es durch das Leben führt. Ihr Erwachsenen-Ich kommt nicht genügend zu Wort und muss gestärkt werden. Das Schattenkind ist sehr abhängig von der Anerkennung seiner Eltern und anderer Menschen. Es möchte am liebsten alle Erwartungen erfüllen. Es hat Angst zu enttäuschen. Aber die Lösung heißt: *Ich darf enttäuschen!*

Um sich von den Eltern abzulösen, benötigt man eigene Bewertungsmaßstäbe von falsch und richtig. Man muss sich zutrauen, eigene Entscheidungen zu treffen und zu diesen zu stehen. Das bedeutet aber auch, dafür geradezustehen, wenn man eine falsche Entscheidung getroffen hat. Um das auszuhalten, benötigt man eine gewisse Frustrationstoleranz, zu der ich im Abschnitt »Vertraue dir selbst und dem Leben« schon einiges geschrieben habe. Es geht darum, dass man einen Misserfolg ertragen kann. Dies ist der Preis für die Entscheidungsfreiheit. Wenn ich aus der permanenten Angst vor einem etwaigen Versagen meine Entscheidungen an meine Eltern oder meinen Partner delegiere, dann bleibe ich abhängig.

Falls du dich angesprochen fühlst, dann mache deinem Schattenkind bitte klar, dass es ein Scheitern überleben wird und negative Gefühle auch wieder vergehen. Scheitern gehört zum Leben dazu. Erkläre deinem Schattenkind, dass es aber viel wahrscheinlicher ist, dass es auf seinem Weg Erfolg haben wird. Der einzige echte Misserfolg wäre, es nicht zu versuchen und abhängig zu bleiben. Nimm dein Schattenkind auf den Schoß und sage ihm, dass es okay ist, wenn man Fehler macht. Fehler sind unsere besten Lehrmeister. Wir entwickeln uns schließlich auch nur weiter, wenn wir einen gewissen Leidensdruck haben. Solange alles gut läuft, gibt es keinen Grund, über sich nachzudenken und etwas zu verändern. Im Übrigen mache dir mit deinem Erwachsenen-Ich begreiflich, dass man die meisten Entscheidungen auch rückgängig machen kann. Falls sich eine Entscheidung als falsch herausstellt, dann kannst du sie wieder verändern. Auch hier ist die Frage wichtig: Was kann im schlimmsten Fall passieren? Vielleicht kann dir die Überlegung helfen, dass du ja auch eine Menge negativer Gefühle aushalten musst, wenn du in deiner jetzigen Situation verharrst.

Erkläre deinem Schattenkind auch, dass es enttäuschen darf. Sage ihm, dass seine Eltern groß sind und für sich selbst sorgen können. Es darf sich von ihnen lösen. Das muss ja auch nicht heißen, dass du deine Eltern nicht mehr lieb hast, sondern lediglich, dass du deinen Lebensweg nach deinen eigenen Vorstellungen gestaltest. Genauso hast du auch das Recht, dich von deinem Partner zu lösen, wenn dir das notwendig erscheint.

Wie ich bereits unter dem Abschnitt »Ich bleibe Kind« geschrieben habe, leiden manche Menschen aber auch darunter, dass ihre Eltern und/oder ihr Partner ständig über sie bestimmen wollen und dies manchmal sogar mit erpresserischen Methoden. Wenn du zu jenen gehörst, dann höre bitte auf, dir die Dinge schönzureden. Verdränge nicht mehr den Ernst der Lage. Vielleicht lebst du in der beständigen Hoffnung, dass sich deine Eltern oder dein Partner irgendwann noch ändern werden? Mache mithilfe deines inneren Erwachsenen eine nüchterne Bestandsaufnahme der Situation, und erstelle eine *realistische* Prognose, wie die Chancen auf Besserung stehen. Vielleicht bist du dir auch unsicher, ob du selbst schuld bist an dem schwierigen Verhältnis zu deiner Bindungsperson? Vielleicht, weil diese das immer behauptet? Dann überprüfe anhand von Argumenten deinen Standpunkt. Hierbei können dir die Abschnitte zur Konfliktfähigkeit ab Seite 211 helfen.

Du musst ja auch nicht alle Schritte auf einmal gehen. Wichtig ist, dass du dich auf den Weg in deine Verselbstständigung begibst. Bevor du dich zum Beispiel radikal von deinem Partner löst, kannst du dich darin üben, ihm öfter zu widersprechen und deinen eigenen Standpunkt zu vertreten. Vielleicht hilft es dir, dir erst einmal kleine Entscheidungen vorzunehmen, die du selbstständig triffst und durchziehst.

Exkurs: Schatzstrategien gegen Sucht

Wie wir gelernt haben, lassen gewohnte Denk- und Verhaltensmuster neuronale Verknüpfungen entstehen, die uns häufig automatisch und unbewusst handeln lassen. Diese Automatisierung ist für sich genommen sehr sinnvoll und ökonomisch. Die Alternative wäre, dass unser Gehirn für viele alltägliche Handlungen wie Zähneputzen, Autofahren oder Telefonieren ständig unsere volle Aufmerksamkeit und Präsenz benötigte. Unser Leben wäre dann sehr anstrengend. Der Nachteil der Geschichte ist, dass sich auch schlechte Gewohnheiten tief in unserem Gehirn einspuren. Und wenn eine Gewohnheit ~~quasi~~ zur Notwendigkeit wird, dann sprechen wir von Sucht.

Sucht ist ein sehr weites Feld, und es gibt zahlreiche und ausführliche Ratgeber für unterschiedliche Süchte und wie man sich von ihnen befreien kann. Deswegen möchte ich mich hier ~~lediglich~~ auf einige Schatzstrategien beschränken, die dir helfen können, deine Sucht loszulassen.

Süchte haben uns deshalb so gut im Griff, weil sie unsere Gefühle bestimmen. So verschafft uns die Zufuhr einer bestimmten Droge oder eines süchtigen Verhaltens zunächst einmal Lustgefühle. Oder sie verhindert starke Unlustgefühle, zum Beispiel in Form von Entzugserscheinungen. Während an den starken Lustgefühlen durchaus auch das Sonnenkind mit einer gewissen Neigung zu Übermut und Exzess beteiligt sein kann, so lokalisieren sich die Unlustgefühle vorwiegend im Schattenkind. Die Vorstellung nämlich, auf eine bestimmte Droge zu verzichten, löst – zumindest unterschwellig – Angst aus. Das Schattenkind hat Angst, ohne sein Suchtmittel seinen inneren Halt zu verlieren. Vor allem orale Süchte wie Trinken, Rauchen und Essen haben viel mit den Wünschen des Schattenkindes nach Geborgenheit und Sicherheit zu tun. Die orale Zufuhr ist auf einer unbewussten und tiefen Ebene mit dem Gefühl des Gefüttertwerdens und menschlicher Zuwendung verbunden. Das Schattenkind ist bedürftig nach Trost und Zuwendung. Das Suchtmittel lindert kurzfristig seine Schmerzen.

Neben den Sehn-Süchten des Schattenkindes wird eine Suchtabhängigkeit aber auch durch eine stoffwechselbedingte Veranlagung mit beeinflusst. So ist bei manchen Menschen der Dopaminkreislauf anfälliger für Süchte als bei anderen. Außerdem hat man neuerdings festgestellt, dass es Menschen gibt, die schnell, und welche, die langsam Nikotin abbauen. Die Ersteren sind erheblich suchtanfälliger für Zigaretten als die Zweiten. Sucht ist nicht allein eine Angelegenheit von traurigen Schattenkindern, sondern sie hat mit vielen Faktoren zu tun. Hierzu zählen vor allem auch Gelegenheit und Gewohnheit.

Um aus einer Sucht auszusteigen, benötigt man einen festen Willen. Das heißt, der innere Erwachsene muss stark sein, denn der Wille fällt in seinen Bereich. Da der Wille des Süchtigen jedoch meistens von seiner Sucht diktiert wird, beißt sich hier die Katze in den Schwanz. Die Frage, die sich stellt, ist: Wie kann der innere Erwachsene auf seinen Willen Einfluss nehmen? Schließlich erleben wir den eigenen Willen oft als eine Art Widerfahrnis. So wachen wir beispielsweise eines Morgens auf und beschließen: »Jetzt ist Schluss!« (Schluss mit Essen, Rauchen, Trinken, mit dem Partner etc.) Aber woher kommt dieser Wille auf einmal? Und warum hat er sich nicht schon früher eingestellt? Und noch schwieriger: Wie lange wird er anhalten? Die letzte Frage ist durch zahlreiche psychologische Studien erhellt worden, die belegen, dass der Wille wie eine Art Muskel funktioniert, der sich bei zu starker Belastung auch erschöpfen kann. Das heißt, die Willenskraft ermüdet, je öfter man von ihr Gebrauch machen muss. Wenn man sich also schon den ganzen Tag in Verzicht und Belohnungsaufschub geübt hat, dann schwächelt der Wille gegen Abend. Deswegen brechen die meisten guten Vorsätze am Abend zusammen, wie jeder weiß, der schon einmal eine Diät gemacht hat.

Wie ich bereits unter dem Abschnitt »Flucht in die Sucht« geschrieben habe, ist Sucht ein Verhalten, das durch seine Konsequenzen gesteuert wird. Wenn also der Preis für das Weitermachen den Preis für das Aufhören stark übersteigt, dann befeuert dies den Willen, das Verhalten einzustellen. Und genau hier kann man den Hebel zur Veränderung ansetzen. Sucht funktioniert nämlich durch ein erhebliches Maß an Verdrängung. Der innere Erwachsene weiß zwar, dass seine Sucht schädlich ist, aber er lässt dieses Wissen nicht in seinem Gefühl zu. Das heißt, er verdrängt die Angst, die ihm sein eigenes Verhalten macht. Dies gelingt ihm schon deshalb leicht, weil die gesundheitlichen Folgen einer Sucht meistens langfristiger Natur sind und somit in weite Ferne verschoben werden können. Gleichzeitig ist der kurzfristige Lustgewinn direkt fühlbar. In dem Moment, wo ich mir eine Zigarette anstecke oder die Tafel Schokolade konsumiere, erlebe ich sofort ein Lustgefühl. Bei der rein theoretischen Vorstellung der langfristigen Folgen meines Verhaltens fühle ich hingegen nichts.

Zum Fühlen gehört auch das Lebensgefühl, und in diesem Sinne gehört zu jeder Sucht ein bestimmtes Lebensgefühl, das der Süchtige liebt. Je länger eine Sucht anhält, desto umfangreicher werden die neuronalen Verknüpfungen für dieses Lebensgefühl. Für ein alternatives Verhalten weist das süchtige Gehirn hingegen kaum neuronale Pfade auf. Ist also für das Suchtverhalten eine riesige Datenautobahn im Gehirn ausgebaut, so steht für das nichtsüchtige Verhalten nur, wenn überhaupt, ein kleiner Trampelpfad zur Verfügung. Deswegen kann der Süchtige sich oft noch nicht einmal *vorstellen*, ohne seine Droge zu leben.

Was den Suchtverzicht zusätzlich erschwert, ist der Umstand, dass man ein bestimmtes Verhalten *unterlassen* muss. Unterlassen ist viel schwieriger, als etwas zu tun. Denn unterlassen kann ich 24 Stunden am Tag, und das sieben Tage die Woche. Etwas *nicht* zu tun, kostet also unter dem Strich erheblich mehr Willenskraft, als etwas zu tun. Wenn ich mir vornehme, eine halbe Stunde am Tag Joggen zu gehen, dann brauche ich hierfür Willenskraft für nur diese halbe Stunde plus vorher fünf Minuten Umziehen. Etwas zu unterlassen kann mich hingegen den ganzen Tag Willenskraft kosten.

Wenn ich also den Ausstieg aus meiner Sucht finden will, muss ich den Hebel an mehreren Stellen ansetzen: Ich muss meine tieferen Ängste beruhigen, also das Schattenkind trösten; mein Lebensgefühl mithilfe des Schatten- und des Sonnenkindes verändern und, damit einhergehend, den Willen des inneren Erwachsenen stärken. Die folgenden Maßnahmen helfen, den Trampelpfad zu einer Autobahn auszubauen:

1. Befrage dein Schattenkind, wofür es die Sucht benötigt, indem du in dich hineinfühlst. Wie gesagt, hat Sucht viel mit Trost und Geborgenheit beziehungsweise mit Angst zu tun. Angst zu versagen; Angst, verlassen zu werden; Angst, unterzugehen und zu sterben. Untersuche, welche negativen Glaubenssätze für deine Sucht eine wichtige Rolle spielen. Zu diesen zählen nicht nur jene, die du bereits herausgefunden hast, wie beispielsweise »Ich genüge nicht« oder »Ich bin wertlos«, sondern auch welche, die direkt auf die Sucht bezogen sind, wie zum Beispiel »Ich schaffe das nie!«, »Ich kann nicht glücklich sein, ohne zu rauchen!«, »Ich muss Süßigkeiten essen!«. Spüre in dich hinein, wie sich das alles anfühlt. Identifiziere das negative Gefühl, das dich zur Droge antreibt. Schreibe bitte alles auf, was du über dein Schattenkind und die Sucht herausfindest.

2. Dann nimm bitte dein Schattenkind auf den Schoß, und tröste es. Erkläre ihm, dass du seine Ängste verstehst, dass sie aber nicht abnehmen, wenn ihr zu viel esst, trinkt, raucht oder euch in die Arbeit flüchtet. Erkläre ihm, dass du, der liebevolle innere Erwachsene, für es da bist und es niemals im Stich lässt. Mache ihm Mut, dass ihr das gemeinsam schaffen werdet. Mache ihm klar, wie stolz und glücklich es sein wird, wenn es den Ausstieg schafft. Male ihm aus, wie schön sein Leben dann sein wird.

3. Lass die Angst zu, was passieren kann, wenn du so weitermachst wie bisher. Hole dir die Realität vor Augen. Mache dir bewusst, dass dein Verhalten *wirklich* schädlich ist. Gehe in die Schreckenskammer deiner Angst, und hole alle die Gruselbilder zu den Auswirkungen deiner Sucht hervor, die du normalerweise verdrängst. Höre auf zu verdrängen. Lass die Angst in dir zu. Angst hat die Funktion, uns zu warnen. In diesem Fall hat sie ihre Berechtigung.
Mache dir auch bewusst, dass es immer ein Morgen gibt.

Und du mit dem Gedanken »Ich höre morgen / nächste Woche / nächstes Jahr auf« deinen Ausstieg bis zu deinem Tod aufschieben kannst.

4. Befrage dein Sonnenkind, weswegen es die Sucht liebt. Wie gesagt, mag das Sonnenkind auch Spiel, Spaß, Party und Exzess. Es liebt dieses Lebensgefühl. Spüre in dich hinein, wie genau sich dein positives, süchtiges Lebensgefühl anfühlt und wo du es im Körper spüren kannst. Finde auch deine positiven Glaubenssätze, die mit deiner Sucht zusammenhängen, wie beispielsweise »Ich bin unverwüstlich«, »Leben heißt Rausch«, »Ich kann später aufhören«. Schreibe alles auf, was du über dein Sonnenkind und die Sucht erfährst.

5. Suche nach einem neuen Lebensgefühl, das sowohl dein Schattenkind als auch dein Sonnenkind toll findet. Wenn du zum Beispiel zu viel isst und dem Schattenkind hierdurch viel Geborgenheit und Gemütlichkeit vermittelst, dann mache dir im Kopf einen ganz neuen Film. Stelle dir zum Beispiel vor, du würdest auf einer Südseeinsel leben und dich nur von Früchten, Gemüse und frischem Fisch ernähren. Spüre mit allen Sinnen, was für ein schönes Lebensgefühl die Wärme, die Farben, das leichte Essen machen. Spüre auch, wie es sich anfühlt, wenn du leicht und beweglich bist. Deiner Fantasie sind keine Grenzen gesetzt. Mache dir ganz neue Bilder im Kopf, die dein neues Essverhalten einschließen. Und ganz wichtig: *Fühle,* wie gut sich das anfühlt. Versenke dich in deiner Vorstellung in ein neues Lebensgefühl. Ich erinnere: Unser Gehirn macht keinen großen Unterschied zwischen Realität und Vorstellung. Wenn du dir ein ganz wunderbares Kopfkino installierst, um dich in ein neues Lebensgefühl zu versenken, dann wird dabei schon die erste Spur deiner neuen Datenautobahnen angelegt.
Wenn du vom Rauchen loskommen willst, kannst du dir vielleicht vorstellen, wie du dich in einem wunderschönen

Wald aufhältst. Ganz verbunden mit ihm bist. Die frische Luft einatmest. Eine schöne Vorstellung ist auch, dass du intensiv im Meer geschwommen bist, sodass du außer Atem im warmen Strand liegst und in der Sonne wieder Kraft tankst. Du bist so außer Atem, dass Rauchen in dieser Vorstellung überhaupt keine Option darstellt. Stelle dir weiterhin vor, wie sauber und ästhetisch es ist, wenn du dir keine Zigarette mehr in den Mund stecken musst. Rieche innerlich einen guten Duft, der dich umgibt, wenn du nicht mehr rauchst.

Du kannst dir aber auch einen anderen inneren Ort der Ruhe und Tiefenentspannung ausmalen, den du innerlich immer wieder aufsuchen kannst, wenn du genau dieses Gefühl benötigst.

Die Bilder beruhigen die Ängste deines Schattenkindes, und sie befriedigen die Wünsche des Sonnenkindes.

6. Kreiere neue und hilfreiche Glaubenssätze, die zu deinem neuen Lebensgefühl passen, und webe sie in deine Vorstellungsbilder ein. Fühle auch, wie sich diese Sätze in deinem Körper anfühlen. Male sie in deinen Lieblingsfarben auf ein Blatt Papier, und hänge es in deiner Wohnung auf. Sage sie dir mindestens 15-mal am Tag vor, und spüre sie.

7. Wie gesagt, ist es schwer, einfach etwas nicht zu tun. Deswegen überlege dir, was du *stattdessen* tust. Erfinde nicht nur in deiner Vorstellung, sondern auch in deinem Verhalten ein Gegenprogramm. Bei Süchten ist ja Sport eine der besten Gegendrogen, die auch zu einem ganz neuen Lebensgefühl verhelfen kann. Ich empfehle dir dringend, regelmäßig Sport zu treiben, falls du das nicht ohnehin tust.

Überlege dir, was du dir alles Gutes tun kannst, um die scheinbare Leere, die der Drogenverzicht hervorruft, zu füllen. Vielleicht beginnst du auch ein neues Hobby, machst eine berufliche Umschulung oder eine Fortbildung. Tue alles, was dir guttut und dich mit Lebensfreude und Sinn erfüllt. Und setze für mehrere suchtfreie Etappen Belohnungen für dich ein.

8. Wann immer du ein Verlangen nach deiner Droge verspürst, gehe in dein neues Lebensgefühl, und lenke dich ab. Steigere dich bloß nicht in dein Suchtgefühl hinein – Ablenkung ist das A und O. In diesem Sinne ist es geradezu banal, es zu erwähnen: Gehe Versuchungen, so gut es geht, aus dem Weg.

Im Übrigen ist eine gute Tagesstruktur sehr hilfreich, um Suchtdruck gar nicht erst aufkommen zu lassen. Die meisten Rückfälle passieren nämlich entweder unter Stress oder weil man zu viel Zeit hat. Mit einer guten Struktur vermeide ich sowohl das eine wie auch das andere. Hierauf werde ich im nächsten Abschnitt eingehen.

Überwinde deine Trägheit!

Die Trägheit ist eine unserer größten Widerstände, wenn es darum geht, unser Leben zu gestalten und Veränderungen einzuläuten. Wie so viele unserer Eigenschaften, hat auch die Trägheit eine genetische Komponente: So verfügen wir neben unserem Aktivitätssystem auch über ein *Energiesparprogramm*. Dieses hat den lebensgeschichtlichen Sinn, dass wir unsere Kräfte schonen und uns nicht sinnlos verausgaben. Zustände der Trägheit und Faulheit gehören also genauso zu uns wie Aktivität und Zielstrebigkeit. Und wahrscheinlich hast du auch schon einmal die Erfahrung gemacht, dass du umso träger wirst, je mehr du ruhst, und umso aktiver wirst, je mehr du tust. Beide Zustände haben eine sich selbst verstärkende Wirkung. Dies hängt mit dem Gesetz der Trägheit zusammen, das da lautet: »Ein ruhender Körper fährt fort zu ruhen, wenn nicht eine Ursache ihn bewegt. Und ein bewegter Körper fährt fort, wenn nicht eine Ursache diese Richtung oder Geschwindigkeit ändert oder aufhebt.«

Ich habe die Wirkung dieses Gesetzes einmal ganz krass als Studentin erlebt: Die Semesterferien hatten begonnen, auf die ich mich schon lange gefreut hatte. Tausend Dinge standen auf meiner Erledigungsliste, denen ich mich endlich widmen konnte, nachdem die Prüfungen vorbei waren. So vergingen die ersten drei Wochen der Ferien mit diversen Aktivitäten. Danach war meine Erledigungsliste jedoch so ziemlich abgearbeitet. Nun hatte ich viel freie Zeit. Zu viel. Weil ich keinen besonderen Grund hatte, morgens aufzustehen, holte ich mir eine Tasse Kaffee ans Bett und las dort liegend stundenlang Romane. Mein Kreislauf kam hierdurch gar nicht auf Touren. Gegen Mittag war ich von meiner Bewegungslosigkeit bereits wieder so müde, dass ich wieder einschlief. Wenn ich nachmittags aufwachte, war mein Kreislauf ganz am Boden. Ich fühlte mich schlecht, trank wieder Kaffee und raffte mich dann auf, in der Wohnung ein bisschen Ordnung zu schaffen, manchmal auch noch nicht einmal das. Am Abend blickte ich auf einen leistungsfreien Tag zurück. Das machte mich unzufrieden. Diese Unzufriedenheit konnte ich jedoch ganz gut beim abendlichen Besuch in der Kneipe oder auf einer Studentenparty verdrängen. Je weniger ich zu tun hatte, desto fauler wurde ich. Am Ende der Semesterferien war mein Aktivitätslevel so weit gesunken, dass es mir schon zu viel war, nur eine Maschine Wäsche zu waschen, auch wenn ich sonst nichts am Tag zu tun hatte. Schließlich war ich heilfroh, als die Uni wieder anfing, die mir eine feste Tagesstruktur vorgab. Ruckzuck kam ich wieder auf Touren und konnte, schön im Stress, auch drei Maschinen Wäsche neben meinem sonstigen Arbeitspensum waschen – ohne zu jammern.

Nicht nur ich, sondern die meisten Menschen benötigen äußere Anforderungen und eine feste Tagesstruktur, um zu funktionieren. Am leichtesten bleiben wir in der Aktivität, wenn wir gar nicht erst aus ihr herausfallen. Der Montag ist nicht deshalb der schlimmste

Tag in der Woche, weil er höhere Anforderungen bereitstellt, sondern weil der Kontrast zum Wochenende so stark ist. Wir benötigen, um den Montag zu bewältigen, viel mehr *Anschubkraft* als am Dienstag. Noch leichter fällt uns die Arbeit am Mittwoch, und am Freitag können wir uns gar nicht mehr vorstellen, warum wir uns montags eigentlich so schlecht fühlen. Und genauso geht es uns mit allen anderen Aktivitäten, zumindest wenn sie eine gewisse Überwindung und Anstrengung erfordern. Je regelmäßiger wir sie betreiben, desto leichter fallen sie uns.

Deshalb ist eine klare Tagesstruktur die beste Prävention gegen Trägheit. Mache dir Tages- und Wochenpläne, in die du auch deine Freizeitaktivität mit einbaust. Ich selbst funktioniere ziemlich genau »nach Plan« und habe deswegen mehr Freizeit als die meisten Menschen. Morgens vor dem Frühstück treibe ich ein wenig Sport. Vormittags schreibe ich an einem Manuskript. In der Mittagspause hänge ich ein bisschen ab und übe dann noch Klavier. Nachmittags arbeite ich als Psychotherapeutin. Um 18 Uhr habe ich Feierabend. Total spießig, aber effektiv. Das ist sozusagen das Resultat meiner studentischen Selbsterfahrung. Überlege dir also genau, was du willst und was dir wichtig ist, und mache dir hierfür Tages- und Wochenpläne. Diese helfen ungeheuer, genau wie Erledigungslisten, die Dinge geregelt zu bekommen. Und sie schützen auch vor Überforderung, die genauso schlecht ist wie Unterforderung. Gestresst und überfordert sind nämlich häufig Menschen, die eine schlechte Zeiteinteilung haben. Sie erledigen vieles auf den letzten Drücker und fühlen sich hierdurch stets gehetzt und unter Druck.

Der Grund, warum feste Strukturen so wichtig für uns sind, ist der, dass wir uns nicht immer wieder neu entscheiden müssen. Der Wille und die Entscheidungsfähigkeit hängen nämlich eng miteinander zusammen, und beide können total erlahmen, wenn sie überfordert sind. Das hat man in verschiedenen psychologischen Experimenten nachgewiesen. In einem Experiment wurde das Entscheidungsverhalten von deutschen Autofahrern untersucht, die sich das Zubehör für ihr neues Auto am Computer zusammenstellen konnten. Farbe, Innenausstattung, Motorisierung – je mehr Entscheidungen die Käufer treffen mussten, desto überforderter waren sie und griffen auf Standardmodelle zurück, auch wenn sie dies im Schnitt 1500 Euro mehr kostete. Wenn du einen definierten Zeitplan hast, dann musst du sozusagen nur *eine* Entscheidung treffen, nämlich dich an ihn zu halten. Dies schließt natürlich Ausnahmen nicht aus. Ganz so konsequent, wie ich es oben beschrieben habe, bin ich natürlich auch nicht. Aber aufgrund der Tatsache, dass der Metaplan feststeht, finde ich immer wieder zu meinen guten Routinen zurück.

Das größte Problem ist häufig nur, erst einmal einen Anfang zu finden. Dieser kann eine Menge Anschubkraft kosten. Danach geht alles viel leichter, vor allem, wenn ich dann dabei bleibe und es regelmäßig mache. If you don't do it, you lose it. Das gilt sogar für Sex – zumindest in etwas länger etablierten Partnerschaften, wenn die Leidenschaft nachgelassen hat.

Apropos Leidenschaft: Sie wäre die Alternative zur Disziplin. Ich kenne aber persönlich keinen Menschen, der sein ganzes Schaffen aus reiner Leidenschaft vollzieht. Auch Künstler verpflichten sich normalerweise zu konsequenten Arbeitszeiten. Jede Tätigkeit und jeder Kompetenzerwerb haben nämlich auch ihre Durststrecken. Und für diese benötigt man Durchhaltevermögen. Menschen, die kein Durchhaltevermögen haben, fangen vieles an und ziehen wenig durch. Hierdurch bleiben ihr Können und ihr Wissen oberflächlich. Sie dringen nicht tiefer in eine Materie ein. Das macht sie auf die Dauer unzufrieden. Sie haben keine Tätigkeit, der sie sich mit Hingabe widmen. Die Hingabe an eine Tätigkeit und das immer tiefere Eindringen in eine Materie können uns jedoch auf einer tiefen Ebene erfüllen und glücklich stimmen. Sie erheben unseren Selbstwert auf eine gesunde Weise. Hierauf gehe ich noch im übernächsten Abschnitt ein.

Wenn ich meine Trägheit überwinden will, stellt sich also die Frage, wie ich meine Anschubkraft und meine Ausdauer steigern kann. Dies gilt insbesondere für Menschen, die unter Schieberitis leiden, die also ständig notwendige Aufgaben vor sich herschieben. Wer unter Schieberitis leidet, leidet zumeist nicht nur unter den Auswirkungen seines Energiesparprogramms, sondern auch unter starken Selbstzweifeln seines Schattenkindes. Das Schattenkind von Schieberitis-Infizierten ist nämlich häufig von Versagensängsten befallen. Dessen unterschwellige Angst, einer Aufgabe nicht gewachsen zu sein, es einfach nicht zu schaffen, führt dazu, die Aufgaben immer weiter aufzuschieben. Wie so oft kann der innere Erwachsene völlig anderer Meinung sein. Ihm ist zum Beispiel klar, dass er es natürlich schafft, seine Steuererklärung auszufüllen oder den Keller aufzuräumen. Aber das Schattenkind, mit seinen diffusen Ängsten vor dem Versagen, setzt sich durch. Seine Glaubenssätze könnten lauten: »Das schaffe ich nicht!«, »Ich bin schwach!«, »Ich bin dumm!« Schieberitis ist somit eine spezielle Ausprägung der Schutzstrategie Flucht und Vermeidung. Falls das Schattenkind keinen Anteil an der Schieberitis hat, dann ist der Betroffene in der Trägheitsfalle gefangen. Hierfür helfen jedoch auch die Tipps, die ich im nächsten Abschnitt gebe.

In manchen Fällen ist das Schattenkind von Schieberitis-Befallenen aber auch bockig. In diesem Fall hat es Probleme, mit den Erwartungen seiner Mitmenschen umzugehen. Menschen, die im Autonomie-Abhängigkeit-Konflikt (s. S. 38) gefangen sind, verweigern sich gern Anforderungen, weil sie diese als eine Einschränkung ihrer persönlichen Freiheit erleben. Sie tun also genau das nicht, was von ihnen erwartet wird. Hinter Schieberitis kann also auch als Schutzstrategie die passive Aggression stecken. Hierauf werde ich noch im übernächsten Abschnitt eingehen. Zunächst möchte ich dir jedoch noch ein paar Tipps geben, wie du deine Schieberitis überwinden kannst.

Übung: Sieben Schritte gegen Schieberitis

1. Befrage dein Schattenkind, was es ihm so schwer macht, einen Anfang zu finden. Sind es Versagensängste? Will es sich gegen Erwartungen trotzig auflehnen, oder ist es schlichtweg nur faul? Identifiziere die Glaubenssätze, die dich lähmen. Zum Beispiel: »Das schaffe ich nicht!« Oder: »Du kannst mich mal!« Dann spüre in dich hinein, wie es sein wird, wenn du deiner Lähmung und/oder deinem trotzigen Widerstand weiter nachgibst. Spüre, wie du dich heute Abend, morgen, nächste Woche, nächsten Monat fühlst, wenn du weiterhin alles aufschiebst. Wahrscheinlich kommen starke Schuldgefühle in dir auf, vielleicht auch Angst. Lass diese Gefühle zu.

2. Trenne ganz bewusst das Schattenkind und den inneren Erwachsenen in dir, und arbeite mit beiden, wie du es in diesem Buch gelernt hast. So kannst du dein inneres Kind trösten, den Erwachsenen mit Argumenten stärken, deine Projektionen auflösen usw.

3. Drehe deine negativen Glaubenssätze in positive um, so wie du es unter »Finde deine positiven Glaubenssätze« auf Seite 163 gelernt hast. Hast du beispielsweise den Glaubenssatz »Ich schaff das nicht!«, dann transformiere ihn in »Ich schaffe das!«. Male ihn, sofern er dort nicht schon steht, in deinen Lieblingsfarben in deine Sonnenkindschablone oder auf einen Extrazettel.

4. Zielgefühl: Wenn du eine Aufgabe, die zeitlich begrenzt ist, vor dir herschiebst, wie zum Beispiel die Steuererklärung, dann spüre mit allen Sinnen, wie du dich fühlen wirst, wenn du die Aufgabe erledigt hast. Wenn du hingegen den Anfang einer regelmäßigen Tätigkeit, wie beispielsweise Sport treiben, ständig vor dir herschiebst, dann spüre mit allen Sinnen, wie es sich anfühlt, wenn du den Anfang längst hinter dir hättest und schon regelmäßig Sport treiben würdest. Gehe also voll in das gute Gefühl hinein – aktiviere dein Sonnenkind.

5. Mache dir Zwischenziele, wenn dir die Aufgabe zu groß erscheint. Wenn du zum Beispiel mit Joggen anfangen willst, dann kannst du dir vornehmen, zunächst für eine halbe Stunde abwechselnd zu gehen und zu laufen. Das ist nicht ganz so anstrengend und senkt somit die Anfangshürde. Oder wenn du deinen Keller aufräumen willst, dann brauchst du dafür nicht eine Woche Urlaub zu vergeuden. Mit dieser Erwägung wirst du vielleicht dein Vorhaben nie in die Tat umsetzen. Nimm dir stattdessen vor, jeden Tag nach Feierabend eine Stunde lang aufzuräumen. Stecke also realistische Ziele, die gut umsetzbar sind.

6. Trage dein Vorhaben in deinen Tages- und/oder Wochenplan ein.

7. Plane Belohnungen ein: Wenn du es beispielsweise geschafft hast, eine Woche jeden Abend eine Stunde den Keller aufzuräumen, dann darfst du dir einen Wunsch erfüllen. Oder du lässt dich belohnen. Wenn du beispielsweise allein geschuftet hast und dein Partner verschont geblieben ist, dann könntest du ihn um eine Rückenmassage zur Belohnung bitten.

Bedenke immer: Die Schiebeenergie kann dich 24 Stunden am Tag und das sieben Tage die Woche kosten. Die Ich-bring-es-hinter-mich-Energie erfordert erheblich weniger Zeit- und Kraftaufwand.

Löse deinen Widerstand auf!

Es gibt unheimlich viele Menschen, deren inneres Kind im Trotz gefangen ist. Unter den Abschnitten »Der Autonomie-Abhängigkeit-Konflikt« und »Selbstschutzstrategie: Machtstreben« habe ich schon einiges über jene geschrieben, deren Schattenkind ein überwertiges Bestreben aufweist, möglichst autonom und eigenständig zu handeln. Zumeist als Antwort auf ein Übermaß an Kontrolle, das es in der Kindheit durch seine Eltern erfahren hat. Ihr Schattenkind ist in der Trotzphase stecken geblieben. Erwartungen, die an sie gestellt werden, rufen einen reflexartigen Widerstand in ihnen hervor. Um sich ihre Autonomie zu beweisen, tun sie genau das nicht, was von ihnen erwartet wird. Hierdurch boykottieren sie jedoch nicht nur ihre Beziehungen, sondern vor allem auch sich selbst. Indem sie sich Anforderungen und Erwartungen ihrer Umwelt verweigern, machen sie unnötig viele Umwege und Stopps. Es gibt nicht wenige, die weit unter ihren eigenen Möglichkeiten hinsichtlich ihres beruflichen Werdegangs bleiben, weil ihr Schattenkind sich trotzig weigert, die Hoffnungen seiner Eltern zu erfüllen. Viele von ihnen leiden auch unter Bindungsangst, weil die Nähe einer festen Partnerschaft ihr Autonomiebedürfnis zu stark bedroht. Sie fühlen sich in festen Beziehungen wie im Gefängnis und bangen um ihre persönliche Freiheit. Das Schattenkind in ihnen meint nämlich, dass es sich den Erwartungen seiner Partner unterwerfen *muss*, um geliebt zu werden. Hierdurch entsteht bei ihnen im Nahkontakt mit anderen Menschen schnell das Gefühl, sich selbst zu verlieren. Deswegen suchen sie nach Momenten der Nähe auch immer wieder die Distanz. Nur wenn sie allein sind, haben sie das Gefühl, wirklich bei sich selbst zu sein.

Wenn du dich angesprochen fühlst, dann solltest du deinem Schattenkind immer wieder klarmachen, dass ihr heute groß und erwachsen seid. Du musst dir nicht ständig beweisen, dass du Macht hast, indem du dich verweigerst. Analysiere deinen Widerstand anhand ganz konkreter Situationen, in denen er immer wieder auftritt. Spüre deine dahinterliegenden Glaubenssätze auf. Häufig verbergen sich hinter diesem Muster Glaubenssätze wie »Ich bin für dein Glück verantwortlich!«, »Ich muss immer für dich da sein!«, »Ich muss mich anpassen!«, »Ich darf mich nicht wehren!«, »Ich darf nicht ich sein!«. Das Schattenkind in dir kompensiert diese Glaubenssätze, indem es ihnen durch aktiven und passiven Widerstand entgegentritt. Mache dir mithilfe deines inneren Erwachsenen klar, dass du hierdurch genauso abhängig bist, als wenn du alle Erwartungen erfüllen würdest. Wenn du nämlich immer wissen musst, was der andere will, um danach zu entscheiden, was du nicht willst, dann macht dich das nicht unbedingt souveräner.

Dein Problem ist, dass du dich schlecht abgrenzen kannst gegen die Erwartungen deiner Mitmenschen und von daher oft nicht so genau weißt, was du selbst willst. Weil du dich schlecht selbst behaupten kannst, grenzt du dich umso radikaler gegen die echten und auch vermeintlichen Erwartungen deiner Mitmenschen ab. Du ergreifst sozusagen die Flucht nach vorn. Wenn du dieses Muster auflösen willst, ist es also ganz wichtig, dass dein Schattenkind begreift, dass du heute ein freier Mensch und erwachsen bist. Dein Schattenkind ist noch stark in der Realität von früher gefangen, als Mama und Papa noch das Sagen hatten.

Erst wenn du auf einer tiefen Ebene fühlst, dass du heute ein freier Mensch bist, kannst du auf einer wirklich autonomen Basis entscheiden, was du willst und was du nicht willst. Dann kannst du auch mit einem guten Gefühl Ja sagen, weil du dann spürst, dass *du* derjenige bist, der das will, und du dich nicht mehr durch die Erwartungen deiner Mitmenschen fremdbestimmt fühlst. Für dich ist es also sehr wichtig, dass du im ersten Schritt einen besseren Kontakt zu deinen Wünschen und Bedürfnissen herstellst und im zweiten Schritt lernst, dich auf eine angemessene Weise selbst zu behaupten, damit du nicht in deinem trotzigen Widerstand stecken bleibst.

Versuche im Kontakt mit Menschen immer wieder in dich selbst hineinzuspüren, und frage dich dabei, wie es dir gerade geht und was du gern sagen oder machen würdest. Spüre auch ganz bewusst, wie stark im Beisammensein mit anderen dein Programm anspringt, es ihnen möglichst recht zu machen. Dies ist nämlich der Grund für deinen Widerstand. Dein Schattenkind ist in ständiger Sorge, in eine unterlegene Position zu kommen. Deswegen beansprucht es so viel Freiraum, Eigenständigkeit und damit letztlich Macht für sich. Wenn du dich dabei ertappst, dass dein Trotz dich erfasst, dann gehe ganz bewusst in dein Erwachsenen-Ich und analysiere die Situation mit deinem klaren Verstand. Es geht darum, dass du dir immer wieder begreiflich machst, dass du mit deinem Gegenüber auf Augenhöhe bist. Du hast die gleichen Rechte, und du bist frei. Dann überlege dir, ob es wirklich fair und richtig ist, wenn du die Wünsche deines Interaktionspartners boykottierst. Du bist nämlich häufig so stark damit beschäftigt, deine Grenzen zu beschützen, dass dir die Empathie für dein Gegenüber verloren geht. Wenn du mit deinem trotzigen Schattenkind identifiziert bist, dann mutiert dein Gegenüber schnell zum Feind. Trainiere so oft es geht, deine Wahrnehmung zu hinterfragen und zu korrigieren. Hierbei helfen dir viele Übungen in diesem Buch.

Pflege Hobbys und Interessen

Arbeit und Aktivität machen glücklich. Trägheit macht hingegen traurig – das wusste schon Thomas von Aquin, von dem diese Aussage stammt. Aktivität wirkt antidepressiv, und sie kann uns in den Zustand der Selbstvergessenheit führen, der für unser Seelenleben so entlastend ist. Dies haben umfangreiche Untersuchungen zum Glücksempfinden erbracht. Führend war hier ein Psychologe mit dem unaussprechlichen Namen Csikszentmihalyi, der den Begriff des *Flow* prägte. Flow heißt fließen und bezeichnet einen inneren Zustand, in dem ich ganz in meiner Tätigkeit aufgehe. Im Flow bin ich selbstvergessen. In diesen Zustand kann ich beim Gärtnern, beim Skifahren, Handwerken oder beim Musizieren gelangen – bei jeder Tätigkeit, der ich mich konzentriert widme. Diese Hingabe an ein Tun fördert das Kompetenzerleben und gibt uns ein Gefühl der Sinnerfüllung. Wir befinden uns dann im Modus des Sonnenkindes.

Falls du wenige Interessen verfolgst und keine Hobbys pflegst, dann empfehle ich dir dringend, diesen Bereich in deinem Leben auszubauen. Überlege dir, woran du Freude hättest, und fang an. Denke niemals, du wärst für irgendetwas zu alt. Viele Dinge lernt man besonders gut, wenn man etwas älter ist, weil man nämlich bessere Lernstrategien als ein Kind hat. So erlernen Erwachsene zum Beispiel auch – entgegen der landläufigen Meinung – viel schneller ein Instrument als Kinder. Ich selbst habe erst mit 42 Jahren das Klavierspielen angefangen und habe sehr schnell Fortschritte gemacht.

Hobbys und Interessen helfen dir, deine Aufmerksamkeit auf Dinge zu lenken, die außerhalb deiner selbst liegen. Dies lenkt dich ab von selbstbezogenen Sorgen. Und es erfüllt dich mit Freude und Stolz, wenn dir die Dinge immer besser gelingen und/oder du immer mehr Wissen erwirbst. So kannst du dein Selbstwertgefühl auf eine gesunde Weise stärken. Wenn du dich mit Konzentration und Eifer einer Tätigkeit hingibst, ist dein Schattenkind beruhigt und dein Sonnenkind höchst erfreut.

Hobbys und Interessen helfen dir dabei, dich selbst zu erfüllen. Die Gestaltung deiner Interessen liegt in deiner eigenen Hand. Hier musst du nicht darauf warten, dass ein anderer dich glücklich macht oder irgendetwas tut, damit es dir besser geht. Bedenke jedoch, dass jeder Kompetenzerwerb auch seine Durststrecken haben kann. Wenn du zu jenen gehörst, die vieles anfangen und wenig zu Ende bringen, dann beschäftige dich noch einmal mit dem Abschnitt »Überwinde deine Trägheit«.

Indem du Hobbys und Interessen verfolgst, übernimmst du die Verantwortung dafür, dass es dir gut geht. Dies gilt natürlich auch für Aktivitäten, die man nicht regelmäßig unternimmt. Wie zum Beispiel Freunde zum Essen einladen, ins Kino gehen oder im Sommer das Freibad aufsuchen. Warte nicht darauf, dass irgendetwas passiert, sondern gestalte dein Leben in jeder Hinsicht.

Das waren nun die wichtigsten Schatzstrategien im Überblick. Einige wendest du vielleicht schon lange an, andere sind dir vielleicht weniger vertraut. Wie bereits ausgeführt, geht es letztlich immer um die Gestaltung unserer Beziehungen. Diese werden umso freudvoller, je besser unsere Beziehung zu uns selbst ist. Je genauer ich mein Schattenkind im Auge habe, desto weniger bin ich geneigt, meine eigenen Ängste und Unzulänglichkeiten auf andere Menschen zu projizieren und desto weniger ziehe ich mich auf Schutzstrategien zurück, die mein Verhältnis zu den anderen eher belasten als entlasten. Je öfter ich mich in meinem Sonnenkind aufhalte, desto leichter gelingt es mir, mir selbst und anderen Menschen mit Wohlwollen zu begegnen.

Wie ich eingangs unter den »Vier psychischen Grundbedürfnissen« beschrieben habe, geht es eigentlich nur um wenige Themen in unserem Leben: um Bindung versus Selbstbehauptung, um Kontrolle versus Vertrauen, um Lust und Unlust und um unser Selbstwertgefühl. Dabei meine ich, dass das Selbstwertgefühl die Grundlage von allem ist. Aus diesem heraus entscheidet sich, wie gut ich meine Bedürfnisse nach Bindung auf der einen Seite und Selbstbehauptung auf der anderen Seite ausbalancieren kann. Aus dem Selbstwertgefühl resultiert auch das Ausmaß an Kontrolle, das ich benötige, um mich sicher zu fühlen beziehungsweise die Fähigkeit zu vertrauen. Auch auf die Bedürfnisse nach Lust- und Unlustbefriedigung hat das Selbstwertgefühl einen Einfluss: Ein Mensch mit einem intakten Selbstwertgefühl kann seine Lust- und Unlustbestrebungen besser regulieren als ein Mensch mit einem labilen Selbstwertgefühl. Er muss sich weder auf eine zwanghafte Weise disziplinieren, noch gibt er sich der Maßlosigkeit anheim.

Das Schatten- und das Sonnenkind sind die Metaphern für unser Selbstwertgefühl mit seinen schwachen und problematischen Anteilen und mit seinen gesunden und starken Anteilen. Wie du längst verstanden hast, geht es darum, sein Schattenkind anzunehmen, ohne ihm hierbei die Führung zu überlassen. Und es geht darum, den Anteil des Sonnenkindes zu stärken und ihm viel mehr Raum im eigenen Leben zu geben. Dabei sind die Themen, die uns besonders beschäftigen, natürlich individuell verschieden. Deswegen habe ich die Anleitung für das Schatten- und für das Sonnenkind so gehalten, dass jeder Leser und jede Leserin es mit ihren individuellen Inhalten füllen kann. Im nächsten Schritt kannst du dir jene Schatzstrategien notieren, die für dich besonders wichtig sind und die du ganz besonders in deinem Alltag beachten und ausbauen möchtest.

Übung: Finde deine persönlichen Schatzstrategien

Suche dir bitte jene der vorgestellten Schatzstrategien aus, die für dich besonders hilfreich wären. Genauso wie bei den Schutzstrategien kannst du natürlich auch Schatzstrategien hinzufügen, die ich nicht explizit erwähnt habe beziehungsweise kannst du deine Schatzstrategien sehr individuell formulieren. So notierst du vielleicht: »Ich lerne Saxophon«, »Ich bleibe mit meinem Ehemann auf Augenhöhe«, »Ich begebe mich jeden Morgen in das Sonnenkindgefühl«, »Ich suche mir eine neue Arbeit«, »Ich spiele täglich eine halbe Stunde mit meinen (realen) Kindern«. Trage deine persönlichen Schatzstrategien in den Fußraum deiner Schablone ein (siehe Abbildung Buchinnendeckel Rückseite).

Nun hast du dein Sonnenkind mit seinem ganzen Potenzial vor dir liegen. Dieses Potenzial kann aber nur zur vollen Entfaltung kommen, wenn du regelmäßig mit deinem Sonnenkind *spielst* und deine neuen Glaubenssätze, deine Werte und deine Schatzstrategien auch *lebst*, das heißt, dass du dein neues Wissen auch in deinem Alltag anwendest. Dass du dich also so oft wie möglich *ertappst*, wenn du wieder im Schattenkindmodus bist. Dass du dein Schattenkind von deinem Erwachsenen-Ich *trennst* und auf dein Schattenkind *beruhigend einwirkst.* Dass du weiterhin, so oft es geht, ganz bewusst in dein Sonnenkind oder in den inneren Erwachsenen *umschaltest.* Hierfür machst du dir deine neuen Glaubenssätze immer wieder *bewusst.* Denke auch an deine Werte, und *setze sie um*, so oft es geht. Und *trainiere* deine Schatzstrategien. Vor allem *beschäftige* dich immer wieder mit den Übungen, die ich dir vorgestellt habe. Übernimm die *Verantwortung* für deine persönliche Entwicklung.

Piano Horses Dog

Damit du dich in deinem Alltag immer wieder an dein neues Wissen erinnerst, empfehle ich dir, dein Sonnenkind nicht einfach in die Schublade zu legen, sondern es in deiner Wohnung aufzuhängen. Außerdem fotografiere es mit deinem Handy, damit du es auch immer dabeihast, wenn du unterwegs bist.

Übung: Integration von Schatten- und Sonnenkind

Die nun folgende Übung soll dir dabei helfen, dein Schatten- und dein Sonnenkind miteinander zu verbinden und in deine Persönlichkeit zu integrieren. Das sogenannte »Gehen entlang der 8« wurde von der US-amerikanischen Psychologin und Forscherin Deborah Sunbeck entwickelt. Es fördert die Zusammenarbeit der beiden Gehirnhälften und ist eine Methode zur Ausbildung zunehmend komplexer neuronaler Netze. Die folgende Übung, die in Anlehnung an das Original von meiner Kotrainerin und Freundin Julia Tomuschat entworfen wurde, ermöglicht eine kinästhetische Integration der beiden Bewusstseinszustände vom Sonnen- und Schattenkind. Ich führe diese Übung regelmäßig auf meinen Seminaren durch und bin jedes Mal wieder beeindruckt von ihrer durchschlagenden Wirkung. Das Ziel der Übung ist, dass du das Schatten- und das Sonnenkind in dir annimmst und integrierst und noch einmal ganz deutlich spürst, dass du selbst *die Wahl* für den einen oder auch den anderen Zustand hast.

Ideal wäre es, wenn du für diese Übung zwei Helfer hättest, aber du kannst sie auch allein durchführen.

I. Notiere dir bitte von deinem Schattenkind deine negativen Kernglaubenssätze und die Gefühle auf eine Karteikarte oder einen Zettel. Wenn du magst, kannst du auch noch eine Farbe hinzufügen, die diesem Zustand entspricht, zum Beispiel Grau. Du kannst aber auch »düster« oder einen anderen Helligkeitszustand wählen. Farben und Licht haben tiefe Assoziationen in uns, und die Hinzunahme dieser Modalitäten ist für diese Übung hilfreich.

Entsprechend notierst du dir auf ein zweites Kärtchen deine positiven Kernglaubenssätze, die Gefühle, eine Farbe, dein Stichwort für dein inneres Bild (z. B. Meer) und die Werte deines Sonnenkindes.

2. Deine Schatten- und deine Sonnenkindschablone legst du auf den Boden, und zwar so, dass du in der Form einer liegenden 8 um beide Schablonen herumlaufen kannst. Das Schattenkind liegt also innerhalb eines (imaginierten) Kreises der 8 und das Sonnenkind im anderen Kreis.

3. Falls du zwei Helfer hast, stellen sie sich so auf, dass jeweils einer bei einer Kreisrundung der 8 steht. A nimmt dein Karteikärtchen für das Schattenkind und B jenes für das Sonnenkind.

4. Du stellst dich in die Mitte deiner vorgestellten 8 und beginnst, sie abzugehen. Immer wenn du den einen Kreis abläufst, liest Helfer A, der bei dieser Kreisseite steht, laut vor, was auf seinem Kärtchen steht. Sobald du an die Schnittstelle der beiden Kreisrundungen kommst und in die andere Rundung der 8 hineinläufst, übernimmt Helfer B mit dem anderen Kärtchen das Vorlesen. Sobald du wieder die Schnittstelle durchläufst, fährt wieder Helfer A fort und so weiter. Falls du keine Helfer hast, liest du dir die Kärtchen selbst abwechselnd vor. Oder du machst eine Höraufnahme von beiden Kärtchen, die du ungefähr zehnmal hintereinander und, ganz wichtig, in einem Tempo sprichst, dass es mit deinem Gehtempo – also mit den Übergängen von einer Rundung in die andere korrespondiert.

5. Du gehst die 8 insgesamt circa zehnmal ab, während du oder deine Helfer abwechselnd die Kärtchen vorlesen. Am Ende bleibst du genau in der Mitte der 8 stehen und spürst in dich hinein, was sich verändert hat – zu welchem Zustand du dich mehr hingezogen fühlst. Falls du dich danach noch mehr zu deinem Schatten- als von deinem Sonnenkind angezogen fühlst,

wiederhole die Übung so lange, bis sich alles für dich gut und stimmig anfühlt.

Du kannst diese Übung im Übrigen für alle möglichen Themenbereiche in deinem Leben variieren. Sie hilft immer gut, wenn zwei sich unterschiedliche Bedürfnis- und Motivationslagen in dir streiten. Sie hilft also bei allen Entscheidungskonflikten. Du schreibst dann auf jeweils ein Kärtchen die Pros und auf das andere die Kontras. Falls du noch mehr Gewinn aus dem »Gehen entlang der 8« herausziehen willst, dann empfehle ich dir das gleichnamige Buch.

Nun komme ich zum letzten Abschnitt dieses Buches. Auch bei diesem handelt es sich um eine Schatzstrategie, die jedoch so grundlegend und allumfassend ist, dass man sie gleichsam als das Ziel dieses Buches bezeichnen könnte, weswegen ich sie auch an dessen Ende setze.

Erlaube dir, du selbst zu sein!

Wie ich immer wieder betone, laufen unsere gesamten Schutzstrategien darauf hinaus, uns vor Angriffen zu beschützen und möglichst viel Anerkennung zu erhalten. Ich erinnere auch noch einmal daran, dass es sich hierbei nicht allein um eine ungünstige Kindheitsprägung handelt, sondern auch um ein genetisches Programm: Wir sind darauf angewiesen, Anschluss in einer Gemeinschaft zu haben. Deshalb nötigen uns unsere Gene über das Druckmittel Schamgefühl dazu, uns möglichst so zu verhalten, dass wir sozial überleben. Schamgefühle haben den lebensgeschichtlichen Sinn, dass wir uns in einer Gemeinschaft anpassen. Eine tiefe Bloßstellung kann geradezu traumatisierend sein. Scham ist ein sehr mächtiges und extrem belastendes Gefühl. Allerdings ist die Bandbreite, wofür wir uns schämen, individuell sehr verschieden. Menschen, deren Schattenkind viele negative und selbstabwertende Glaubenssätze aufweist, schämen sich viel schneller als Menschen, die über

vorwiegend positive Glaubenssätze verfügen. Viele schämen sich
für ihre Selbstunsicherheit. Dabei ist es gar nicht schlimm, unsicher
zu sein. Das sind wir alle mal mehr und mal weniger je nach Situation und Lebenslage. Das ist in Ordnung, das ist menschlich.

Wenn ich meine Unterlegenheitsgefühle jedoch kompensiere,
indem ich meine Meinung und meine Wünsche verberge, indem
ich aggressiv bin oder den anderen auflaufen lasse, aus der Beziehung flüchte oder andere Menschen abwerte, dann ist es nicht in
Ordnung.

Wenn wir lernen wollen, mehr zu uns selbst zu stehen, weil dies
die Voraussetzung sowohl für unsere persönliche Freiheit als auch
für gelingende Beziehungen ist, dann müssen wir akzeptieren, dass
wir verletzlich sind. Wir müssen akzeptieren, dass wir Fehler machen, Schwächen haben und angreifbar sind. Wenn wir meinen, wir
könnten nur ins Leben treten, wenn wir perfekt und kugelsicher
sind, dann verpassen wir viele Chancen und Beziehungen.

Es ist nicht wichtig, ob du schön, perfekt und mächtig bist. Wichtig ist, dass du zu dir selbst findest. Je mehr dein Schattenkind und
dein Sonnenkind in dir eine liebevolle und geborgene Heimat finden, desto mehr ruhst du in dir selbst, und desto verständnisvoller
und wohlwollender kannst du dich anderen Menschen öffnen.
Denn Heimat ist dort, wo du *du selbst* sein darfst. Heimat bedeutet
Vertrautheit, Geborgenheit und Sicherheit. Heimat bedeutet dazu-
zugehören. Wenn ich mich in mir selbst beheimate, dann gehöre
ich dazu – ich bin mit mir und anderen in Verbindung. Und das ist
das, worauf es ankommt im Leben.

Der »große Philosoph« Popeye sagte: »Ich bin, was ich bin, und
das ist alles, was ich bin!« Dieser Satz könnte dein tägliches Mantra
werden. Selbstakzeptanz schließt im Übrigen nicht aus, dass man
sich weiterentwickelt. Im Gegenteil: Erst wenn ich mir meine Unzulänglichkeiten auch eingestehe, kann ich an ihnen arbeiten. Der
Fokus der Optimierung sollte jedoch nicht darauf liegen, deine
Schutzstrategien zu optimieren, sondern dich so zu verhalten, dass

es dir mit dir selbst und anderen mit dir möglichst gut geht. Also, sei einfach stolz und zufrieden mit dir, wenn

- du Verständnis für dein Schattenkind aufbringst;
- du für dich selbst – trotz Angst – eintrittst;
- du für jemand anderen – trotz Angst – eintrittst;
- es dir gelingt, Fakt und Interpretation zu unterscheiden;
- du deine Projektionen auflöst;
- du bei deinen Argumenten bleibst, wenn dir keine besseren entgegensetzt werden;
- du dem anderen Recht gibst, wenn er Recht hat;
- du einen Konflikt offen und fair regelst;
- du zu deinen Überzeugungen und Werten stehst;
- du für deine Gefühle und dein Verhalten Verantwortung übernimmst;
- du einem schwierigen Menschen mit Wohlwollen begegnest;
- es dir gelingt, Neidgefühle aufzulösen;
- du jemandem wirklich zuhörst;
- du eine Herausforderung annimmst, der du früher ausgewichen wärst;
- du dein Leben genießt;
- du offen und ehrlich bist;
- du deine Werte lebst;
- du jeden Tag deine Übungen machst;
- du dir auch nur aufrichtig Mühe gibst;
- du dein Sonnenkind lebst.

> **Du bist, was du bist, und das ist alles, was du bist, und du bist gut so!**

Literaturverzeichnis

Branden, N. (2008). Die 6 Säulen des Selbstwertgefühls.
Erfolgreich und zufrieden durch ein starkes Selbst. München,
Piper.

Corssen, J. & Tramitz, C. (2014). Ich und die anderen.
Als Selbst-Entwickler zu gelingenden Beziehungen.
München, Knaur.

Dahm, U. (2011). Mit der Kindheit Frieden schließen.
Wie alte Wunden heilen. Darmstadt, Schirner.

Dwoskin, H. (2015). The Sedona Method: Your Key to Lasting
Happiness, Success, Peace and Emotional Well-Being.
Sedona Press.

Frankl, V. E. (2015). Das Leiden am sinnlosen Leben:
Psychotherapie für heute. Freiburg, Kreuz.

Gendlin E. T. (2012). Focusing: Selbsthilfe bei der Lösung
persönlicher Probleme. Berlin, Rowohlt.

Heyman G. M. (2010). Addiction: A Disorder of Choice.
Harvard University Press.

Grawe, K. (2004). Neuropsychotherapie. Göttingen,
Hogrefe.

Jacob, G. & Arntz, A. (2014). Schematherapie. Fortschritte
der Psychotherapie. Göttingen, Hogrefe.

Klein, S. (2005). Einfach glücklich. Die Glücksformel für jeden
Tag. Reinbek, Rowohlt.

Klein, S. (2010). Der Sinn des Gebens. Warum Selbstlosigkeit in der Evolution siegt und wir mit Egoismus nicht weiterkommen. Frankfurt am Main, Fischer.

Nöllke, M. (2009). Schlagfertigkeit. München, Haufe.

Reddemann, L. (2002). Imagination als heilsame Kraft. Zur Behandlung von Traumafolgen mit ressourcenorientierten Verfahren. Stuttgart, Klett-Cotta.

Röhr, H.-P. (2013). Die Kunst, sich wertzuschätzen. Angst und Depression überwinden. Selbstsicherheit gewinnen. Ostfildern, Patmos.

Schnarch, D. (2011). Intimität und Verlangen. Sexuelle Leidenschaft in dauerhaften Beziehungen. Stuttgart, Klett-Cotta.

Stahl, S. (2011). Leben kann auch einfach sein! So stärken Sie Ihr Selbstwertgefühl. Hamburg, Ellert & Richter.

Stahl, S. & Pannen, K. (2015): Ja, nein, vielleicht! Nie mehr Angst vor Nähe. Ein Mutmachbuch, München, Kösel.

Stahl, S. (2014). Jein! Bindungsängste erkennen und bewältigen. Hilfe für Betroffene und deren Partner. Hamburg, Ellert & Richter.

Stahl, S. (2014). Vom Jein zum Ja! Bindungsangst verstehen und lösen. Hilfe für Betroffene und ihre Partner. Hamburg, Ellert & Richter.

Stahl, S. & Alt, M., (2013). So bin ich eben! Erkenne dich selbst und andere. Hamburg, Ellert & Richter.

Süfke, B. (2010). Männerseelen. Ein psychologischer Ratgeber. München, Goldmann.

Sunbeck, D. & Lippmann, E. (2005). Was die 8 möglich macht: Laufend neue Aufgaben lösen. Kirchzarten, VAK.

Tomuschat, J. (2016). Das Sonnenkind-Prinzip. Wie wir Selbstliebe, Leichtigkeit und Lebensfreude wieder entdecken. München, Kailash

Unger, H.-P. & Kleinschmidt, C. (2014). »Das hält keiner bis zur Rente durch!«. München, Kösel.

Sachregister

Das Praxisbuch
zum Bestseller

128 Seiten. ISBN 978-3-424-63143-2

Mit ihrem Bestseller „Das Kind in dir muss Heimat finden"
verhalf Stefanie Stahl Hunderttausenden Menschen dazu, die
enorme Kraft der Arbeit mit dem inneren Kind für sich zu
entdecken. Dieses Praxisbuch vermittelt nun ein umfassendes
Programm für ein starkes Ich. Zahlreiche neue Übungen
sowie sechs heraustrennbaren Schablonen begleiten die
individuelle Arbeit mit dem Sonnen- und Schattenkind.

kailash

Überall, wo es Bücher gibt, und unter www.kailash-verlag.de

Eine Bildergeschichte
zur Lösung (fast) aller Probleme

56 Seiten. ISBN 978-3-424-63181-4

Das erfolgreiche Therapiekonzept von Bestseller-Autorin Stefanie Stahl in Form einer inspirierenden Erzählung: Sonnenkind und Schattenkind begleiten die Arbeit mit dem inneren Kind und eröffnen eine neue Perspektive auf die Prägungen aus unserer Kindheit.

„Mit der Geschichte in diesem Büchlein möchte ich dir zeigen, was du brauchst, damit du dich in der Welt verstanden, geborgen und angenommen fühlst. Das ist gar nicht so schwer. Du musst nur bereit sein, dich selbst besser kennenzulernen." Stefanie Stahl